清宫

红尘尽处·下

爆走金鱼◎著

朝华出版社

第十九章

qitgong · hengchengjicha

紫禁城

康熙二十八年冬

宜妃确实没有被降封，一切看来如常，所有人都在纳闷，康熙与太后如此宠爱留瑕，为何没有任何表示？

然而，康熙与太后是不可能善罢甘休的，瞒着留瑕、瞒着众人，敲山震虎，康熙罢黜了宜妃的父兄，太后也不再召宜妃家族的女眷进宫，这些人突然失去了圣眷，错愕、惶恐之际，开始到处打听，最后撞木钟撞到了索额图府上，要请他去疏通疏通。

这索额图虽说丢了大学士，现如今只是个普通的内大臣，但是百足大虫死而不僵，在朝中经营了几十年的势力不是一时半会儿就打散的。他的家族仗着太子，也还是有人巴结，与太后太妃的关系也好，没有人敢小觑于他。

宜妃的父亲三官保赔着笑，对索额图说："索公爷，我家这事……"

"没什么可说的，这是你家宜妃娘娘惹出的，解铃还需系铃人，得要你自己去解才行,我帮不上忙。"索额图懒懒地吸着水烟说。

三官保有些傻眼,他并不知道宜妃做了什么:"我那闺女惹出的?"

"可不是?你家宜妃不谨慎哪!从前皇上就喜欢她这辣劲,你们家又巴结得太后好,宫里除了先头三位主子娘娘,也没人比你郭络罗家办差勤恳,宜妃骂人自然是不打紧,可是现在的承乾宫主子,慧娘娘,你知道是什么人?"索额图不咸不淡地说,三官保摇了摇头。

索额图睨了他一眼,冷冷地说:"论出身,堂堂的黄金血胤、成吉思汗的后人,这是远的,近的来说,是科尔沁洪果尔老王爷家的人、太后老佛爷的堂妹子,这身份,莫说是宜妃,就是三位主子娘娘也比不上;论宠,除了我们家、遏必隆家跟前头刚过去的娘娘,谁能一进宫就封妃?论才,写得一手好字、满腹诗书;论貌,一半儿博尔济吉特,那是出了名的美人窝,再一半满、一半汉,三家好处都给她占尽了,你家比得上?论贤慧,是皇上的解语花、忘忧草,就这些,你家宜妃娘娘敢惹?"

三官保给这连珠炮似的话吓坏了,郭络罗家是镶黄旗的大族,向来自视甚高,但是留瑕的这些来历确实都正中他的恐惧,他讷讷地说:"下官竟不知道这些个根由,原来慧娘娘……"

"慧娘娘原就跟着老佛爷好些年了,老佛爷无出,早把她当亲闺女一般,册妃之后,那份亲热是谁也比不得的。我说老弟,你大约不知道宜娘娘闹了什么事吧?她在宁寿宫前指着慧娘娘鼻子骂,说得那份难听……你自己说吧!太后跟皇上能善罢甘休?没降封已是万幸,还能指望像从前那样荣宠不衰?"索额图说完,又捧起水烟"呼哧呼哧"地猛抽。

三官保搔了搔脑袋,还得要问计,连忙递上一张五百两的龙头银票:"索公爷,您一定有办法,我们同朝为臣,兄弟这点心意不算什么,只要替我们在慧娘娘跟前说说……"

"那我没法儿说,饶是我家那口子,宫里上下都熟透的,还摸不准慧娘娘的脾气呢!"索额图先把话说死了,但是还是把那张银票掖了袖里,又拿出一份折子递过去,"这份折子,你看看。"

三官保打开,抓着重点看,一瞄见"臣等奏请册封慧妃娘娘为皇后,统领六宫,以安圣母太后、以慰皇上圣心、以抚百姓……"他吃一吓,抬起头来:"索公爷,这……"

"看完了？要看完了就回去照写一本，也叫你家人都写，只先按着别发出去。我估摸着慧娘娘不久就会怀孕，到时候递上去，皇上必准，到时候，你有保奏之功，慧娘娘要倚仗你的地方还多着呢！"索额图收回本章，厚重的眼睑又垂了下去，阴沉地说："让你闺女老实些，慧娘娘是注定要做皇后的人，我赫舍里家族倾全族之力也要保她做皇后。我在朝这么些年，门生故旧还是有的，你掂量掂量，早些给我回话。"

"是是，我这就去写本。"三官保被他吓得直打哆嗦，慌忙辞了出来，一摸背上，已是汗湿重衣。

索额图的弟弟心裕从后面绕出来，他一屁股在三官保刚才坐过的位置坐下："三哥，这不像你啊！'有了后娘就有后爹'不是你说的？怎么这会儿又要保人做皇后了？"

"你喝黄汤喝得傻了？从前太子小，怕皇后虐待，现在太子已经十五岁了，我看皇上对他不甚满意，不赶紧地拉个皇后起来保太子，难道还等明珠他妹子去吹枕头风？其实拉谁都是其次，我就不乐意便宜了纳兰家的婆娘！"索额图不悦地瞪了心裕一眼，烦躁地说，"你别在我这里添乱，去签押房帮着写信给我那些个门生，要他们都备好了本章，只等慧妃怀孕，就把奏折递上去。"

心裕答应了一声，转身去了，索额图叫了管家进来："给慧娘娘备的礼都齐了？"

"是，都齐了。"管家抽出一份礼单，递给索额图，"老爷请过目。"

索额图拿过礼单，上面密密麻麻地写着各式礼物，他拿着礼单来到书桌边，用笔画掉几行，又写上几行字，才扔给管家："你竟是只蠢驴？不知道娘娘是个好读书的？送什么金银珠宝？送得过皇上跟太后赏的？蠢货，把那些字画、宋版书、宋纸、徽墨、端砚、湖笔都挑最好的去，再添两方鸡血石，就照着送男人的东西送，另外，僖娘娘那里不用去了，叫太太明日带上大奶奶、二奶奶她们，都去承乾宫拜见慧娘娘，明白？"

僖娘娘，就是僖嫔，她是赫舍里皇后的族妹，赫舍里家族在皇后去世后，原本都指望着她。虽然与赫舍里皇后有六分相像，但是康熙对这位小姨子却没什么感情，太子与这位亲姨也不亲。与她同时封嫔的荣妃、宜妃、惠妃都已经升妃多年，唯独她还是个嫔，索额图也只当她是鸡肋，食之无味、弃之可惜，勉强应付着而已。

"奴才明白。"管家躬身,出去之后忙不迭地把原本礼物中的珠宝抽掉,换上笔墨纸砚。

索额图看着那份奏折,他的手指轻轻地叩了叩"慧妃娘娘"四个字,低声说:"博尔济吉特,你的肚子可要争点气,太子和我赫舍里家的前程,都在你身上哪!"

索额图打留瑕主意的同时,已有人比他早一步与留瑕接触。佟皇后的父母带着还是贵人的小女儿来拜见留瑕,留瑕听说佟国维夫妻来了,连忙迎出承乾门,蹲身一福:"阿玛吉祥、额娘吉祥。"

"哎呀,娘娘,奴才担当不起、担当不起。"佟国维连连作揖,要妻子搀起留瑕,一群人让了一阵,才在承乾宫里坐定。佟国维先开口:"娘娘册妃之后,奴才一直没来拜见,实在惶恐。"

"阿玛说哪里话?真要折死我了。"留瑕客气地说,虽然称佟氏夫妻为父母,其实不亲,只是佟家在朝势力这几年越来越大,却只有一个还是贵人的小女儿,而且佟贵人二十二岁,册为贵人四年,还是处子,不免担心康熙会疏远佟家。现放着个当宠的留瑕,自然没有不巴结的道理,佟皇后让她进宫,也就是要让双方互相利用,心照不宣罢了。

"其实我们这趟来,是要来求娘娘一个恩典的。"佟夫人赔笑着说,拉过了佟贵人说,"我这小女儿,原先是先头娘娘宫里人,娘娘去了,这孩子就没人照料,娘娘既然喊我一声额娘,就求娘娘这个恩典,收了妹子吧?"

留瑕看了看佟贵人,却不太熟识,留瑕微笑着说:"既然额娘开口,我自然没有不应的道理,妹妹。"

"还不快上去喊姐姐?愣着做什么?"佟国维对女儿说。

佟贵人身材细瘦,看着还像个没发育的女孩子,一双与康熙有几分相像的大眼睛不安而羞怯地看着留瑕,上前一福,声音又细又轻,蚊子叫似的:"姐姐吉祥。"

留瑕含笑点头,佟夫人又说:"储秀宫里没了正主儿,我这孩儿独自一人也挺无聊,娘娘既然认了妹子,好不好就到承乾宫来?姐儿俩说话解闷,这孩子只粗通文墨,读过几本《女则》而已,早听说娘娘是个女秀才,娘娘闲时指导她读书弹琴,就是这孩子造化了。"

"原本也没什么不可以,只是我初进宫,不好做主,待我禀过老佛爷,再把妹妹带过来,这样可好?"留瑕微笑着说,这是正理,佟夫人也没什么意见,一伙人说了些客套话,也就辞了出来。

留瑕送客后,换上家居的旗装,她静静地站在正殿前,神色之间有些疲惫,宫女问她:"小主,您怎么了?"

"没什么……只是觉得……好像连这承乾宫……都快保不住了……"留瑕幽幽地说。

宫女大惊,连忙问:"小主,这是怎么说的?"

"做了正主儿,就不能拒绝别人到我这里做宫里人,可有了宫里人,皇上就是到了承乾宫,也不是我的了……"留瑕悲伤地说,自从进宫以来,她只有在人前才坚强,人后,一点点小事都会惹她难受,但是还不到哭的时候,她看着晴朗的天空,"在这紫禁城里,谁不是满肚子的不得已……"

"小主,您可要备着沐浴?皇上保不定今晚要来呢!"宫女说。

"晚些再说吧……他今儿不会来了。"留瑕淡淡地说。

夜深沉,寂静的宫中偶然能传来几声卖夜宵的声音,虽说远在宫外,却近得就像在西长街上走过似的,宫中管这叫"响城",谁也不知这是什么个道理。夜露凝在明黄琉璃瓦上,顺着滴水檐滑下来,像一串泪,落入青灰色的金砖地上。

宜妃坐在自己宫里的暖阁,正在做一件霁青宁绸长坎肩,坎肩领子上缘着一圈貂皮,这貂皮非常难缝,又不能用粗针去穿,得用细的利针看准了穿过去,有时候太难拔,要用牙齿咬着把针拔出来。一向飞扬跋扈的宜妃,在做这件衣裳时,表情却显得柔和温顺。

一个宫女走进来,蹲身一福:"娘娘,乾清宫传消息,皇上等会儿过来,请娘娘预备着接驾。"

宜妃抬起头,惊喜地说:"皇上要来?"

"是啊娘娘,真是大喜,皇上可好几年没上咱宫里了。"宫女脸上也笑得开花,康熙几乎都是翻牌子让妃子到乾清宫,鲜少亲自来过夜。宫女们连忙帮宜妃匀脸、梳头、重化晚妆,换了件粉色团荷的旗袍,一般来说,过了三十就不穿红的、粉的,要给年轻人留份儿,可是淡色总显得年轻些,宜妃也只在康熙跟前才穿。

不久后,只听得外面一递一声传来轻轻的击掌声,宜妃平了平衣襟,簪好一朵珠花,起身相迎。

康熙走进暖阁,随手把佛青实地缎面大氅往后一扯,自有人来收拾了,康熙一屁股在炕上坐下, 宜妃快步过来给他脱了鞋子,康熙用脚随便地一指:"兑点热水,给朕洗脚。"

宜妃赶紧让人拿了铜盆、布巾来,洗脚洗身子的苦水还来不及烧,便用了茶吊子上饮用的甜水[1],兑了凉水,半蹲半跪在地上给他洗脚,一边柔声说:"去年皇上说奴婢做的银狐大褂做工细,今年就想着给您做了件长坎肩,知道皇上尚俭,又听说今年进的貂多、皮又好,就用了貂皮……"

宜妃一头只管说,康熙却懒洋洋地靠着个大迎枕打了个大大的哈欠,宜妃见他疲倦,便说:"皇上今儿看来特别累,洗了脚就睡吧?"

康熙好像没听到似的,自顾自地翻看着一本老皇历,宜妃也不多说,给他擦了脚,穿上袜子,就侧身站在旁边,一句话都不敢说。

康熙翻着皇历,宜妃觉得他不时透过书本遮盖的余光在瞄她,心中窃喜,从皇后去世,都两三个月了,还没翻过她牌子,不知道他今儿是不是有什么特别打算?故作这天威莫测的样儿?不由得羞得红晕满面,低垂着头扭衣带。

"啪"的一声,康熙把那本老皇历一合,正了身子,瞑目端坐不语。宜妃见他这样,嘟了嘴撒娇说:"皇上……来了奴婢宫里,怎么也不说句话儿?"

康熙睁开眼睛,面无表情地看着她,淡淡地说:"宜妃,你不觉得你太过分了?"

宜妃瞬间没了笑容,她随即明白了康熙的来意:"回皇上,奴婢愚钝,不明白您说的是什么事。"

"能有什么事?你在宁寿宫闹的还不够?"

宜妃知道他是来给留瑕讨公道的,一咬唇,倔犟地说:"奴婢在宁寿宫说的话也许是太过了,可是,哪一句不是实话?皇上心疼她,可她是个值得疼的人吗?撒娇使气任性,她哪一样少过?随便说吧,宫里谁不知道蛮装[2]是禁服,可她就敢大咧咧在主子跟前穿着蛮装到处跑,说是蒙格格,其实压根就是个蛮婆子,谁服气她?"

"你一口一个蛮婆子,可朕的额娘、还有先头的皇后,也都有汉人的血缘,这么说,朕也是蛮汉子?"康熙冷淡地说,话音不高,似乎只是随口说说。

宜妃一怔,她祖上八代都是旗人,非常自豪于自己纯正的满洲血统,平常就很看不起汉军旗的妃子，却没念及康熙就带着汉血缘。心知失言，却不肯认错，扑到康熙怀里耍赖："皇上圣明烛照，奴婢是无心之言、一时嘴快，可奴婢就是看不惯她那个狐媚样子，说句不雅驯的，她正是要男人的年纪，偏又是个公主胚子，娇贵得十指不碰阳春水，哪里懂得体贴您？皇上龙体为重，您是奴婢的命，奴婢不能让她委屈了皇上不是？承乾宫还是少去的好。"

"宜妃呀……无心之言，才最见真心。"康熙把她扒开，搬到一边去，盘膝坐在炕上，神情异常严肃，"朕一向喜欢真小人大于伪君子，宠你，正是因为你纵然使坏，也使得扒心扒肺、明火执仗。你给朕生儿育女，不容易，朕是个念旧的人，不会有了新的就把你丢开。你爱伤谁，尽管去，吵翻了天都有老佛爷调解，朕不管。可留瑕不同，朕对她跟朕对你不一样，明白告诉你，她就是下一个贵妃。你对她要有点尊重，现在就跟她闹僵，你又不是个八面玲珑跟谁都好的性子，往后，她要整治你来立威，其他人起哄，朕也就顾不得情面了。"

宜妃的心凉了，她怔怔地看着康熙，她想笑着跟康熙撒娇，极力上扬的唇，只是抖起一个悲伤的表情，两行不知所措的泪滑落，用手蒙住脸，跪在地上哭了起来。康熙静静地看着她，宜妃之所以与其他人不同，正是因为美得张扬、爱得跋扈，往日的强悍、今日的脆弱，都是因为他，他知道自己就是宜妃的弱点，也是所有宫妃的弱点。

康熙等她哭了一阵，开始收泪，才起身把她拉起来，拥进怀中："好了，把妆都哭花了，朕还看什么呀？"

宜妃顺势靠进他怀中，她知道自己与贵妃之位无缘了，让谁都可以，就是不肯便宜了留瑕，紧搂着康熙的腰，又哭得骄横起来："惠姐姐、荣姐姐跟德妹妹，哪一个不好？我们姐儿四个都是一道进来的，她们做贵妃，我心服口服，可她一个小女娃儿，又没有孩子、又不懂得伺候，凭什么做贵妃？皇上，奴婢不怕她整治，奴婢拼着不要这个妃位，也不能让她坏了宫中法度。"

"你什么时候保护起法度来？你跟留瑕，一个半斤、一个八两，最不守法的就是你们俩，可她现在低着脑袋伺候太后、夹着尾巴与人相处，你骂得那么难听，她都硬忍下来了，谁还能说她现在不守法度？她才二十四岁，谁能说她将来不会给朕生个七龙八虎？"康熙淡淡地说，他感觉到宜妃的身子一僵，他的眼睛一眯，低低地笑了起来，暧昧的话语里，带着严正的警告，"再说，你怎么知道她不会伺候？实话告诉你，朕就喜欢她这公主胚子、朕就喜欢宠得她无法无天，闺房之乐、新婚之喜，你也是尝过的，那才刺激呢！"

宜妃气得咬牙，康熙冷冰冰地把她放开，哼了一声，自去床上睡了。宜妃刚坐到床沿，康熙就一把把床帐拉下，假笑着说："你的床借朕躺一宿，你去炕上睡吧！"说完，就蒙头睡了。

宜妃委屈得真想一头碰死，又碍着脸面，不能叫人去给她拿被子。走到外寝，见旁边挂着康熙的大氅，拿了过来，裹在身上，康熙常熏的龙涎香顿时盈满鼻间。她闻着他的味道，却是冷得一丝温度也无。宜妃从没受过这等冷待滋味，她明白自己不贤德，可是待他是一片真心，伺候他这些年也是恩恩爱爱，现如今有了个留瑕，就把她一扫帚扫得干干净净……

宜妃泪眼婆娑，看着那大氅面上绣着寿山福海，底色织着团花，落花情深，偏是流水太无情。她恨恨地咬着大氅的衣领，锦缎在齿间摩擦，涩得紧。一边怨他，却又披着他的大氅来到观音神像前，泣诉着说："菩萨，你给我鉴察！普天下的男人，就属他心最狠，我待他一片痴心，他待我倒是假！菩萨，你有灵有圣，惩治他！我给你捐金身、烧长香。"

宜妃磕了个头，刚要走回去，又想起什么似的转回来跪下："菩萨，您别动皇上，你惩治那个狐媚子慧妃吧！都是她抢了我的男人。"

说完，恭恭敬敬地磕了三个响头，才回到内寝去，站在床边看着熟睡的康熙，心中一软，除了鞋子，轻轻地爬上床去，偎在他身边，轻柔地抚摸着他，用被子把两人紧紧裹住，这才沉沉睡去。

隔了大半个紫禁城，留瑕静静地伏在被间，规矩缩在她身旁。她痴瞪着一双美目，这是她进宫以来，第一次整天都没见到康熙的影儿。她知道他去宜妃那里，也知道他去做什么，只是压不住深深的孤单，从前不觉得一个人睡有什么不好，然而，尝过云雨之欢，就怎么也回不去从前了。留瑕觉得有点后悔，不该让他去的，宁愿自己吃亏，也胜似现在翡翠衾寒。

想着想着，迷迷糊糊睡去，倒梦见了一只蝴蝶在宫墙内盘桓来去，她随着蝴蝶走，来到一个小小院落，猛地醒来，觉得梦中场景十分熟悉，想了一阵，才记起是小时候来宫里的事儿，依稀间似乎遇见了个男孩子，对她极好的，可她没问他叫什么名字，后来也就慢慢忘了。

那男孩子要还在，大约也跟她差不多年纪吧？留瑕伸了个懒腰，搂住衾被，把规矩抱进怀中睡去。

隔日一大早，留瑕便起身梳妆，给太后请安。陪着太后、太妃转陀螺玩升官图，这升官图上从童生、秀才、举人一路写到总督，这陀螺上写着德、才、功、赃，转了陀螺之后，得了德、才两字可以升官往前走，功字原地不动，赃字贬黜，可以玩一整个早上。

一群女人一边转着升官图，一边聊家常，这头却有人禀报过来："老佛爷，苏嬷嬷来了。"

留瑕连忙起身相迎，太后与太妃虽说端坐不动，却也一叠连声用满语招呼："苏大姐姐。"

留瑕等在门边，满洲风俗最忌扶掖，除非是真的不良于行或者迈门槛、下楼梯时掖一下，否则很少如汉家缠足妇女一般左右搀扶。只见一个老婆婆端端正正走进来，先给太后太妃见礼，说的却是满语："奴婢苏麻喇给老佛爷请安，太妃万福。"

这老婆婆正是太皇太后的陪嫁侍女苏麻喇，满人有个好习俗，叫做"看佛敬僧"，无论是儿女子媳，都比不得贴身侍女亲近老人，再怎么孝顺的儿女，也不可能时时日日地看顾，一切都要托付给侍女。因此晚辈不能对长辈的贴身侍女摆主人架势，毕竟人家是代行孝道的，加上俗话说："打狗看主人"，要是对侍女吆七喝八的，就是不尊敬自己的长辈。

故而，儿女对父母的贴身侍女要当做平辈，孙辈要对祖父母的贴身侍女看做庶母，逢年过节送礼是不能免的，就是平日里也少不了要给些零花，这也不能叫做赏钱，儿女子孙没有资格给长辈的侍女打赏，而要说是添些梳头油钱。

康熙敬爱太皇太后远胜一切，自然对这"看佛敬僧"的事也看得特别重。苏麻喇跟着太皇太后从科尔沁嫁到满洲，又一路跟到北京来，情分不同其他，太皇太后对苏麻喇从来不直呼其名，而叫她"格格"；就是从前的顺治皇帝，对苏麻喇也要喊声"苏大姐姐"，太后太妃也都是这样称呼；康熙自己则是叫苏麻喇"额娘"；皇子女则称她"妈妈"，皇室一族对她尊敬如斯，影响所及，内务府的人也都称她"苏麻喇额娘格格"或者"苏麻喇额娘妈妈"，不敢拿她当普通奴仆。

太后只一颔首，太妃起身行了半礼："苏大姐姐万福。"

太后赐了座，苏麻喇在留瑕刚刚的位置上坐下，换留瑕给她行了个双腿跪安："额娘万福。"

"乌兰图雅出落得越来越漂亮了，我看看。"苏麻喇拉了她来左右端详，微笑着说，"前儿皇上来看我，说乌兰图雅这些日子变得更好看了，我老婆子好奇，这就巴巴儿赶来要瞧瞧，果然是更漂亮了。"

"他们俩如今情哥哥、蜜姐姐的打得火热，不漂亮才奇呢！"太后笑着说，挤着眼睛对苏麻喇说，"每次来我这儿，眼睛都串在一起，眉来眼去的，看得我一个老寡妇都不好意思了。"

"老佛爷……"

"还害臊呢。"太后取笑着留瑕，其实苏麻喇这趟来，也是想来听点风月事轻松轻松，一群老太太闲着没事，总喜欢关心人家小夫妻的事情，三人把留瑕围在当中，东一句、西一句地把她问了个满脸羞红，趁个空儿溜了。

留瑕走在外东路上，转过弯，迎面，却见康熙和一个老太太、还有一个穿着团龙补服、冬朝冠的男子走来。康熙看见她，就站住了脚："留瑕！"

"皇上吉祥。"

"这是显亲王跟老福晋。"康熙一摆手，又对显亲王丹臻与老显王福晋说，"这是朕的慧妃，科尔沁洪果尔老王爷家的格格。"

留瑕低眉掩去对康熙的柔情，向丹臻与老福晋一福："老福晋吉祥、显王爷吉祥。"

"娘娘吉祥。"丹臻与老福晋连忙回礼。

"你刚从老佛爷那儿出来？还有些谁？"康熙问。

"苏麻喇额娘也来了。"

"哦？额娘来了？"康熙大喜，笑着对老福晋说，"老嫂子，你也好久不见苏麻喇额娘了吧？咱一起见见？"

老福晋哪有说不好的理，康熙也不放了留瑕，拉了她的手往前走，四人鱼贯而入。隔着丹臻与老福晋，康熙与留瑕强自压抑着想跟对方说话的意念。隔着康熙，丹臻不能多看留瑕一眼，即使他听见康熙喊"留瑕"，就知道这个美丽女子是他曾经的指婚对象。他惊艳于她娇美清丽的气质，他心中暗自叹息，该怎么告诉她，早在康熙十二年、他十岁的时候，就曾经在宫中遇见她？

那时，他在宫中迷路了，在英华殿附近遇见同样迷路的她，就一直惦记着、一直记得留瑕小时候的模样，白皙可爱。他也曾偷偷打听过留瑕的下落，只听说她父母都在三藩乱中殉国，后来才知道她就在太后身边。丹臻知道太后有意把她指给他时，心头扑扑直跳，他向来希望能有一个红颜知己，其实他在之前就曾经看过她几次，那时还显得青涩，今日，却呈现出一股说不出的少妇娇媚。他侧了侧头，看见留瑕的容颜，心中升起一阵爱怜，却不禁暗恨自己无福，让一场良缘付诸流水。

一群人走进来，太后等人乱了一阵，又换座位、又招呼，忙得一团乱，留瑕给他们安排着座儿，又一一敬上茶来。

太后先发话，宁寿宫已经好久没这般热闹："咳，说你们大伙儿也真奇怪，不来，谁都不来，一来，就全都来了。以后我得排个班表，初一十五是苏大姐姐来，初二十六是显福晋来，这样我这儿就天天有客，多热闹。"

"母后，儿子天天都来，就没见您那么爱见，丹臻他们一来，您就开心得了不得，母后偏心。"康熙撒娇，他虽说已经三十好几，撒娇显得有些不得体，可是在太后、太妃、苏麻喇与老福晋眼中，他永远是他们的小皇上。

"还不依了。"太后笑眯了眼睛，掐着兰花指点着他说，"从前来我这儿请安时辰多长，现在有留瑕心疼了，连个千儿都还没打完，就忙着往承乾宫歇响。人家丹臻多久才来见一回，自然是疼他一些，你呀！小山鹊儿尾巴长、有了媳妇忘了娘，还说母后偏心。"

"山鹊儿？留瑕，你什么时候长尾巴了？朕瞧瞧。"康熙故作痴傻，扯了留瑕来，要摸她背后，留瑕笑着打了他的手背一下，康熙叫起来，"母后您瞧，她打儿子呢！"

"该打，谁让皇上当着这么多人手来脚来的，讨厌。"留瑕啐了他一口。

"哎哎，你们两个克制点。"太妃出来打个圆场，微笑着对苏麻喇说，"苏大姐姐，你瞧、你瞧。"

苏麻喇看着他们玩闹，轻轻地说："要老太太在，定然要拧皇上耳朵的。"

所有人都笑了，笑完，不约而同地叹了口气，康熙强笑着说："都是额娘，提起妈妈来，听得心里刀剁似的。"

一群人说了话，围绕着太皇太后的往事转，宁寿宫里陷入了一种过往的美好，苏麻喇将太皇太后从前的故事娓娓道来，满洲开国时的那群英雄豪杰在她口中一一重现，当然谈得最多的还是后妃。孝端皇后的庄重贤淑，成就了太宗的一生事业；太宗一生中最疯狂痴迷的爱情，则给了宸妃海兰珠，一个二十七岁才来归的再嫁之妇,她不算最美、不算最温柔、不算最聪明、不算最庄重、更不像官方文书上说的那样饱读诗书,她是一个极其普通的女人,可就是迷住了太宗,甚至为她放弃征明大业。

苏麻喇说到这里,轻叹了口气:"人哪,是怎么说的呢?"

"人家不都说,满人情痴吗?先帝……唉……"太后低声说。

康熙静静地听,他从前不相信满人情痴这四个字,觉得那不过是满人敢说、汉人不敢言而已……他看了留瑕一眼,自有了她,这样的牵肠挂肚,是满人情痴吗?

留瑕也瞄了他一眼,眼波流转,皱了皱鼻子,康熙对她微笑起来,眼角余光,却看见丹臻眸中一闪而逝的痛楚,他心中升起一种警觉,脸上不露,又说了一阵话便拉了留瑕同行。

两人走在空寂的东长街上,眼瞅着承乾宫已经在望,康熙若有所思地拥着她的腰,留瑕轻呼一声:"皇上。"

康熙一看,是抱得太紧了,连忙松开笑着说:"真恨不得一碗水吞你在肚里,去哪里都带着。"

"黏得这么密,我还怕烦呢!"留瑕说。

"密什么?这还不算,待得晚间,那才是你中有我、我中有你呢!"

留瑕拧了他一把,嗔怪着说:"说什么乌七八糟的,光天白日的羞死人。"

康熙微笑,将她拥进怀里:"不说也罢,倒是你往后避着显亲王些才好。"

留瑕心眼一转,便知道他心中还影着她差点儿成为显王福晋的事,只随口说:"皇上不说,我也知道的。毕竟是外臣,男女有别嘛!"

"知道就好,朕去办公,晚上煮了好菜等朕。"

"欸。"

过了几日,留瑕禀过太后,请求把佟贵人转到她身边,太后应允了,督促着让六宫都太监去办,这一头,留瑕命人把承乾宫东配殿贞顺斋腾了出来给佟贵人;另一头,太后怕留瑕的宫里太冷清,又想多照拂着蒙八旗的姑娘,把几个出身低些的蒙八旗常在也塞了过来,都分配在西配殿明德堂跟后殿的两个跨院里。这几个常在虽说有些年纪了,相貌又普通,但是都是本分人,自愿做些宫女们的小杂活儿,与留瑕相处还算融洽。

"慧姐姐。"

佟贵人在留瑕跟前一福身，外面有些嘈杂，宫女、太监们正在运送着箱笼，那几个蒙八旗常在早已经安顿好，眼下都在自己屋里收拾，故而没来与佟贵人见礼。留瑕微笑着请佟贵人坐了，看着手上一纸太后的命令，是让佟贵人转来承乾宫的正式文书，留瑕说："妹妹，你几岁入宫的？翻过牌子了吗？"

"十四岁进宫待年，十八岁才升的贵人。"佟贵人细声细气地说，看了留瑕一眼，又红着脸说，"还没伺候过皇上。"

留瑕有些讶异，十八岁才升贵人也未免太晚了，这样算来，入宫前后八年，又是佟皇后的妹妹，怎么还没翻过牌子？她温声说："是你没打点乾清宫？"

佟贵人神色间有些幽怨，嗫嚅了一下似乎要说什么，最后只是淡淡地说："其实我本来不该进宫的，姐姐说，我不是做妃子的材料……"

留瑕明白过来，她看着瘦弱的佟贵人，心中感叹，原来不是没打点，是佟皇后压着不让她打点……亲姐妹之间，依然猜忌如此，人心哪……

"妹妹，你别难过，既然来到承乾宫，我少不得要照应，皇上来的时候，你就带着十三格格来，时常见面，翻牌子也就是早晚的事情了。"留瑕说，她早就想好了，人都已经到了，不可能压着不让见，但是要她亲手把康熙送过去，说实在的，留瑕不甘愿，只能让佟贵人时不时地见康熙，其余的事情，全看康熙了。

佟贵人眼眶一红，康熙的英姿俊朗，在她心中，多少是有地位的，只是在宫中，别人看她是佟皇后的妹妹，也不靠近，她又与亲姐姐不亲，康熙眼里根本没有她，所以一直郁郁寡欢。此时听留瑕话中有意思要撮合，只喊得一声"姐姐"，眼泪便走珠儿似的滚了下来。

"妹妹，你别心眼儿窄，耐心地等等吧……"留瑕柔声宽慰，又交代着说，"你一安顿好，就去其他的姐妹们屋里走动走动，她们虽都是常在，可年纪比你大，喊几声姐姐不少块肉，嘴甜些，日后好相与，嗯？"

佟贵人点点头，拭了泪，才起身去了。

当晚，康熙就坐着肩舆来了，这些年，他很少去各个妃嫔宫里，因为觉得跑去后宫只是浪费时间，所以都叫她们到乾清宫，有时完事也不留人就直接送出去，依旧起来办公。

走在通往承乾宫的宫道上，一弯如钩新月笼在夜晚的薄雾中。康熙突然想起了李后主的《菩萨蛮》，看看脚上的明黄鞋子，金线绣成的龙闪着幽暗的光，不正是双金缕鞋？

康熙笑出声来，引得随从都觉得皇帝今日有些怪，怎么？去承乾宫这么乐？

肩舆停在梨树下，留瑕早已听到通报，出殿相迎，康熙站在肩舆旁，看着留瑕轻盈地跑下台阶，给步伐振起的下摆，透出罗袜。康熙揽着她肩头，在她耳边轻声说："朕刚才想到了一首词，你要不要听？"

"当然要。"

"花明月黯笼轻雾，今宵好向郎边去……"康熙的声音很轻，吹在留瑕耳边，"朕今日来当一回小周后了，'朕'为出来难，随着你把朕怎么办吧！"

留瑕笑了出来，不知道为什么，虽然康熙爱说这些甜得恶心的话，但是她就是觉得很好笑，她含笑说："随我怎么办？那好，皇上要洗干净了才能睡觉，要让我摸着了一滴汗，把您打出去。"

"好凶狠，你这人没良心。"康熙毫不在意，他说那些平常打死都不说的话，其实就知道留瑕必定要顶回来，好跟她拌嘴。

"这也是《菩萨蛮》，叫做'一向发娇嗔，碎挼花打人'。"留瑕笑着说。

康熙忍俊不禁，哈哈大笑，这首唐代的《菩萨蛮》，原词是：牡丹含露真珠颗，美人折向庭前过，含笑问檀郎：花强妾貌强？檀郎故相恼，须道花枝好，一向发娇嗔，碎挼花打人。

这首词流传甚广，唐代后来出了一件恶妇殴夫的事件，皇帝笑着对宰相说："这不正是'碎挼花打人'？"

"你这蛮菩萨真个蛮，还动手呢！"康熙携着她的手，缓步走进正殿，十三格格跑出来，康熙一把抱住，"紫祯，想不想阿玛？"

"想！想阿玛给的糖。"十三格格跟着留瑕，也学会了一肚子调皮捣蛋，伸手就往康熙怀里找，"阿玛给糖！"

"今儿没糖吃，你这小没良心的，跟你慧额娘一个样儿，古灵精怪。"康熙弹了弹十三格格的额头，亲昵地说，却看到一个少女怯生生地站在当儿，弱不禁风，一碰就折了似的，低着头，康熙问留瑕，"这是？"

"这是佟贵人，主子娘娘的小妹子，现下跟着奴婢了。"留瑕说，有旁人在场，自称也就改回来"奴婢"。

康熙点了点头,坐到炕上,十三格格坐在他膝上,留瑕给他斟了茶,佟贵人请了安,康熙说:"你刚进宫吧?朕不记得见过你。"

佟贵人看了留瑕一眼,似乎很是局促,不知所措地扭着帕子,留瑕说:"已经进宫八年了。"

"是吗?那朕……"康熙刚说了几个字,留瑕向他一眨眼,他就一转话锋,干笑了两声,"朕忙得昏头了,竟不记得自己表妹?慧妃拜了舅舅做阿玛,说起来,你们就是姐妹了。慧妃是朕信得过的人,绝不会亏待你的,你就把她当自己亲姐姐,有什么话告诉她。若真处理不了,还有朕,若在小家子,你还该喊朕一声表哥的。"

"谢皇上恩典,娘娘待奴婢很好,奴婢感恩在心。"佟贵人欠身一躬。

"那就好,你带着十三格格去休息吧!朕这里还有话说。"康熙说着,要把十三格格给佟贵人。

十三格格扭着身子钻在康熙怀里,嘴里喊着:"不要不要,我要跟阿玛额娘在一起。"

"紫祯,听话。"康熙没遇过孩子耍赖,下意识地就沉声说她。

留瑕微笑,起身过去,柔声对十三格格说:"紫祯,跟着佟姨回去,你阿玛累了,改日再陪你玩。"

"不要不要,人家要跟阿玛额娘在一起。"

十三格格攀着康熙撒娇,眼睛哀求着看着父亲,康熙就心软了,正想出声留她,留瑕对十三格格说:"紫祯,你阿玛一天要忙好多事,你心疼阿玛,就让他好好休息,成吗?"

十三格格闻言,仔细地看着康熙,那双澄净的眼睛,看透了他强装笑颜的疲累心肠,康熙顿时觉得,这孩子将来必定是个灵秀独钟的才女。十三格格在他脸上亲了一下,依依不舍地说:"那阿玛乖乖,我去睡觉。"

康熙与留瑕都欣慰地笑了,童言童语中,包藏着孩子对父亲的深情。十三格格让佟贵人抱走了,康熙松乏地倒卧在留瑕腿上,他说:"紫祯长大必定像你,才这么点大,你跟她说道理,也能说通?"

"其实小孩子比大人还通情达理,孩子的眼睛很纯,看到多少就是多少,我说的是事实,紫祯看得出来的。"留瑕从髻上拿下一支金耳挖子,轻抚着康熙的耳朵,"皇上,给你清清耳朵好不?"

康熙眯着眼睛,听话地侧过身体,懒洋洋地说:"你抓人心还抓得真准,不过,怎么你就没点心眼呢?"

"谁没心眼?只是用与不用,其实人心倒不是用抓的,将心比心,还有什么不明白?"留瑕小心地用着耳挖子,怕掏得太深。

"不过我有件事要跟皇上说,最近,不知道是从哪儿知道了我的生日,科尔沁本家送了五百两黄金还有几车厚礼,各家博尔济吉特也有礼送来;索老亲、明珠大人、熊师傅、李光地大人、佟家阿玛,甚至几个总督、巡抚都送了东西,皇上,我不知道怎么办才好。"

"那有什么,从前太宗皇帝、还有先帝的时候,博尔济吉特多风光?从朕登基以来,快三十年没有娘娘了,就怕着将来没人在朕跟前说话,巴结你是正常的,东蒙古有的是钱,说到底,其实远不及朕赐的,你都收下来,还吃不垮他们。"康熙淡淡地说,不过说到后面,他就有些谨慎,摸着鼻子说,"倒是明珠、索额图他们的礼……朕要想一想。"

"还是不收吧?我看过了礼单,索老亲送的字画,都是海内珍品,里头一幅《腊梅山禽》³还有几幅字,看着像是宋徽宗的真迹,就不是徽宗的,也一定是金章宗⁴的,光这几幅字画价值不菲。明珠大人送的一尊等身大的白玉观音,是上好的羊脂玉整块雕成,也是价值连城。东蒙古的礼直接就是金银,看起来多,其实比上这些上书房大臣的,差得很远,实在这些东西太贵重了。"留瑕不安地说。

康熙不语,翻了身,让留瑕给他掏另一只耳朵,思量许久,才说:"都收,宫中的开销大,用钱也有定例,朕不能随便给你加恩,你一年的月例是三百两,抵得上两个一品大员的年俸,外边看起来很多,其实朕知道,赏人是远远不够的,这些富得流油的奴才整日价要给朕'分忧解劳',恰好,你就当做是朕给你的吧!"

"可是,东西哪有白拿的?"留瑕擦干净耳挖子,放到旁边去,把下巴磕在康熙肩上,侧看着康熙。

康熙对她微笑,捏了捏她的手:"不怕,他们有事必定要来你这里撞木钟,你不要答应、也不要拒绝,打迷糊仗,之后告诉朕就成了。朕要允了,你就去答应,要不允,你就说办不成,送的礼、求的事全都登记造册,你自己管着,捏着这些证据,你什么也不用怕。"

留瑕这才放下心来，看着康熙眯着眼睛，微微地抿着嘴，柔声轻问："想睡了不是？"

"困得要老命……"

留瑕本想让他上床去睡，猛地想起他还没洗澡，连忙推着他说："皇上快去洗澡，别就这么睡了。"

"朕累，懒得洗。"康熙闭着眼睛说。

留瑕看着他赖皮的表情，心里盘算着到底要不要让他就这么去睡，可是，她生在南方，生性爱洁，实在受不得汗味，琢磨了半晌，才羞红了脸说："要不，我帮皇上洗？"

"好。"康熙就等这一声，一个鲤鱼打挺，坐起身来，浑然不似刚才懒散疲倦。

留瑕才知道自己上当，又羞又气地说："又摆圈套，不算数。"

"你最爱说什么'床上夫妻、床下君子'，君子一言既出，驷马难追，朕全都听得清楚，你可不能赖。"康熙含笑看着留瑕羞得红云盖脸，扬声向外说，"来人，给朕备热水！"

注释：

1.甜水：专门用来饮用的水。紫禁城诸宫各有一口苦水井，方便各宫盥洗，但是饮用的甜水井却不多，而且距离遥远，大多集中在御膳房等需要大量用水的地方，所以诸宫的饮用水若非急用，是不会用于梳洗的。

2.蛮装：即汉服，清代汉人妇女原则上是两截穿衣、三绺梳头，与旗人穿旗袍坎肩不同，除了清初的少数特例，否则在皇宫中是严禁穿汉服的。不过，到了皇室园林能够随便一点，从清宫留下的行乐图看来，在园林中的皇帝后妃，偶尔也会穿上汉服画几张像纪念，但是也仅限画像的时候，平日起居还是以旗装为主。

3.《腊梅山禽》：宋徽宗赵佶少数传世的名画，绘有一对白头翁栖息于腊梅之上，画上另有宋徽宗以他自创的瘦金体写着"山禽矜逸态，梅粉弄轻柔，已有丹青约，千秋指白头"。《腊梅山禽》膺本诸多，真迹现藏于台北故宫博物院。

4.金章宗：完颜璟，小名麻达葛，父金显宗完颜允恭(未及登基而崩)。金世宗末年,因完颜璟为昭德皇后嫡孙立为皇太孙,世宗崩,登基。金章宗被认为是金朝汉化程度最高的皇帝,他在书法上对宋徽宗推崇备至,极力模仿瘦金体,甚至重金搜购宋徽宗从前用过的墨。金章宗钻研瘦金体多年,模仿的功力已经到了真假难辨的境地。

　　紫禁城大雪纷飞，白花花的雪堆在太和、中和、保和三殿的明黄琉璃瓦上，从远处看来，像一座座小丘，静静地伏在景山之下，就连金水河上都结了一层冰，雪停之后透出的明月，在金水河上照出沉静的银光。

　　冰封的金水河出自玉泉山，引入对应天象的紫禁皇城，皇令不许在金水河边饮马、汲水，更遑论在金水河中倾倒废物，因此，河水出山也与在山一般清。远处的永定河就没这般干净、也没这般清静，因着冰厚，河上总有顽皮、不怕冷的孩子抽冰嘎嘎儿玩。还有些旗人穿了冰刀在冰上追逐为戏，引得旁人纷纷来看，不远处，从南方运上来的货物，就直接装箱在河上拖着走。

　　在冰封雪锁的表面下，北京城中十分热闹，家家砧板一片响，在剁饺子馅，旗人管饺子叫"饽饽"，饽饽有甜有咸、有大有小，有些当甜点吃的还用酥皮做外皮，宫中还有饽饽的作坊，能做出几十种不同的饽饽来。由于饽饽有

"子孙勃勃"的意思,因此家家户户都要吃,讨个吉利。在饽饽里,小民百姓包个康熙铜哥儿、大户人家包进金银小锭,谁要咬到了,来年必定大发财。

北京城里各地人都有,汉人学满人、满人学汉人、北人学南人、南人学北人,各地的风俗全都杂在一起,倒也是北京的特色。十二月底,整座城都沉浸在年末的喜悦中,人们都在置办年货,满人爱吃的鹿肉、野鸡、腊鱼、肘子,汉人喜欢的水磨年糕、枣泥核桃、笋子,摆满了大街。

孩子们趁着快过年,买了新的玩具、响葫芦、太平鼓、毽子,手上抓着蹦儿脆的大挂枣。一旁的小贩吆喝自家的糖葫芦,黄米面包着黑砂糖滚绿豆粉的驴打滚儿更是到处都卖。

从山西来的商队牵着满载着煤的骆驼进城,骆驼们停在写着"南山高末"、"乌金墨玉"的白墙边,跪下庞大的身子让人下货,嘴里不住地嚼着,鼻孔里喷着雪白的气,孩子们蹲在骆驼跟前,学着它们嚼啊嚼,骆驼的性子太散漫,连看都懒得看孩子们一眼。直到商人揣着大笔银票,眉开眼笑地从商栈出来,骆驼们才懒洋洋地起身,驮着托买的东西,温温吞吞地往回走,柔软的脚掌踩在北京的雪地,留下大大的足迹,随即又被纷飞的细雪覆盖。

清亮的驼铃声洒落在北京的街道上,被旗人闷声哼着的鼓儿词踩散,一等放晴,许多旗人便带着闷了好些天的鸟儿出来遛遛,怀中揣着蝈蝈笼子,到茶馆嗑牙,或者去听新编的八角鼓书,给说书的逗得哈哈大笑。

北京城里的佛寺道观甚多,城里的耆老士绅,多往各个大庙里捐献香油,贴上大大的条子"某某胡同某人祈愿康熙万岁爷万寿无疆"。人在神佛门前总是特别和善慈悲,故而,乞丐总等在庙门外,向香客乞讨银饭。

十二月的紫禁城里也很热闹,宁寿宫新修的部分终于落成,称作宁寿新宫。康熙率领在京三品以上官员、宗室诸王恭迎太后入住新宫,仪式完成后,又让新带回来的扬州名角陈明智挑大梁,演了两天大戏,讨太后开心,也让辛劳整年的官员轻松一下。

宁寿宫的戏台是紫禁城里最大最高的,足有三层,分成天地人三界,三楼能演大罗金仙战孙猴子。孙猴子一翻身,竟从三层楼高的天台一跃而下,翻了两个筋斗,稳稳落地,满朝文武、妃主夫人同声叫好,声震屋瓦。天子驾前本来不许喊好,但是今日是太后乔迁之喜,康熙为使气氛活络,早早传命让大家敞开叫好,文武官员也知道上年纪的人好热闹,都跟着凑趣。

戏台对面，康熙与太后、众妃嫔坐在二楼；底下用屏风隔成男女两院，各自摆了筵席，吃酒看戏猜枚子。只因为是皇宴，没有人敢划酒拳，文官们讨论戏文的音韵、唱功，武官们注意武戏的拳脚、身法，一些闲散宗室则说起城里各个戏班的掌故、小道消息，哪个班子添了几个旦、谁又用什么法儿坏了哪个名角儿的嗓子……讨论得好不热闹。

至于另一边的老少格格、福晋们不太看戏，说起各个王府的是非，哪个王爷新纳了几个小妾、哪家的下人在外头欠债让人剪了辫子，说到好笑的地方，用绢子掩口咯咯地笑了出来。汉籍的命妇迈着三寸金莲、旗籍的命妇跨着天足，纷纷穿梭于酒席之间，结交各级的夫人，要给自己的丈夫广结人脉。

对比楼下的热闹，二楼显得安静许多，交谈都是极小声，略有几声笑，就马上被其他人的静默压了下去，只有杯盘碗筷的撞击声。

二楼虽与楼下一样张灯结彩，但是富贵气度却比楼下高了许多，正中放着一架黑檀泥金描虬梅松鹤屏风；屏风两边紫檀几上摆着两盆开得正茂的水仙，用一对宣德宝石红水仙盆盛着。这对水仙盆是明宣德瓷中的上品，釉色鲜红、色泽明丽，口缘一线甜白灯草边，俏生生的水仙玉立于上，衬托出一股美人醉酒似的娇艳。

太后正前方放着三张紫檀八仙桌，铺上明黄缎地银龙纹桌布，器皿用的都是宫藏精品，只见正中央两锅冒着热气的热锅，一是燕窝冬笋锅烧鸡、一是酸菜羊肚羊肠；除了热锅之外，再就是四只嘉靖鸡油黄描青花云龙纹大碗，分别装着——燕窝"万"字红白鸭丝、燕窝"年"字三鲜肥鸡、燕窝"如"字八仙鸭子、燕窝"意"字什锦鸡丝；接着是中碗菜八品，一色用成化斗彩穿莲龙凤中碗盛装，依序是燕窝鸭条、鲜虾丸子、烩鸭腰、熘海参、琵琶大虾、陈皮兔肉、蒸肥鸡鹿尾、冬笋爆炒鸡；再来是吉祥菜四品，按数目排序是一统江山、二龙戏珠、三仙朝圣、四喜如意，还有两个冷盘，都是摆着好看不吃的，为了醒目，都用的是最典型的宣德霁红金彩双龙赶珠盘；最后是数不完的甜食、饽饽、干果、蜜饯、酱菜等，按着品相不同，分别用釉里红描金小莲子碗、穿花龙纹小碟等景德御器厂几年前贡的瓷器，如天女散花一般，排在各色大菜旁边。

太后是今日的正主儿，自然坐在正中，身上打扮毫不含糊，一件明黄缎面下织寿山福海、对绣龙凤、散绣缠枝花翻箭袖袍子，外套镶紫貂领绛红双织金核桃花、挑不断头寿字云锦长坎肩，襟上别着翠雕子孙万代金别针；耳上按着满洲旧俗,各扎三个耳洞,上面两个各是一颗东珠,耳垂处是一对金凤衔珠镶翠耳坠,珠光翠莹照得半边脸都是亮的;头上梳着一字头,以翠镶碧空花蝠扁方固定,左右各簪着镶金嵌累丝年年富贵簪、镶银嵌累丝福如东海簪,另有其他的旗装头面,自不在话下;左手一串沉香白玉十八子手串,右手一环从不褪下的深色翠玉镯,全身上下打扮得珠光宝气,一派富贵。

康熙与太后一桌,坐在太后右方,他身上倒没什么珠宝,只衣襟上别着白玉表杠、右手拇指一环翠玉扳指而已。为了衬托太后,他也不敢穿得太醒目,又要带着点喜气,所以穿了秋香色绫面袍子,配着翻银鼠领深红织团花大褂,一顶红绒结顶暗织团寿黑缎小帽,正中嵌着一枚红宝石。

妃嫔们则五人一桌,以御桌为中心,如雁翅般散开,这也有个口彩,叫百鸟朝凤。今日是喜庆日子,自然是精心装扮,不过她们都与康熙一样,要衬着太后、又要透着喜兴,谁都不敢自作聪明穿淡色、白色触霉头,也不敢穿黄、红、黑,怕把自己弄得太老气,故而大多是秋香、深金、深蓝、深青、深红、金绛、紫红等合宜讨喜的颜色,一色梳小两把头。

留瑕也不例外,她用沐家送的几匹云锦,赶做了件金绛织月亮花锦袍,外套着紫定洒金镶貂短坎肩,头上簪着一支白玉雕蝙蝠石榴簪跟一个红宝莲蓬簪,身上也不配什么珠宝,只有从不离身的白玉镯。

太后年轻时寂寞惯了,越老越爱热闹,见楼上气闷,笑着对康熙说:"皇帝下去跟臣子们喝酒吧?这里都是女人,你在,没人敢说话,你也觉得无趣,下去跟臣子喝酒,你畅快些,一会儿让格格们跟十岁以下的阿哥上来,我要看看这些小孙孙怎么了。让他们就跟着自家额娘一块吃饭,可怜见的这些皇子皇女,母子亲情都给剥了。"

"母后想得周到,那儿子谨遵慈命。"康熙也赞同,他不太喝酒,但是想趁此机会观察臣子,就起身下楼去了。

不一会儿,听得楼板一阵响,十六岁的三格格带着十几个弟妹上来,后头跟着几个还在襁褓的,由乳母抱着,孩子们由姐姐领头,给太后请安,童稚的声音清脆地喊着:"孙儿恭请太后老佛爷慈安。"

"都起来、都起来,来,妈妈看看。"太后叫他们上前,拉了三格格坐在身边,最小的十四阿哥还给乳母抱着,傻傻地看着太后,好像不认识似的,倒是敏嫔生的十三阿哥不怕生,蹬蹬地跑到太后怀里,太后搂着十三阿哥:"哎哟!

妈妈的小十三，看看，结实得像头小牛，你多大了？"

"三！"十三阿哥竖起三根手指。

"这孩子真聪明，你会数数儿？"太后微笑着问，十三阿哥很会凑趣，往太后脸上亲了一口，太后笑着对妃嫔们说，"都来认孩子，欢喜日子，别拘束。"

妃嫔们答应了一声，一招手，各宫的阿哥格格就跑了过去，扑在母亲怀里撒娇。这些妃嫔大多都是有生育的，几个低等嫔御因为只一幸之恩没怀上，都用羡慕的眼光看着有儿女的妃子，二楼顿时充满了孩子的笑声。在这些享受母子天伦之乐的妃主皇子中，孤身一人的留瑕显得很寂寞。

太后看见了，招手叫她过来，抚着她的发说："叫你赶紧生一个，省得羡慕人家。"

"老佛爷扯哪儿去了，奴婢是想起了自己的爹娘。"留瑕轻轻地说。

太后拉了她的手，温和地说："你别害臊，我是跟你说正经的，前些日子，我叫了敬事房顾问行来，他是宫里老人了，从前给皇帝当马骑着玩的，我问了你们两个的事，他说皇帝往你那儿去的次数虽多，真正幸过的却少，皇帝是我养的，我知道他，没瞧见这么多孩子？放着个心坎上的你，绝没有坐怀不乱的道理，必定是你不愿意。"

留瑕没想到太后会去关心康熙与她的房事，臊红了脸："老佛爷……"

"这有什么羞人的？傻孩子。"太后笑骂，又甩打了一下留瑕的手，暧昧地笑着说，"难不成嫌皇帝还不够好？我让他多吃点补品？"

"老佛爷今儿怎么了？尽拿奴婢取笑。"留瑕羞得不知如何是好了，讷讷地说，"确是奴婢不愿意，绝不是皇上不好，是怕他累，也是奴婢在这事儿上看得淡……"

"那你得看得浓些。"太后依然笑着，眸里却有种森冷的光，她的下巴一指旁边的妃嫔，用熟练的蒙语说，"有的妃子我根本看不上眼，皇帝有时性子来了，什么都不顾，看见惠妃旁边那个卫氏？你大概也知道，还是个辛者库贱奴出身！我瞧着也不见得漂亮，但就是运气好，给皇帝生了儿子，就从个贱奴爬到贵人……你是黄金血胤哪！是哈布图哈萨尔的后人！你的出身比她好、地位比她高，可你只要没有子嗣，怎么都说不响嘴！"

"老佛爷……"

"从康熙四年去世的寿康老太妃算起，到你，我们家已经跟爱新觉罗通了四代的亲，我是满心要等你有孩子哪！皇帝不是我亲生的，可是我比他亲娘还爱他,我把你当做亲闺女,你好歹让我抱个亲孙孙过过瘾,成不?"

太后还是用蒙语说话,声音里已经带了一丝冷酷,她静静地看着楼下的众人,半响才深沉地说:"皇帝七月多就想给你封贵妃,我没答应,就是要等你有了孩子,有名目再说。原本只想着让你们俩舒坦过日子,但是前些日子索老亲的夫人进来,说起中宫无人,还说外头命妇都觉得你有母仪天下的风范。你知道索老亲最怕有人虐待太子,此时透露要拱你上去,绝非偶然。我与小弟商议过,你若真能当了皇后,咱这一家子四代后族的荣耀,是无人能比的。当然,所有的前程,都在你肚子上,你要想清楚了。"

留瑕不语,太后说的小弟,就是现任的科尔沁达尔汗亲王班第,也是留瑕的堂哥,因为娶了先帝的养女,在辈分上,还算是康熙的姐夫。

太后之后说了什么,留瑕都没有听清楚,浑浑噩噩地答应了,太后就要她下楼去找命妇们说说话,顺便陪陪康熙。她下楼去,太监们迎上来:"慧娘娘上哪儿去?"

"老佛爷要我去命妇们那儿绕绕。"留瑕说,侧头看见了梁九功,"总管,皇上呢?"

"娘娘,奴才正要寻您呢!"梁九功虾着身过来,扶了她说,"皇上在楼下开了一桌,请您过去,淑慧老皇姑跟几个长公主来了,全是博尔济吉特媳妇,都说要见您呢!"

"我知道了,我先去命妇那儿绕一绕,一会儿就过去。"留瑕说,她打起精神,穿过众官席边往命妇聚集处去。

众人都偷偷地打量着她,有人低声地议论着,这个二十四岁才来归的娘娘,原本众人都猜想必定是个狐媚子,留瑕的出现,粉碎了"慧妃妖媚"的传言。与上书房诸大臣坐在一起的索额图,淡淡地微笑起来,拈着胡须,犀利的目光,扫向一旁皱眉不语的明珠。

"明老弟,我好像老糊涂了,刚才想起来个字,却不会写,你读书多,告诉老哥哥一声,这'贤慧'、'聪慧'、'明慧'的慧字怎么写呀?"索额图装作十分苦恼的样子说。

明珠也是个极为深沉的人,他用手指蘸了酒,在桌上写,口里还说:"彗星的彗再加个心。索老兄,彗星您见过吧?在天空划一道就不见了,虽然好看,也亮得很,但是不长久哪!"

"那是,不过总比另一个'惠'字好些。我前些日子读《汉书》、《晋书》,汉惠帝把天下给了他娘、晋惠帝把天下给了老婆,这两人的老婆跟娘,真真凶悍得让人不敢领教呀!"索额图啜着酒说,目光还故意地扫向远处的大阿哥。

明珠气坏了,这话分明骂了纳兰惠妃,也骂了大阿哥,因为惠妃在宫里也是出名的不好惹,而大福晋泼辣蛮横远近知名。明珠正要寻几句话来刺索额图,却看见太子带着几个大臣走过来,只得咽下了这口鸟气,跟着索额图起身给太子请安,怨恨的目光一闪而逝,他满脸堆笑:"太子爷吉祥。"

"明相好久不见啦!"太子也笑眯眯地与明珠等人见礼,一派雍熙和睦、天下太平的样子,对明、索两位内大臣说,"两位今儿这筵席操办得好,我听楼上说老佛爷从一进门就笑开了,你们这二位老知宾¹真露脸。"

原来今日这一场大宴正是明索二人合力承办的,这两人平日里斗得你死我活,争了将近二十年,却没想到双双被康熙罢了大学士,只留个内大臣的头衔能走动走动。康熙怕他们俩闲着没事惹是非,就把这场大宴丢给他们去办,一来是图个耳根子清净,二来是叫他们互相监视、让谁都别想从中捞油水。

这消息一出,满朝文武都说这两个仇家凑到一块儿,铁定要砸锅,可这场大宴从宾客招待、酒席菜色、四周摆设、戏单戏服一直到太监宫女身上别的红绒小花,这大大小小的事,竟是拿起什么什么第一。今儿入宴的暗地里没有不挑大拇哥的,就是最爱挑礼的旗籍亲贵,也寻不出个茬儿来。

从前线被召回的恭亲王也踱了过来,与明索二人干了一杯,咂着嘴说:"到底是老索、老明的手笔,端得是手眼通天、事事冒尖哪!"

明珠微笑看了索额图一眼,索额图拱着手说:"五爷夸奖了,我跟明老弟横竖都闲着,人哪!不怕苦不怕难,就怕搁在家干晾。我们俩是劳碌命,闲了就直打蔫儿,要不怎么这么多人一赋闲就老了呢?能有这机会孝敬老佛爷,这天字第一号的差事,我们自然是尽心巴结了。"

"没错儿,老佛爷开心,那就是赏我们哥儿俩跟内务府那票奴才的脸面。"索额图话音一落,明珠就接了上去,浑似说好一般,手里变戏法似的多了壶酒,涎着脸笑说,"五爷,老长时间没见您了,满上、满上。"

"唉!老明,你害我?这酒上脑,回头醉了不雅驯。"

恭亲王笑着要遮酒杯,索额图马上就拿来个蜜饯盘子,也诙笑着说:"不妨事,五爷喝了这盅,含个蜜饯解酒,来来来……五爷,嗳!您可是大将军大豪杰,一杯酒算得什么,您一会儿不是要给老佛爷唱一出《双背凳》²吗?喝了酒,嗓子更开些。"

恭亲王拗不过二人劝酒，笑着喝了，太子在一旁听三人说话，微笑着问："五叔，您要唱《双背凳》哪？"

恭亲王呵了口酒气，笑眯眯地说："啊！我可是练了好一阵子了，太子倒是猜猜我跟谁一道唱？"

"那我猜不着，左不是……小安郡王？"

"不——是——"恭亲王笑嘻嘻地拉长了话音。

"要不……二大爷？"

"就知道你要猜你二大爷。"恭亲王哈哈大笑，凑近了太子，神秘兮兮地活像个道人长短的三姑六婆，声音却大得谁都听见，"你二大爷倒是个活怕婆，是你二大妈怕羞，不叫他唱。"

话音刚落，后头一只纤纤玉手拧住了恭亲王的耳朵，娇着嗓说："老五！跟太子蛇蛇蝎蝎说什么呢你！皮痒了是不是？"

"哟！这不是我们家的大仙女吗！"恭亲王转过脸来，正对上裕王福晋的脸，裕王福晋的闺名叫恩古伦，是满洲神话三仙女中的长姐，故而恭亲王都戏称她为大仙女，他又瞄见裕亲王跟在后面微笑，连忙谄媚地说，"我说我今儿怎么出门就听见喜鹊儿冲我叫，原来是大仙女下凡拧我耳朵来了。"

裕王福晋一扯他的耳朵，笑骂着说："就贫吧你，你老五这点子牛黄狗宝，我还不知道？准是在说老娘什么坏话，我说你这没良心的嘿！回来两三天了，也不往我府里走动走动，请个安、问个好都没有，还跟小辈说我坏话！没心没肺的东西，枉费老娘这么多年心疼你！看我不把你耳朵拧下来！"

"嫂子、嫂子，您撒撒手、撒撒手……"恭亲王疼得嘘着嘴、一边赔着笑，"疼得紧、实在疼得紧。"

裕王福晋这才笑着放手，恭亲王又赔了礼，才与裕亲王一道往后台去，太子向裕王福晋打了个千："二大妈。"

裕王福晋哪能让他真打下千去？一边笑着扶起，一边赞说："老长时间不见太子了，今儿真俊，比你阿玛年轻时还胜几分。"

"二大妈怎么往这儿来了？不是在那一头吗？"

"老格格来了，你阿玛让我也过来坐，太子跟我一道去见老格格吧？有日子没见，怪想念的。"

太子却笑着摇了摇头，看了群臣一眼："阿玛不叫我去，说让我代敬群臣酒。"

"欸，那我去啦。"

裕王福晋转身而去，康熙看着她过来，他端着酒，余光瞄向太子的交游情况，脸上挂着应酬的微笑，眸中波光一闪而过，抬手招呼裕王福晋："嫂子，这儿坐！"

裕王福晋向康熙福了一福，转向淑慧老皇姑，淑慧老皇姑是太皇太后唯一在世的女儿、康熙的嫡亲姑姑，老皇姑一向只说满语或蒙语，汉语虽说听得懂，说起来却吃力，裕王福晋也是知道的。她清了清嗓子，用满语说："老格格吉祥。"

"老二家的来了？"

老皇姑见了裕王福晋，很是高兴，两人一长一短把别情说了，康熙从旁笑着对老皇姑说："姑姑，您今儿还没喝呢！"

"我等乌兰图雅来了一起喝，娃娃汗，你今儿是东道主，不准赖啊！"老皇姑从康熙小时候就抱着他玩，总是亲昵地叫他"娃娃汗"。年纪大了，其实不大喝酒的，只是今天高兴，准备着要破例浮一大白，看着留瑕走过来，出声招呼，"乌兰图雅！"

"老格格，您可来了。"留瑕与老皇姑很是熟稔，一福身，又向裕王福晋点了点头，在淑慧老皇姑身边坐下，也用满语说，"老格格，您从前说了我嫁人时候要来看我的，怎么现在才来？"

老皇姑认识留瑕的父亲，向来最是疼爱她，笑眯了眼说："谁知道你会给我的娃娃汗捡去了？他对你好不好？他要欺负你，只管告诉我，下回他去了蒙古，让人车轮战灌他酒。"

康熙在旁边一字不漏听了，也过去告状："姑姑偏心，是她欺负我。"

留瑕仗着有老皇姑，扬着脸说："娃娃汗，老格格又没问你，恶人先告状。"

"你有点礼貌啊！娃娃汗是姑姑叫的，上头上脸的，姑姑你看，都是她欺负我。"康熙笑着说，见裕王福晋掩口，又说，"嫂子给评评理，她欺负我。"

裕王福晋喷笑一声，一指康熙，笑说："要是慧娘娘欺负皇上，那今儿这出《双背凳》该是皇上跟老五唱了。"

康熙眼中含笑，脸上表情却很不情愿的样子："我倒是想唱的，是二哥拦着不许嘛！"

裕王福晋心知康熙爱面子，绝对不肯唱丑角，就真要唱也一定选老生、大官生这类庄重的角色，不过他五音不全，唱起来走板得厉害、又爱自己编词，

裕亲王拦着不让他唱，就是怕他唱砸了接不上词。

裕王福晋还正思量着要说句话笑笑康熙，却听留瑕轻笑说："皇上不唱实在是可惜，要扮起花旦，扭起腰来肯定迷死人了。"

裕王福晋、老皇姑与康熙一愣，然后不约而同地爆笑起来，留瑕自己也笑得弯腰，康熙笑着啐了她一口："朕才不唱花旦呢！"

留瑕皱皱鼻子，哼了一声说："想唱还不让！皇上唱歌爱走板，没法儿跟。"

"谁说的？陈明智他们还说朕下海定能唱红呢！"康熙手叉着腰，梗着脖子说。

"红倒是红的，是皇上一唱，台上台下都听了吐血，还不红吗？"留瑕揉揉鼻子，瞄见康熙瞪了她一眼，向他一眨眼、扁了扁嘴算是道歉，又笑嘻嘻地说，"皇上没听过我们二太太的嗓子，要二太太唱，那才能红呢！"

"二嫂唱？"康熙喷笑出声，拈了个兰花指说，"大仙女下海，要唱出八仙过海才好。"

"你们兄弟都一个样儿！大仙女大仙女叫个没完！不过我唱得好倒是真的。"裕王福晋睨了大笑的康熙一眼，为了逗在场众人一乐，她故意自吹自擂说，"怎么着？只许皇上下海，不许福晋唱戏哪？听过我唱戏的都说九城再寻不着这么好的嗓子了，我们爷还说，赶明儿我下海去唱，该给起个艺名叫'叫天儿'……"

"叫天儿不好。"康熙一本正经地摇着头说。

"哪儿不好？"

"叫天天不应啊！哪儿好了？"康熙干笑一声，贼贼地说，"还是叫'大仙姑'……"

这一头说，突然全场同声一个响亮的"好"，康熙等人转头看去，原来是恭亲王粉墨登场，脸上涂了个小粉块，演惧内的不长岁，再看旁边的文武场，平素不苟言笑的裕亲王竟坐了打鼓佬的位子，一手打鼓、一手拍板，板眼丝毫不乱。

故事说这不长岁遇见算命先生，花了二十两买个不怕妻的秘方，回家后竟敢大大咧咧地坐到上座，妻子问他为何敢上座，他说这是算命先生给的秘方，秘方无他，就是"三纲五常"四字，妻子把他骂了一顿，命他去把二十两取回。

"……看相先生收摊走了，回去怎么向老婆娘交代？"

恭亲王一头嘟囔，上场门帘一动，另一个主角石要上场，石要一出场，全场同声喊了碰头好之后，不约而同地笑了起来。原来这石要不是旁人，是今年七岁的十阿哥，他长得十分福相，脸上与恭亲王一样涂了小粉块，更显得圆胖可爱,恭亲王高声说:"这不是兄弟吗?"

台下是叔侄,上台是兄弟,楼上楼下都大笑起来,十阿哥奶声奶气地说:"这不是哥哥吗?"

"是我呀!"

"好浑蛋!"

恭亲王一听这声,故作生气地说:"您怎么阴着骂人哪?"

"我哪敢骂您哪?我跟这儿生气呢!"十阿哥说着,一边鼓起腮帮子。

"你跟谁怄气呢?"

"我跟你婶!"

恭亲王哼了一声,高声说:"得了吧!我没叔叔哪来的婶?"

"你别让我给问短了哦?"十阿哥摇着粗粗短短的小手说。

"问短了就不是你哥哥!"

十阿哥指着自己鼻子,大声问:"我是你谁?"

"兄弟!"恭亲王此言一出,台下又是一阵大笑。

"我媳妇呢?"

"弟妹小婶!"

"还是的!你把弟妹小三字去掉,干拦的不是你婶吗?"十阿哥得意地摊了摊手,推了恭亲王一下。

这石要也是个惧内之辈,却与不长岁打赌,若不长岁能使妻子畏惧,便给不长岁二十两,不长岁为赢得银子,与妻子商量,要平常凶悍的妻子装出畏惧的样子。十阿哥扮演的石要来到不长岁家,不长岁请他坐,但是十阿哥人小,够不上高椅子,只得撅着圆圆胖胖的屁股用力爬上座儿,引得满场大笑。

总之,不长岁之妻在石要面前装出畏惧的样子,算是不长岁赢了赌局,石要却因为没钱而赖账跑走,不长岁于是身背板凳被妻子赶出家门,途遇头上顶着小板凳的石要,原来石要因为赌输也被赶出家门。

十阿哥头顶小凳,与背着板凳的恭亲王相遇,十阿哥苦着脸问恭亲王:"哥哥,你背着什么呀?"

"我媳妇儿心疼我,怕我走累了没地儿坐,给我个板凳,累了就躺着!"恭亲王故意扭着手很是别扭的样子,又一指十阿哥头上,"兄弟,你脑袋上顶着什么?"

"太后老佛爷搬新家、皇上爷请客喝酒,我怕没地儿坐,就自己顶着个板凳来了嘿！"

十阿哥此言一出，楼上楼下一阵叫好，恭亲王向十阿哥讨钱，十阿哥一摸袖里，顿时愣住。原来他们把剧本改了改，让十阿哥拿钱给恭亲王了事，管衣箱的说好要在他袖子里放个银子，但是恭亲王故意让管衣箱的不放银子。

十阿哥一摸袖中没有道具，顿时傻站在台上，无助地看向裕亲王，裕亲王小声地提点："找你阿玛去！"

"我……我寻我阿玛去！"

十阿哥只得大喊一声，往台下跑去，全场大笑，看着头顶小板凳的十阿哥跑过半场去找康熙，康熙一把抱住十阿哥，恭亲王在台上却一张望，故作恭敬地作了个揖："哟！敢情是三叔来了！叔，侄儿这厢有礼了！"

"免礼！我说，贤侄啊？"康熙隔着半场扬声说，全场又是大笑，"这二十两可不该我儿子出，该你出才是。"

"三叔，侄儿可没钱哪！"恭亲王苦着脸说。

这都是早串好了的，康熙一指楼上："我说贤侄，我儿子问我寻钱，你倒不会问你母亲寻钱？"

"得了您哪！"恭亲王一躬，下了台，奔到二楼，笑嘻嘻地跪在太后驾前装痴作傻，"娘，儿子欠了兄弟二十两，您老可得帮帮儿子！"

太后给这一帮儿孙逗得合不拢嘴，笑着说："为娘的自然要帮！来人，赏恭亲王二十两！"

"儿子，谢太后老佛爷赏哪！"恭亲王高声一喏，这一亮嗓子，顿时又是全场一声好，一场皇亲国戚讨太后开心的闹剧就此收场。

戏台上又换上新戏，裕王福晋要去寻裕亲王，顺便带了十阿哥到后台去洗脸。康熙一面说笑，一面亲自给老皇姑斟了酒，与留瑕双双捧了按着蒙古习俗举杯过头奉上，才又接了自己的酒，三人仰颈喝尽。老皇姑跟康熙虽不酗酒，可是都遗传了爱新觉罗家的海量，千杯不醉。

留瑕酒一沾唇，就暗自叫苦，原来他们喝的是正宗从盛京贡来的沙河御酒，满人的老家味儿，最是性烈，可是敬酒不能没喝完，而且要连干三杯，只能勉强咽了。喝得太急，梨花一般的脸蛋，瞬间染起两朵红云，如红梅映瑞雪，艳丽非凡。

老皇姑看了，笑着推了推康熙："皇上快瞧，多好看哪。"

"姑姑，这不稀奇，再好看些的，我都瞧过了。"康熙得意地笑了笑，伸手扶住留瑕，引来老皇姑一阵闷笑。

"说什么呢！"留瑕给那盅酒呛得难受，醉意朦胧间，只知道康熙定然说了什么，抬起一双蒙眬醉眼，柔媚万状，"不许说我坏话。"

老皇姑听了一笑，将她搂过来："谁说你坏话来着？说你好看呢！"

"老格格，你不知道，皇上最会欺负我，嘴里占我便宜。"留瑕嘟着嘴说，眼波流转，娇滴滴地瞋了康熙一眼。

康熙见她是真醉了，斜倚在老皇姑怀中，柳眉星眸，半醉半醒地看着他，逗得人心里痒痒。她的醉态如此娇媚，舍不得给人多看，笑骂着说："真不济事，几杯沙河老酒就倒了，快来人把慧妃搀回去。别叫冒了风受寒。"

说着，一群宫女、太监拥上来，把留瑕搀上肩舆，送回承乾宫去。留瑕迷迷糊糊地由着她们服侍，回得宫来，灌了两碗醒酒茶，才算清醒些，换了衣裳休息。

睡了不知多久，只觉得唇上脸上一阵发烫，睁起眼睛看去，帐子放了下来，康熙正搂着她又亲又摸的。留瑕头疼得很，但是意识还很清醒，她闻见康熙也是一身酒气，松软无力地推着他说："皇上，改天再说，好吗？"

"不要，朕就要今晚。"康熙说，自顾自地剥了她的衣裳，留瑕知道醉中不好欢爱，撑起了身子推他，康熙却不安分躺好，又爬起来缠着留瑕说什么就是要。留瑕不愿意，怕他伤了身子，康熙竟耍起脾气，转身就走。

留瑕在殿中等着，她猜想康熙等会儿就会自己蹭回来。

但是左等右等就是不见人，半晌才有人进来禀报，说是去了佟贵人那里。留瑕挥退了他们，静静地躺着，她头痛欲裂，却想起了海棠，她感觉自己原本一片诚恳待人的好心被辜负了，一再招惹她身边的人，留瑕哭不出来，却第一次明白了什么是心寒。

一切静得有些怕人，梨树纤细的树枝，终于承受不住冰珠的重量，"啪"的一声折断了，冰珠落到地面，发出极轻极轻的碎裂声，惊动了蹲伏在承乾宫暗处避风的寒鸦，拍了拍翅膀，飞上郁沉沉的天际。

寒鸦凄凉的叫声，与贞顺斋模糊传来的人声混在一起，原本极低的轻响，逐渐扩大，下人房里，没有值夜的太监宫女，纷纷披衣出来看到底怎么回事。贞顺斋中，佟贵人身边的大宫女匆匆忙忙地跑到正殿外，跟外头的值夜宫女说了什么，那宫女大惊失色，连忙去了跨院告诉总管魏珠。

这魏珠原是乾清宫的副首领太监，刚调到承乾宫来伺候留瑕，他一听完消息，便开了门进去正殿，掀帘子进到外寝，垂手站在与内寝相连的夹纱门外，低声说："小主，佟贵人那里有些事儿，请您过去。"

留瑕在睡意蒙眬间听到有人说话，还反应不过来，魏珠又说了一次，她才懒散地起身："怎么了？"

"佟贵人刚才伺候皇上的时候，皇上不知怎么，竟背过气儿了，似乎很不好，佟贵人请您去看看。"魏珠恭敬地回答。

留瑕一惊，连忙下床找鞋，衣裳也来不及换，只披了件外衣："快，去把皇上前日赏的苏合香酒拿出来。"

一边交代，一边就急急往前头的贞顺斋赶去，里面忙成了一团，无头苍蝇似的乱窜，留瑕强忍着头痛，喝斥一声："都在做什么？"

众人都停下动作，佟贵人的一个宫女想要解释，却发现解释不出个所以然，只好闭着嘴不说话。正屋跑出来个小太监，跑到她前面，急得说话也不利索："娘娘……皇上、皇上……"

"醒点神！没见过点事！这还算我承乾宫的人？"留瑕抬起手，兜脸就打了那小太监一巴掌，承乾宫上下从没见过这主子打人，此时全都镇定下来，却听留瑕的声音沉稳地指派差事，"你，去请御医，那两个，你们去烧热水、拿手巾把子，其他人该做什么做什么去！把没值夜的都给叫起来，不要乱跑，就在廊下听吩咐。"

留瑕一甩手进了正屋，这贞顺斋不像正殿那样宽敞，内寝更是有些挤，一进屋，佟贵人惊喜地叫了一声，眼泪就掉了下来。留瑕示意她不要放声，轻轻走到床边，只见康熙坐在床上，脸色有些灰白，闭着眼睛似乎很痛苦，呼吸也有些浊重，留瑕一靠近，他的鼻子抽了抽，马上就睁开了眼睛。

"留瑕。"康熙说，勉强地对她微笑，"朕只是有些气血不通……"

留瑕摇了摇头，让他别动气说话，轻轻抚着他胸口给他顺气，不一会儿，魏珠带着一个明黄小瓶过来，留瑕接过瓶子，打开喝了一口试毒："皇上，这是您制的苏合香酒，先用一口。"

康熙点头，留瑕亲手给他喂酒。这是他看了《梦溪笔谈》之后，让太医院做的药酒，治疗心窍不通、气血淤积最是有效。留瑕拿着瓶子凑到他唇边，浓郁的药香中，真正让他安神的还是她那混了酒香的沉水香气。药酒不能喝多，康熙抿了一口，留瑕就收了瓶子。

留瑕打开他的上衣,滴了一滴苏合香酒在手上揉开,抹在康熙白皙的胸膛上,轻轻地推着,原本看着有些不健康的皮肤上,泛起了血色,康熙呼出气来,脸色这才回复正常。

御医匆忙地赶来,给康熙请了脉,康熙问:"朕这是怎么了?"

"回皇上的话,您前些日子的旧疾还未好,今日酒沉了,大约是受了点寒,又……又……呃……"御医看了站在旁边的佟贵人一眼,斟酌着字眼说,"又有些过急……这这……寒热不调……气血不畅……所以这……这……"

康熙咳了咳,心虚地看了看没有表情、但是把手从他身上移开的留瑕:"朕知道了,你看该开什么药吧!"

"回皇上的话,慧娘娘刚才给您用的苏合香酒就够了,只是皇上这几日……嗯……这几日还是早睡些,小臣会开些温补的药膳,请皇上每日服用,大约三四日就可以调理好。"御医说,康熙点头,御医叩了头离去。

房间里只剩下康熙、留瑕与佟贵人,留瑕盯着康熙,嘴里却说:"妹妹,劳你驾,去厨下瞧瞧给皇上煨的夜宵好了没。"

"欸。"佟贵人答应了一声,忙不迭地出了正屋。在她房里出了这事,让她感觉很难为情,宁愿避得远些。

佟贵人刚带上正屋的门,留瑕就伸手探进被窝,摸到了他裸着的腿,康熙不自在地动了动下身,刚才突然换不上气,还没来得及穿上裤子……一向带着傲气的眸子,罕见地羞涩起来,俊容窘迫,他感觉到留瑕的手放在什么地方,想要耍赖糊弄,但是……她的手……康熙羞得连耳根都红了。

"寒热不调、气血不畅?"留瑕的眼睛警告似的眯起,突然,她露出一个看似温婉的微笑,"我看是该换裤子了吧?不觉得凉吗?"

留瑕抽开手,扭头就走,门板"砰"的一响,康熙的嘴角动了一下,看来这番,她真的生气了……

留瑕是真的动怒了,从那晚后,都不跟他说话,康熙起先还跟她闹着玩、变着法儿讨她开心,后来就连搬出老太后都没有用。康熙来到她跟前,她就装作没看到,自顾自地做别的事情。

将她召到乾清宫,因为再怎么着,康熙都不会用强,所以留瑕连手也不让他碰,给她气着了,康熙干脆也不理她。两个人你怄我、我气你,就这么冷战着,年都过完了,两个人的气还没完。

今年的九九消寒图已经写到了"飞柳庭柏珍重待春风"的"风"字最后一点，康熙提笔蘸了蘸朱砂，跟留瑕闹脾气好像是"珍"字时候的事了，康熙不太懂，她到底在气什么？是气他幸了佟氏吗？也不像，他一直都不只有她一个女人。

"不过就是去了佟氏那里……"康熙嘀咕着说，严冬冰雪已融，留瑕的笑容什么时候才会出现呢？康熙想起了永寿宫养的海棠花，他问，"永寿宫的花开了吗？"

"回皇上的话，开了，今年春暖，花早开了一个月，特漂亮。"梁九功躬身说。

"是吗……你去承乾宫，叫留瑕到永寿宫去，朕有话对她说。"康熙吸了口气，郑重地点上"风"字的点，"让她别带那群闲杂人等，朕要好好陪她看花。"

留瑕站在永寿宫前，一般的海棠花没有味道，但是永寿宫的西府海棠，却是海内少有的名种。浓郁的花香随着空气浮动，东风拂过，绿叶红花轻摇，如佳人巧笑倩兮。留瑕缓缓地闭上眼睛，任香气流过身边，睁开眼睛，花雨纷飞中，何处吹来长风？卷起落花无数，粉红的海棠花瓣如一行候鸟，飞上蔚蓝的天空。

满地落花，如满腹的红尘心事，那样凌乱却又无从整理，落花尽头，康熙的身影缓步而来，他穿着龙纹绫面长袍，腰间束着明黄带，带子下佩着留瑕给他做的明黄荷包，白净的鹅蛋脸上，明亮的眼睛里，闪着温柔的光。

留瑕隔着满园早春景致看着，对他的气愤早已轻了，当时到底为什么生气，也记不清楚，只是记得，看见他在别人的床上，因为不珍重身体而险些有生命之忧时，心中似乎蹿起了无法抑制的火焰。在那一瞬间，她清楚地感觉到什么叫做贪、嗔、痴，贪求他的注视、嗔怪他的处处留情却又痴恋他的深情款款，这个发现，搅乱了她的心，即使到了现在，还没有定下。

没有说话，只是越走越近，相拥的瞬间，紧得似乎永远不会放。留瑕与康熙都心软了，康熙在她耳边，低声下气地说："是朕那日犯浑，不要生气了，好吗？"

"若是生气，就不会来了。"留瑕抱着他的手臂，闷闷地说："您要幸佟贵人，只管翻牌子，不要在承乾宫里，我当做没看见，万事俱休。"

"以后绝不会有这样的事，在承乾宫，就只有留瑕跟玄烨，这样成吗？"康熙没有一丝犹豫。

"君无戏言，我没有做皇后、做贵妃的雅量，我会嫉妒、也会耍性子，这已经是我的底限了，我的心很小，只塞得下一个皇上，其他的，装得太多，我会疯了的。"留瑕抬起眼睛,凝视着康熙,美目盼兮,却是哀求。

康熙此时才知道自己伤她多深。留瑕虽然谦逊退让,心中,却还有黄金血胤的傲气,从不求人,康熙知道他在她心里,是情人,不是主子。

留瑕露出了这样的神情,康熙有些慌了。那双含情的美丽眼睛里,掩不住对他的失望、对现实的无奈,这样做小服低,恳求一个微薄的"眼不见为净",康熙发现留瑕原来不是永远坚强的,她的爱情,不如他的那样炽热。

康熙紧张地抱住她,期望能以言语安抚住那颗敏慧细致的心:"留瑕,不要露出那样的表情,不要放弃朕,留瑕,你不能放弃朕。"

"我……"留瑕眼睫一瞬,迟疑了,"我不知道……"

"朕是绝不放开你的,犯不着跟那些碎嘴女人争,就像你说的,君无戏言,朕既然说了不会放你,就一定护你周全,这点,朕想得很清楚。"康熙说得斩钉截铁,刮得干净的腮轻轻摩擦着留瑕的脸。

留瑕咀嚼着他的话,心头似乎轻了一些,她猛然发现,康熙从前不曾说过一定保护她之类的话,顶多就是"朕给你做主"。她在他怀中闭上眼睛,感觉他的心脏在她耳边稳定有力地跳动着,他的手指拨过她的睫毛,留瑕眨眨眼,又垂下眼睫。康熙深深地呼吸,牵起她的手,十指交扣,留瑕依然低眉敛目,唇边噙着柔柔的笑意。康熙良久无言,但是她知道,他绝不是不高兴,而是痴迷于她这样的娇柔。她抬起脸,康熙吻了她,她顺从地闭上眼睛,轻轻一叹,怎么放开呢? 她舍不得他、他也离不开她了……

注释:

1.知宾:又称知客,在各种婚丧喜庆上专管接待宾客的人。

2.《双背凳》:又名《背凳》、《双怕婆》、《双怕妻》,讲述两个惧内男子打赌,后来同被妻子赶出家门的故事,是一出由双丑与花旦演出的闹剧,川剧、秦腔、河北梆子、京剧等地方戏曲多有类似题材演出。

第二十一章

qingpeng · hengzhengjinchu

畅春园

康熙二十九年春

康熙二十九年的春天，皇室家族前往畅春园。深受康熙赏识的法兰西教士白晋[1]、洪若翰与张诚也跟着来到了畅春园。洪若翰是路易大王钦封的国王数学家，同时也是个画家，他要为康熙皇帝画像，以便将来带回去法兰西给路易大王。

"你们画画的东西，也与我们差不多。"康熙用满语说，他好奇地看着洪若翰的油画颜料，其中还有些没捣碎的矿石，原本第一次画画不用带颜料的，但是康熙很想知道西洋人用什么画，就命洪若翰带工具来。

"回皇上的话，这是若翰弟兄在中国就地取材，原本画画的东西可麻烦了。"白晋的满语说得极漂亮，只是说得慢些，"我们那里画画，不像中国，有笔有墨就成，还要用刀、用刷子……小臣也说不清楚，总之是麻烦得很。"

"是嘛！"康熙鼓励地向洪若翰一笑，这个已经白了须发的老教士也对他微笑。洪若翰只听得懂官话，但不怎么会说。康熙问白晋，"你的这个师兄年纪多大了？"

在康熙的认知里，这些互称弟兄的教士，大概也就等于中国的僧侣，他也就索性把他们当成洋和尚，虽然已经认识了不少教士，但是他还是以为他们是师兄弟。

白晋也将错就错，他是个很圆通的人，不拘泥这些小名分，他说："若翰弟兄已经六十四岁了。"

"哦？是中国说的耳顺之年，不容易。"康熙点了点头，用官话说。

"儿孙？不不，皇上，我们没有儿孙，我们都是侍奉上帝的人，不能有儿孙，就像中国的和尚道士一样的。"白晋以为康熙说他们不守清规，连忙解释。

康熙笑了，他走到旁边的书案上，写了"耳顺之年"四个字，递给白晋："不是儿孙，是耳顺，这是孔夫子的话，是指人到了六十岁，不管别人是怎么说你，心中已经有了自己的主见，而这个主见绝不会违反天理人情，大概是这个意思。"

"是这个意思……小臣受教了。"白晋傻愣愣地听，虽然康熙解释得很浅显，不过对于来自不同文化的白晋来说，还是有些困难，洪若翰对白晋说了几句法语，又比了个请的手势，白晋就对康熙说，"皇上，若翰弟兄说，请您坐到宝座上，他要先给您打个画稿。"

康熙坐到一张鹿角装饰的交椅上，一旁放着折子跟几本书，让他打发时间。

畅春园的这处水榭十分凉快，由石砌的曲道通往湖边，旁边种植柳树，景致优雅。此时，曲道上跑来一个粉妆玉琢的小女孩，结着红头绳，一把扑进康熙怀里："阿玛！"

"紫祯来了？"康熙微笑，问白晋说，"朕跟十三格格说话，不妨事吧？"

"不妨不妨。"白晋说，洪若翰看着十三格格对康熙撒娇，又对白晋说了什么，白晋说，"皇上，若翰弟兄问，可否把格格也画进去？"

"哦？紫祯，人家要把你画给法兰西王看呢，你给不给画？"康熙抱着十三格格问。

十三格格偏头想了一想，点头说："给。"

康熙笑了笑，向白晋点头。

十三格格四下乱看,对着水榭外招手:"额娘快来,我要给法兰西王看了呢!"

众人转头,留瑕穿过白石曲道,灿烂的阳光照着她头上的垂珠簪子,闪着温润的光芒。留瑕走进水榭,先向康熙一福,才又向两位教士点头致意。

白晋扯着洪若翰起来,两人作揖,白晋说:"小臣请慧娘娘安。"

"白师父,好久不见了。"留瑕说,从前当女官的时候,大概每个月都会见到。

洪若翰却直愣愣地看着留瑕,手抓着胸前佩戴的一枚十字架,他讷讷地说了一大串话,不知道为什么,声音里带着哽咽。所有人都觉得讶异,康熙问:"白晋,你师兄怎么了。"

"回皇上的话,若翰弟兄说,他从前在法兰西的时候,梦见过圣嘉萨琳²,她告诉他,他应该前往东方宣扬上帝的福音。若翰弟兄遇过很多磨难,都是圣嘉萨琳保佑,他梦见的圣嘉萨琳,就是慧娘娘现在的这个模样。他说,娘娘必定是圣嘉萨琳赠与皇上的祝福。"白晋欠身一躬,把洪若翰的话翻译成比较通顺的满语。

"圣嘉萨琳是什么?"康熙听得摸不着头绪,看看留瑕,她也不明白。

"回皇上的话,是一千五百年前的一位圣女,她原是位总督小姐,因为得到了上帝的感召,而信奉上帝,口才灵便、聪明美丽。当时的皇帝不信上帝,却很喜欢圣嘉萨琳,想把她纳为妃子,她不愿意,因为她是圣子的新娘,皇帝威胁要处死她,她还是不愿意,最后守贞而死,我们就把她封作圣人。"

白晋把这个故事讲得简单易懂,他比洪若翰心思敏捷,知道留瑕是宠妃,如果能用圣嘉萨琳的故事,使留瑕成为教徒,再影响康熙,如果成真,天主的光辉即将笼罩这个遥远的东方帝国。他一直记得康熙有一回闲聊时看着他的十字架,笑着说:"如果朕改信上帝,那整个大清也都要改从你们的宗教了。"

虽然这不过是康熙信口说说的,但是这却是数十年来,耶稣会士们不畏艰苦来到中国的目标,大家都希望能在自己有生之年看到整个中国改信天主。白晋偶尔也会希望利玛窦的毕生心愿能由他来达成、他想成为中国皇帝的告解神甫。

康熙笑了,他看着留瑕说:"朕懂了,这个圣嘉萨琳就好比我们的九天玄女、天后妈祖了。真有意思,她是圣子的新娘,你是朕的妻子,也有点像,是吗？"

白晋垂着的目光一跳，"朕的妻子"，这句无心之言，让他更坚定了以圣嘉萨琳来带领留瑕成为教徒的初步计划。看来，就算不成为皇帝的神甫，成为中国皇后的神甫，也是一件荣耀的事。

留瑕但笑不语，她对这个洋教没什么兴趣，只是她从康熙处听说，这个洋教规定，就算是王公大臣，也都只能有一个妻子。她心中不禁有了个假设，若是康熙信了洋教，会把其他的妃子都赶走吗？她暗自苦笑，怎么可能？

"要有空，让你师兄也给留瑕画张像吧！只是她是朕的妃子，画像是不能给你们大王看的，画好了就送进宫来吧！"康熙抱着十三格格亲了一口，把她交给留瑕，笑着对白晋说，"朕也怕你们大王看了她的画像，害了相思病哪！"

"白师父是清清白白的出家人，皇上不要这么没正经的！"留瑕回眸瞪了康熙一眼，又向白晋赔礼说，"白师父，真是对不住，皇上就是这样，真是亵渎神明。"

注视他们的洪若翰露出了十分虔诚的表情，他对自己的信仰再无半点怀疑，纯洁无瑕的圣嘉萨琳，是圣子耶稣的新娘，人间的威胁利诱，也未动摇对圣子的深爱，因人间不过只是数十年，而在永恒中实现的爱，没有尽头。

洪若翰抓住了留瑕回眸凝视的瞬间，那双不同于西方画像圣女的黑色眼瞳，把时间冻结，近于永恒。

于是，洪若翰觉得，这是他来到中国后最大的收获了。

永恒，无法以时间来论断，时间是人所界定的断限、是流光的相续，无法伸展也无法留存，而永恒不是光、更不是物体的运动。人的过去、未来与现在是人类史的一部分，人类史又是另一段时间的一部分，层层的框架与束缚，使人类无法体现永恒。因永恒超越人所能及的一切，没有过去、没有未来，是永远的现在，当信仰冲破束缚的瞬间，于是有了不为过去所困扰、不为未来所迷惑的永远的现在。

皇室在畅春园住到三月，等皇室家族回紫禁城时，承乾宫的花快过了，留瑕一踏进承乾门，就闻到梨花的清冷香气扑鼻而来。十三格格抽动着鼻子，像只小兔子："额娘，好香哦。"

"梨花开了。"留瑕喃喃地说。

十三格格性急，跑到树下，扑抓着雪白的花，惊起一双栖息在树上的鸟儿,拍着翅膀飞开。留瑕缓缓地走过夹道,满树洁白就出现在眼前,地上滚着雪片般的落花,清风将花吹到留瑕脚边,不忍踩过,她拾起残花,轻嗅着。

十三格格蹲在地上捡了满满一捧,留瑕问:"紫祯,你要做什么呀?"

"我给额娘做个花圈圈儿好不好?"十三格格仰起小脸,天真地问。

留瑕微笑着点头,叫人给格格搬了张小凳子,让她坐在树下编花圈,自己则指挥着众人把从园子里带回来的东西摆好。此时,佟贵人连忙从贞顺斋里出来,留瑕看见,赶紧过去扶住:"妹妹,你悠着点,你太瘦了,要格外小心,不用出来接我,不拘这些虚礼。"

佟贵人的小腹微微突着,羞涩地摇着头:"那怎么成?姐姐回来,我怎么着都要接一接。姐姐这几个月不在,没人说话,真是想杀了我。"

"劳你惦记了,别站着,我们去里头说话。"

留瑕与另一个宫女搀着她,佟贵人有些手足无措:"姐姐,别……您是正主儿,该当是我搀您。"

"我康泰着!你别不好意思,在我宫里,我担着你和孩子的安危呢!"留瑕笑着说,佟贵人是冬天怀的孕,因为有孕不宜轻动,所以没有跟着去畅春园,留瑕问了她身子的状况,又说,"就这么巧,一次就怀上了,妹妹喜欢格格呢?还是阿哥?"

"希望是个格格,如果能跟姐姐一分聪明漂亮就好了。"佟贵人是个厚道人,她知道太后与皇帝都在盼着留瑕怀孕,但是始终没有消息,怕留瑕听着太刺耳,所以措词十分小心。

留瑕心中暗暗觉得这个妹妹没有收错,不像海棠那样势利,仗着有孕就自以为高人一等,折了自家福气。孩子足月生出来,却是死胎,受了这个打击,原本多伶俐个人,如今跟人说话看着地、听人略大声些说话就发抖。因为门第不高,又是从宫女升上来的,现在见她倒了霉,宫里下人更是上头上脸地作践。

"哪儿的话,你的肚子看起来不太大,人也还太瘦,有没有照时间用膳呢?"留瑕关心地问。

佟贵人连连点头,怕留瑕以为下人不经心照料:"有的,餐餐都吃,有时候实在不太有胃口,可是想着孩子,还是吃下去,胖了一圈呢!"

留瑕点头,她摸了摸佟贵人的肚子,好奇地问:"能摸到孩子在动吗?"

"有时候感觉好像有，额娘说那是我自己觉得，孩子还小着，不过我就是觉得有。"佟贵人将手放在肚子上，小声地说。

留瑕是第一次摸到孕妇的肚子，手指很轻很轻地移动，像是怕惊醒了孩子，突然露出了个惊喜的表情，压低声音说："我好像也摸到了！"

"姐姐也摸到了吗？"佟贵人开心地说，对着自己的肚子说，"乖乖，这是你慧额娘哦！"

十三格格跑进来，看见留瑕摸着佟贵人的肚子，高兴地叫了一声："佟姨，我也要摸摸。"

"嘘……"留瑕与佟贵人同声要她不要嚷，十三格格连忙把嘴巴捂住，静悄悄地凑过来，整个抱着佟贵人，就把耳朵贴在她肚子上。

"哎哟，真是个小牛似的……"留瑕笑着说。

一屋子三个大小女人就这样专心地想摸到胎动。康熙一走进来，就忍不住笑出声来，他看见十三格格坐在炕上，抱着佟贵人的肚子，留瑕与佟贵人的手也放在肚子上。

"这是在演哪一出呀？"康熙倚着门框，微笑看着她们。

三个人给他吓了一跳，十三格格鼓着腮帮子说："阿玛把娃娃的声音盖掉啦！"

"哪有？才几个月大，哪里听得出来？"康熙却比她们有经验得多。留瑕与佟贵人起身让座，乱了一阵才坐定，康熙看着佟贵人："几个月不见你，怎么样，有呕酸或是晕眩吗？"

"回皇上的话，没有，呕酸只有前阵子有，最近好多了。"佟贵人恭敬地说，手端正地放在膝上。

康熙看了看她的气色，又问："太医院给你开了什么安胎的？"

"回皇上的话，就是一般的安胎药，因奴婢气虚，御医另外开了人参。"

康熙眯了眯眼睛，不悦地"哼"了一声："真是一群蠢材，说过多少次，人参不能轻用。这东西虽然能够续气，但是你还年轻，吃了是害大于利。留瑕，下次御医来的时候，你告诉他们，就说朕说的，不要拿人参当饭吃。"

"是，奴婢遵旨。"留瑕答应了一声。

佟贵人心里有些感动，康熙对她，向来没有多的话，他几乎不主动跟她说什么，她想多跟他说话，像留瑕那样，然而……她看了康熙一眼，他的目光已经投在留瑕身上，佟贵人暗自叹了一声，虽然有肌肤之亲，但是康熙还是高高在上，她无法更近一步，她恋慕着他，可是，也怕他。她想起他结实的身体，似乎随时都积蓄着丰沛的行动力，不论去哪、不论做什么，故作慵懒的表面下，敏锐的目光如鹰隼般，隐藏着一种野性。

"妹妹……妹妹……"留瑕低低叫了几声。

佟贵人回过神，看见留瑕与康熙都在看她，十三格格已经不知跑哪里去了，佟贵人连忙说："奴婢走神了，皇上恕罪。"

"没什么，朕有些话要交代慧妃，你先去休息吧！"康熙难得地对她笑了笑，佟贵人起身一福，缓缓地退了出去。她由宫女扶着，走过正殿外，因为有孕走得慢，暖阁的窗户支了起来，她看见康熙的侧面，不是她常看见的雍容镇定，他在听留瑕说话，一手支颐，专注、深情地凝视着她，仿佛世上只有她。

佟贵人慢慢地走开，却把他的目光记在心底，即使明白那个凝视不属于她。

窗内的康熙与留瑕没有看见她，在佟贵人走后，康熙觑着留瑕："不会又生朕的气吧？"

"好端端的，哪来那么多气可以生？"留瑕眨了眨眼睛，不明白地看着他。

"你没怀上孩子……可是别人……"康熙尴尬地咳了咳，晶亮的目光询问地看留瑕。

留瑕转了转眼珠，故意酸溜溜地说："别人没几次就中了，真准。"

"嗯……嗯……这个……这个……天时要配合……"康熙站起身来走了走，看着端坐不动的留瑕，实在是有点怕她又倔起来，骂她，心疼的是自己；打，自然是万万不能；要是又不说话几个月，真真是憋死人。

留瑕耸了耸肩，起身装作要回内寝，康熙急急地从后拉住她的手，把她拉回来，留瑕问："怎么啦？"

康熙踌躇一阵，才讷讷地说："别生朕的气……朕也许要跟你分开好一阵子，不想这些日子又跟你斗气。"

"皇上要去哪里？"留瑕转过身，焦急的神情，溢于言表。

康熙的手轻握着她的颈子，拇指擦过肌肤下隐隐跳动的血管，他的手心太烫，把留瑕的颈子闷出了一层汗，他笑了笑，有点不得已，更多是难掩的兴奋："朕要亲征噶尔丹。"

“不成！”留瑕下意识地喊出，她的手贴着康熙的胸口，“不需要您亲自涉险的呀！战场上刀剑无情，您……”

刚说了一个字就不敢再说下去，她咬着唇，摇了摇头，康熙却不在乎，他伸臂将她揽进怀里，柔声安抚：“不怕，朕在后军，并不亲上战场，只是，这回中左右三军都是亲王挂帅，朕原想以老安亲王当后军主帅，他去了，朕虽然扼腕，但是这不是坏事，总不能缩在紫禁城里，要想到了，就拿兔子黄羊当对手，那差得远了。”

“这太冒险了。”留瑕靠在他怀里，她知道无法劝阻，他并不是一个安分的守成之君，而是渴望征服危险的开创之主。但是，她还是要劝，她抬起眼睛，语重心长、话中有话地说：“皇上，御驾亲征，从来没有输的。”

康熙的手臂一紧，将她箍在怀里，但是他笑了，不愧是留瑕、不愧是慧妃，一语道破了他考虑将近半年才下决定的主因。御驾一出，必须要赢，若是输了，皇帝威信就会破灭，只能赢、不能输。

“朕知道，所以朕才要亲自去。”康熙轻吻了她不展的愁眉，低声说，“因为朕要押着这群八旗子弟打赢。留瑕，满人不到百万，入关不到四十年，就已经快要不能打了，朕要逼着他们赢、逼着他们重拾弓马，要不然，手上没有精兵，朕也会慌呀！”

留瑕抽出手来，攀着他的脖子，深深的一吻中，藏着千种柔情、万般不舍，她低声说：“如此，皇上必胜。”

“留瑕，朕没有爱错了人。”康熙说，他的鼻尖贴着她的，他说，“有你这句话，抵得过千军万马，在前线，怕的就是心不安。”

留瑕紧偎着他，她安了他的心，但是她的心呢？谁来安？

注释：

1. 白晋：Joachim Bouvet，法国人，字明远，1656 年 7 月 18 日生於勒芒。1685 年，以公费派遣到中国；1688 年 2 月抵达北京，白晋与张诚留京备用。白张二人不久习得满文，以满文对康熙皇帝讲授几何学，并编纂种种数学书籍，又在宫中为二人筑化学实验室一所，方便二人进行解剖学的编译过程。1693年，白晋被任命为中国代表，携带康熙的礼物与书籍返回法国，白晋顿时成为巴黎名人。此时，白晋写了一份报告书上呈路易十四，这份报告书后来在巴黎出版,俗称《康熙帝传》,是一份虽有溢美却还算真实,而且观点特别的人物侧写。1699年白晋又带著十位教士重返中国。1705年,教皇派遣铎罗大主教往中国宣达禁止中国信徒祭孔祭祖的命令,与康熙皇帝发生礼仪之争,康熙拟派白晋前往罗马,旋即撤回。1708年,白晋受命绘制各省地图;1730年,白晋殁於北京。

2.圣嘉萨琳:此处指亚历山卓城的嘉萨琳(St. Catherine of Alexandria),三到四世纪初的基督教殉教圣人,由於她是被绑在刑车上殉道,所以她的标志是一个有尖刺的大车轮。亚历山卓的嘉萨琳同时是教会哲学、少女、工匠的主保圣人。在众多同名的女圣人中,亚历山卓的嘉萨琳最为人所尊崇,每年的11月25日则被定为圣嘉萨琳日。

第二十二章

qingcheng · hongchenjinshu

蒙古

康熙二十九年夏

　　七月，塞外草长马肥的时节，通往蒙古的各个必经之地，已经驻满了枕戈待旦的八旗子弟。首先派出康亲王杰书、恪郡王岳希做先锋；接着，大军兵分两路，一路由皇兄裕亲王、抚远大将军福全挂帅，皇长子直贝勒胤禔为副将，出古北口；另一路则是皇弟恭亲王、安远大将军常宁领军，世袭罔替的简亲王喇布与信郡王鄂扎为副将，出喜峰口。康熙皇帝上书房的满臣则分全部随军而行。

　　往昔紧闭的天安门、午门、太和门打开了，沿着敞开的门，巍峨的太和殿在重重门隘的尽头，但是没人敢直愣愣地往里看，道旁排满了军队、马匹。原本康熙想要亲自提兵与噶尔丹决战，但是他开春以来，身体状况一直不佳，考虑情势之下，就先到后方，等身子好些再上前线，所以仪仗尽量轻便、从权，但是依然表现出堂皇的天家气势。

这是满人入关四十年来，第一次的御驾亲征，就算康熙不想铺张，对于承平日久的人们来说，象征着帝国希望的康熙皇帝亲征，好奇、新鲜之外，更带着期待。人就是这么奇怪，汉人多少年来给满蒙两族打得不能还手，但是，当国家在此时表现出巍峨大邦的气魄时，龙椅上坐的是不是汉人，似乎就不这么重要。

北京城的人都挤到大街上，靠着街边的商家、住户摆上了香案、水酒，静鞭三响，御驾启程，北京城民全都跪了下来，跪送王师出京。

康熙穿着一身石青缎绣彩云行龙绵甲，这是轻便些的盔甲，由甲衣和围裳组成，双肩各装有缀着金龙纹铜版护肩一个，两腋各系一片云头状护腋。腹部佩一片梯形护腹前挡，腰间左侧佩着左挡，右侧因有箭囊遮挡，所以不安甲片。

围裳分为左右二幅，穿时用带子系在腰间，石青缎面料、内絮丝绵，通身钉着铜泡钉，周身绣着五彩升龙、降龙，正反面各一片团龙，间饰祥云、海水、如意、寿石、方胜、古钱、灵芝、珊瑚、铜钟、方戟等纹样，看来十分庄重威严。

"万岁"之声不绝于耳，看着满街臣服的百姓，康熙胸中胀起一种血气，这是他的百姓哪！他挥手停下军队，亲自驾着马到道旁，从一个发苍齿摇却激动地看着他的老人手中，拿了一碗酒，仰脖喝干，举高了倒扣的酒碗。

"万岁万岁万万岁！"北京城的人都高喊起来，康熙把碗还给老人，示意军队继续前进，人们跪在地上，原本不该抬头，但是全都抬着脖子看着不轻出皇城的康熙。他骑在一匹高头白马上，绵甲上的铜泡钉反射着太阳的光辉，仰视着他，人们都有种晕眩的感觉，但是口里的万岁万岁还是不自觉地越喊越大声。

这是个被皇权所催眠的城市。世间的人都是软弱的，康熙自己也有软弱的时候，但是，人们需要仰望一个比自己更伟大的形象，康熙于是塑造出来满足他们。

在康熙身后，高高的城楼上，仁宪太后由荣、德二妃搀扶着，凝视着军队逐渐远去，此时，宜妃小声地问人："怎么不见慧妃？"

"慧妃自请去畅春园永宁寺茹素修行，给皇帝祈福了，怎么？你又要说她什么？"太后冷冷地说。

"奴婢不敢。"宜妃吓得脸色苍白。

太后睨了她一眼，那冰冷的眼神让所有妃嫔都害怕："谅你也不敢。皇帝不在宫里，你们都安分些，我把话说前头，皇帝是我老太太唯一的指望，我把慧妃送去永宁寺，就盼着我这宝贝皇儿能平安回来。在这当儿，谁要惹是生非，皇帝和慧妃不在，没人能给求情，我恼起来会有什么处分，你们自己掂量！"

"奴婢惶恐。"众妃嫔给太后这番话吓坏了，太后说的是事实，皇帝和留瑕不在，太后若有什么处分，是没人能缓颊的。

大军出了京城，当晚在牛栏山下驻扎，军使们已等在牛栏山要向皇帝禀报前线军报，裕王、恭王的大军都已经开上了草原，有些前锋甚至与噶尔丹部交战过，康熙十分重视这些细小的线索，他必须知道，到底这个狂妄的西蒙古王公想做什么？单纯要勒索？还是想吞并蒙古诸部，做蒙古大汗？

康熙直忙到两更多才能休息，他回到金顶大帐，一掀帘子，就闻到扑鼻的奶香，茶吊子上一个壶里冒着烟，旁边几盘小点心，都是他最喜欢的东西，他走到桌前，伸手就要去拿，有人从背后抱住了他，在他耳边轻轻地说："这是大将军的夜宵，不给碰。"

"哦？是吗？"康熙听了这声音，整个人就故意地往后蹭，"朕这身盔甲难道不是大将军的打扮？留瑕？"

"不是，是小阿哥的打扮。"留瑕在他颊上一吻，甜甜地说。

康熙一回身，却听留瑕"哎哟"了一声，原来是他的头盔扫到了她，额角红了一小块，康熙往她额上揉揉："不痛不痛。"

留瑕低头一笑，给他卸去了盔甲，沉重的甲胄一去，康熙觉得全身轻快许多。留瑕帮他换上长袍，服侍他洗了手脸，才一起坐到桌前，"刷"的一声，冲了碗热奶子放到他面前。

"好香。"康熙嗅了嗅，伸手把留瑕夹在身边，"不过朕的留瑕，人比茶香。"

"没个正经。"留瑕玩着他手上的扳指，靠在他怀里，有种细细的喜悦。虽然抱来搂去早就是常有的事，但是在这个远离紫禁城的地方，真正只有一个留瑕、一个玄烨，司空见惯的拥抱都觉得很快乐。

康熙怜惜地抚着她的发，温柔地说："朕昨儿真给母后吓了好大一跳，就这么突然命朕把你带来,你什么都没准备,就被先送到大军前面,这几日行军,塞外风沙大,你又是个爱干净的,真是难为了。"

"没什么,那些身外之物都是小事,我很开心,真的。"留瑕冲着他灿烂一笑。康熙已经好久不见她这样不知忧愁地笑,连带着,让他抛开了那些烦忧,陪她笑。

共饮着一碗奶子,分享着一块点心,盖着同一床被,说着话,像两个孩子。康熙紧挨着留瑕,看见她眯着眼睛,轻问:"想睡了不是?"

"学我说话……"留瑕迷迷糊糊地说,很难得地一下子就睡着了。康熙看她睡得那样安稳,心里觉得有些歉疚,在外面的快乐单纯,表示了她在宫里的痛苦。他的手压在她心脏处,感觉她平稳的心跳,那颗小小的心里,藏着多少柔情、多少包容?

"摸着人家做什么……"留瑕醒了过来,迷迷糊糊地说。

"朕在找犀牛。"一只手撑着头,康熙侧躺着,他的身影挡住外面的光线,留瑕只看见他淘气的微笑。

留瑕不解,她揉了揉眼睛:"哪里来的犀牛?"

"犀牛在你心里。"康熙还在绕圈子,留瑕越发困惑,晚上不睡,找什么犀牛?康熙看着她难得的糊涂,一点她的鼻子,轻声说,"昨夜星辰昨夜风,画楼西畔桂堂东……明白了吗?"

留瑕"哦"了一声,慵懒地挪了挪身子,露出了一个傻气的微笑:"我不要心里住犀牛,我想要有彩凤的翅膀。"

"为什么?"康熙沉下身子,紧靠着她,留瑕缓缓地眨了眨眼睛,康熙见她良久不说话,推了推她,"为什么?"

留瑕睡意蒙眬,她模糊地说:"这样我就是从龙的凤……我们……可以在天上……只有我们……"

康熙心中一疼,她又睡着了,看着她唇边依然含笑,必定是做了个好梦。他觉得无力,他可以操纵人们的生死荣辱,富有四海、无所不能,唯独她的梦想,他无能为力……

一场满蒙贵族的战争,在七月的额鲁特、喀尔喀草原上开打,噶尔丹为首的西蒙古王公们,原本以为康熙会采取怀柔、容忍的政策,不会真的千里迢迢将大军开上草原。然而,八旗精锐不只有裕王、恭王带的入关兵,盛京的诸王与喀喇沁、土默特、阿霸垓、奈曼等东蒙古诸王也接受征召，有的与康熙会合、有的会师于裕恭两王帐下，头号皇亲科尔沁达尔汗亲王班第亲自领军，驻扎在布尔哈苏图，随时待命。

这是一场没有汉人主导的战争，几乎所有的旗籍大员、皇族亲贵——国舅佟国纲、佟国维，姻亲索额图、明珠，内大臣阿密达，董鄂妃的亲弟弟费扬古等全都在征召之列。康熙知道这群人大多是文人出身，怕他们弹压不住，也不给他们带兵，只给参赞军事之权。

康熙自己，则领着一群年轻的满洲贵介子弟坐镇后军，主持粮草以及各军的调配。他每天都要带人东奔西跑，确认运送到前线的红衣大炮、粮秣、军马、武器，由于他亲自压阵，除了给噶尔丹施压，也半督半逼地要前线诸王绷紧神经。

康熙的营盘依山扎营，在他营里，储存着各个大营的必需品，从各地调来的补给全部都要经过这里再送出去，各个大营的消息也要送回这里，请战的、问计的、报捷的、报进度的……军使们挤在等候传呼的大帐里，有些远来的，累得倒地就睡；近些的，则交头接耳讨论着最近的军情。这个大营虽不需亲上战线，也还是让各种庶务忙得团团转。

大营的傍晚，一个年约十七八的少年，一人一骑从古北口方向来。马背上驮着几袋东西，迅速地驰进大营，卸了东西，背着这几袋东西往金顶大帐去。守在帐门的侍卫们见那少年来，进去通报："皇上，小多子回来了。"

金顶大帐里用布幕、屏风等物隔成内外两半，内间是康熙的卧室，很小，就只能放下一张炕，跟几个放盔甲、刀剑的架子；外间则大得多，正中一张虎皮椅，椅前放着书案，案上置有令箭、虎符与各种文书，这是康熙办公的地方；书案前方是空地，平日可以摆上大地图、沙盘，以供康熙了解军情，若是集合众将，则放上胡床，可以开会，空地两旁收着上述的各项东西，整整齐齐。

康熙正在批阅奏章，听见通报，招手要那少年进来，等那少年请了安，才说："小多子，这么快就回来了？"

小多子，是康熙亲舅佟国维的儿子、佟皇后与佟贵人的幼弟隆科多，这回也点名到康熙身边学习。康熙很喜欢这个小表弟聪明伶俐，他又算是留瑕的义弟，所以特别偏爱些。

"奴才是皇上的喜鹊嘛！主子不叫停，奴才就是累死了马，撒丫子跑也要跑回来呀！"小多子先把怀中揣着的书信递上去，才揉了揉鼻子回话。

康熙笑了笑，拿了拆信刀，顺口问："为什么是喜鹊？鸿雁不好吗？"

"回皇上的话，鸿雁递的是人的消息；喜鹊好心，给牛郎织女搭桥，传的是天的消息。奴才往慧娘娘处送信，是送皇上的天意，当然是喜鹊啦！"隆科多长得不像一般旗人那样高壮，而是矮壮敦实，一双伶俐的三角眼，透着灵动狡黠。

"说得好，是慧妃赏你吃糖了吧？嘴那么甜？"

隆科多傻傻地笑了，摸着头说："回皇上的话，糖是没吃，娘娘赏了顿饱饭倒是真的。"

"这趟辛苦你了，这差使办得漂亮，把东西搬进去里头，你就休息去吧！睡个囫囵觉，后天再来应卯吧！"康熙淡淡地吩咐。

隆科多退下去，他含笑看了信，上面是留瑕漂亮的楷书，说给他备了苏合香酒、轻便衣裳跟两双新做的软鞋，都是平淡不起眼的东西，却是他的起居作息中的一环。他怕热，睡觉不爱穿厚衣裳，甲胄在身，整天都穿皮靴，晚上休息才能穿软鞋让脚轻松些……

康熙凝视着信，似乎是要把信给看透，要看见她写信时的一颦一笑。他想起自己在极端忙碌下偷空给她写的那封信，自己现在想起来都有点觉得太肉麻。不过在阳刚气重的军营里，留瑕的婉约温柔、衣香鬓影让他思慕不已，但是留瑕在古北口的行宫里，应该不觉得很难熬吧……康熙收起信，自己都不知道为什么觉得失落。

康熙没有把留瑕带到军前，一是怕军中对女人多有忌讳；二是她身为皇妃，不能到处跑，缩在帐子里也气闷；三是他也怕自己分了心。在这个随时都有消息的地方，每个人的情绪都很亢奋，现揣着个留瑕，他觉得自己大概也把持不住，反而误事、给部属取笑。

康熙觉得体内一阵阵燥热难当，他皱了皱眉头，不知道为什么，觉得很不安。他吸了口气，拆开从裕亲王福全军中来的消息，是他安插在福全那里的亲信送来的私信。此人的父亲是太皇太后的陪嫁包衣，事事都听康熙的，这封信写的都是白话，字迹如同孩童学字，歪歪斜斜地写着：

"奴才敬禀主子驾前，主子圣明，大爷一出古北口就跟裕王爷闹了生分，裕王爷要大爷稍安勿躁，这才刚打仗，先站稳脚跟再图歼敌。大爷不肯，说裕王爷是给噶尔丹吓细了胆，要亲领一军直捣噶尔丹这狗娘养的浑球的老巢。大伙儿劝大爷别犯蛮，大爷不依不饶，裕王爷那日大约肝火旺，眼看着没办法，也烦了，就说'别人劝，你不听就罢了，我是你二大爷，在小家子，光冲着你这狂样，我就能赏你几个耳刮子'。大爷大怒，爷儿俩就翻了桌子，依着奴才看，大爷这样确实不对，裕王爷的主意没错，主子叫回话，奴才就看到这里，全写出来了……"

康熙眯了眯眼睛，起身走了几步，走到书案前，缓缓拿起那份私信，就着书案上的烛火，点燃，一放手，信落到地上，迅速地用皮靴踩了几下，火光就熄了。只飘起一丝白烟，靴底还可以感觉到热度，但是火是确实熄了。

他脸上是个有些慵懒的表情，细看之下，眸子里是晦暗的阴鸷光芒，此时，有人匆匆进帐，是他派到科尔沁的侍卫。那侍卫风尘仆仆、神色紧张地送来一封信："皇上，这是费军门截到的信，请皇上过目。"

康熙没有看他，他面对着书案，只是向后伸手，侍卫就将信放到他手上，他用拆信刀打开信，一展信纸，他迅速看完，"唆"的一声，揪住了那张信纸，拳头顺势打在书案上，将笔架、砚台震起半天高。

侍卫给他吓了一跳，低头不敢言语，只听康熙的声音异常高亢，还微微地发抖："什么时候截到的？送信的是谁？"

"回皇上的话，三天前截到的，送信的是索中堂的家人。"侍卫压低了声音，用只有康熙听得到的音量说。康熙松开手，将那张纸压平，又折起来，放进书案的一个皮匣里，侍卫轻声说："皇上，费军门请示，那人该怎么处……"

说到一半，康熙森冷的目光如利剑切断侍卫的问话，他唇边有一抹残酷的笑，声音却截然不同，轻快地说："还用问？费扬古没杀过人？"

侍卫马上明白过来，他躬身退出，换了马，消失在灰暗的草原上。康熙看了看皮匣，再看见脚下已化为灰烬的信，他叫了人来，另一个侍卫走进，打了个千儿："皇上有何吩咐？"

"让人拟旨，朕似乎有些水土不服，身上不爽，甚是思念太子，让太子带着三阿哥胤祉，兼程赶来行营。"康熙脸上淡淡的，看不出表情，他想了想，又说，

"再一道旨意,抚远大将军行营上下将士,不管是王公还是大臣,全受裕亲王节制,不敬者,着裕亲王可请王命旗牌斩之。"

"是。"侍卫答应了一声,正要退出去,一转身,却听见身后有撞击的声音。转头去看,大惊失色:"皇上!"

外面的侍卫全都跑进来,众人连忙扑上前:"皇上!"

见康熙倒在书案前,那张向来天威莫测的脸庞上,沁着冷汗,眼睛紧紧地闭着,手松松地垂在身边,但是仍然拧着拳头。这群三大五粗的满洲哈哈珠子手足无措,他们跪在地上,愣愣地看着,突然,有人号叫起来,痛哭失声:"皇上!皇上呀!您醒醒神儿!"

康熙没有醒来,他痛苦地皱着眉,拳头握得那样紧,似乎要把谁给攥死。不知道过了多久,才有个清醒的人做主,把他抬到床上去,请了军医来看。众人退出来,一个一等侍卫叹了口气,叫了个年轻的来:"你打点打点,带上二十个兵,这就去古北口,把慧娘娘请来吧!"

康熙静静地躺在床上,他觉得脑子很晕,也很累,连手指都懒得动,耳边模模糊糊地听见有个声音嗡嗡作响,那个声音渐渐清晰:"……不碍的,只是这几日夜行晓宿避日头,又太累了……小臣开了人参给皇上补补气……"

蠢材……康熙不悦地想,又是人参,说过多少次不要一有人生病就开人参,嫌长白山上人参太多?拿来当饭吃……他想撑起身子痛骂那个说话的人,但是就连张开眼睛都很吃力,更遑论提气来骂人,要是留瑕在……

像是回应着他的心愿,他听见留瑕的声音:"我虽不通医道,不过皇上一向最反对用人参,绝不是信先生不过,只是补气还有其他东西可以代替的吧?皇上现下龙体欠安,脾气也不会好,先生还是换个药,省得招皇上生气。"

"是,小臣这就去改方子。"

留瑕送走了军医,才松口气。一路从古北口赶来,给马颠得七荤八素,头发乱了,脸色也显得十分苍白,她脱掉斗篷,就着冷水洗了手脸,把随便梳的发髻松开,随意梳了几下,扎成一个松松的辫子。她吹熄了帐子里的烛火,只留一盏,拿出针线,在纱袋里塞进晒干的决明子、菊花,这都是随军会带的凉药,再缝成一个扁扁长长的小袋子,洒了点水在上面,轻轻敷在康熙眼睛上。

这是太皇太后从前常用的偏方，老人家眼睛不灵便，又总嚷着头疼、睡不好，用这个方法很快就能安神入睡。留瑕给康熙擦去额上、颈上的汗，把被子塞紧些。

康熙闻到了菊花香还有一种像晒干麦子的味道，眼皮上凉凉、沉沉的，因为作息不正常而充血的眼睛轻松了些。眼睛不能看的时候，耳朵就变得特别灵敏，他听见留瑕很轻很轻的呼吸，钢针和线穿过布的摩擦声，还有帐外有人踩着马刺走过，大约是巡营的军士，康熙也不确定，轻轻的"啵"的一声，是烛火爆了烛花……

留瑕专心地缝着纱袋，她多做了几个，方便替换。那烛火跳了一下，她拿了剪子剪去烛花，觉得眼睛很酸，将纱袋推到旁边，伏在案上假寐。这一睡，就睡到四更时分，由于多年都要在四更叫起，所以不管多晚睡，留瑕总能在四更之前醒来，康熙常说她是"活的自鸣钟"。

烛火早已熄了，大帐里漆黑一片，留瑕爬起来，压了许久的手臂酸软无力，昨日骑了整天马的腿也麻得不能使力，勉强走了几步，双膝一软，又坐了下去。却听康熙闷哼一声，原来是坐到他身上了，她连忙想起身，无奈腿实在酸麻得厉害，加上刚刚大概站起来太快，头也觉得有些晕眩。

康熙的手，抓住了她的腰："留瑕吗？"

"我都没说话呢……这样就知道？"留瑕想要移开，康熙却紧扣着她的腰不放。

康熙摸着她的肚子，有气无力地说："朕就是知道是你。"

"您要吃点东西吗？还是喝水？"留瑕问，拿开他的手，放回被子里，康熙说不要，她轻吻了他，"那我出去拿点热水，给皇上洗手洗脸好吗？"

"好。"康熙缩回去被子里，闷闷地说，留瑕摸黑走出去，他又说，"等等，架子上有朕的斗篷，草原上清晨很冷，穿起斗篷，别着凉了。"

留瑕一出大帐，就打了个哆嗦，裹紧康熙的斗篷，侍卫们看见留瑕出来，打下千去："娘娘吉祥。"

"吉祥，能否麻烦给我兑些热水来，要给皇上梳洗。"留瑕客气地说，侍卫们答应了一声，就去张罗。

七月天亮得快，天边已经露出了一线光，天幕仍是深蓝，东边的地平线上,垂着一颗明亮的星辰,斜吹的风,将斗篷下摆吹起又落下。草地上凝着露珠,靠近地面,是一层薄薄的雾水,留瑕闻到泥土的味道,脚下踩的,是肥沃的黑壤。她看着天际,若是没有兵祸,这北国初秋该多好看!与康熙携手同游,辽阔的天地间,只有两个人,多好!

侍卫拿来了水,留瑕替康熙盥洗之后,他又撑着病体起来办事。留瑕拗不过他,他也不让她在旁守着,要她上床去休息,自己带着一群侍从,跑去红衣大炮营了。

留瑕疲倦地走进内帐,刚要休息,隆科多匆匆走进,对她一躬:"娘娘吉祥。"

"小多子,什么事?"留瑕勉强地扯了扯嘴角。

"回娘娘的话,皇上刚才交代,让我给娘娘准备了热水洗浴,不过这里水少,自然不比行宫里可以香喷喷地洗贵妃浴,先禀报娘娘。"隆科多恭敬地说。

留瑕点了点头,对隆科多说:"我理会得,能稍做梳洗,已经很好了。"

"谢谢娘娘,原先还怕娘娘不乐意,娘娘既理会得,就是痛怜小多子了,这就准备去。"隆科多呼出一口气,调皮地笑了笑,就跑出去了。

不一会儿,两个粗壮的蒙古大娘抬着一个中型的木盆和两桶热水进来,后面一个姿色普通的汉人女子,接着才是隆科多。他对留瑕说:"这两位大娘是火头军里帮着烧饭的,一会儿就她们给娘娘守门,这位刘阿姐是来伺候您的。"

留瑕向三人微笑,用蒙语跟两个大娘说了几句,两人憨厚地笑着把水倒进木盆,就出去帐门外了。那个刘姓女子则替留瑕褪了衣衫,留瑕坐进盆里,刘女沉默不语地用布巾给留瑕擦洗身子。留瑕大约觉得这样的寂静有点尴尬,而且那女子的目光,冷冷地投在她裸着的身子上,让她觉得有些不寒而栗。

"刘阿姐,也是帮着做饭的吗?"留瑕用汉语问,试图打开死寂。

刘女扫了她一眼,平板地说:"我是营姐儿。"

那个"姐儿"两字说的很分开,留瑕一听就知道她不是北方人,僵硬地笑了笑说:"阿姐是南方人吧?我也在南方住过十多年。"

刘女的手停了一下,冷笑着说:"你是娘娘千岁,用不着跟我这种下贱人称姐道妹。我说了我是营姐儿，你养尊处优的，大概也不知道什么是营姐儿吧？"

"我确实是不知道……"留瑕有些不解，她从来没遇过对她怀着这么深敌意的人，为什么？

刘女嘿嘿地笑了几声，留瑕的手臂上起了鸡皮疙瘩，她露出手腕上的一个铜钱烙印说："这总该明白了吧？"

留瑕无言，她确实明白了，这个女人是营妓，所有的营妓都要在手腕上烙一个铜钱印记。所以有句咒人后代的话是这么说的，"女盖铜钱印、男生铜钱疮"，是骂人后代做丐、做娼的恶毒话。

留瑕能说什么呢？刘女确实有理由恨她的，一为娼妓、一为皇妃，帝国的顶端与底层相遇，留瑕竟感觉畏惧。那样深沉的怨恨目光扫视着她，不是人的眼睛，是一只被剥夺了一切的野兽，恨、恨、恨。

留瑕不安地背过身去，刘女却又拿起布巾擦过她的背，用一种揉着嫉妒、羡慕、仇恨等等情绪的复杂声音说："你的皮肤，怎么就那么好看？一点瑕疵都没有……"

猛地，留瑕被扳过身，刘女竟攫住了她的胸部，恨恨地揉捏着："这么好看的奶子，只给那满鞑子看过吧？"

"你放开！"

留瑕要推开她，但是刘女的力气大得惊人，虽松开了留瑕的胸部，却一把揪住她的头发，把她从澡盆里拉出来，摔在地上。整个人就跨坐在留瑕身上，掐住她的脖子，顺手把布塞进留瑕嘴里："骚货！刚才那小浑球说，你是鞑子皇帝最爱的女人，是吗？"

留瑕的手想要把刘女挥开，却是徒劳无功，刘女将她整个人翻面朝下，她的双手被反剪在背后，她侧头害怕地看着变得神智失常的刘女。刘女用留瑕听不懂的话喃喃地说着什么，还用力地在留瑕洁白的皮肤上掐下一道道青紫色的淤伤，留瑕忍下她的暴虐，明眸四下张望，寻求脱困的契机。突然，下身一痛，留瑕不胜疼楚地扭着身子，她终于发现，这个揪着她的女人，是个疯子，一个满怀恨意而且被恨意扭曲了心的疯子！

留瑕疼得哭了出来，康熙不会、也不曾这样对她，她只想扑在康熙怀里哭一场，但是她知道，他在十里外的红衣大炮营，赶不回来的……

她动了动小腿，并没有被压死，她想起康熙平素练的布库，下意识地，她迅速翻过身子，刘女压在她腕上的手被猛地一扭，整个人就摔在一旁。留瑕迅速爬起来、拿掉口中布巾，扬声大喊："快来人！"

接着，她扯过自己的斗蓬，当那两个蒙古大娘冲进来的时候，她已经将身子包起来了，她指着刘女说："把她抓起来！"

蒙古大娘自然听命，刘女被两个粗壮的女人押了出去，嘴上兀自大吼："贱货！狗娘养的一干子贱胎！鞑子……"

接着就是"呜呜呜"的声音，留瑕听见外面侍卫一阵拳脚声，隆科多的声音惊慌地传来："娘娘，您没事吧？"

"没事，这女人犯了疯病要伤我，把她扣下去，谁都不要进来，我先换了衣裳再说。"留瑕强压住一阵阵心悸，抖着手要拿起衣服，下身难耐的痛楚，使她腿脚一软跪在地上，无法控制地哭了出来。

留瑕哭了一阵，才抖着手起来，穿好了衣服，走到外面。隆科多等侍卫早已把那刘女打了个头破血流，倒在地上，不省人事，见她出来，全都"啪"的一声打下马蹄袖："奴才该死，请娘娘治罪。"

"没事……"留瑕摆了摆手，怜悯地看了刘女一眼，"你们不要难为她，她也是个可怜人，送她回去就是了。"

"娘娘慈悲。"众人齐声颂圣，留瑕也懒得听，让人收拾了内寝，就进去睡了。她感觉很累，几度睡了又醒，刘女那双疯狂的眼睛，一闭上眼就出现在她的想象里，留瑕头痛欲裂，轻轻地啜泣起来。

"留瑕！"康熙的声音蹿进耳里，她抬起满是泪痕的脸，眼前一暗，康熙已将她拥入怀中，"留瑕。"

留瑕什么话也说不出来，她全身都在发抖，紧紧地靠在康熙怀里，他小心地揭开她衣衫的盘扣，看见她无瑕的身子上，布着淤伤和擦伤。他拥紧了她，眼睛却危险地眯了起来，留瑕倚在他怀里，听见了他发自胸腔的低吼："来人！把那贱人拖下去上夹棍，先断她的手……"

"不要难为她，皇上，她也可怜。"留瑕急急地说。

康熙抚过留瑕胸上的淤痕，他心疼地吻去她的泪，下一秒，他的声音冷得刺骨："问清楚了原由……朕还要加刑！"

留瑕惊慌地抬起头，她想劝，但是康熙的表情是那样自责，他柔声说："朕正好巡完了红衣大炮营，一进门就听见这事，来晚了，别怕，伤你的人，朕会以百倍千倍还之。"

他亲自给她擦了药，温言安抚，直到她沉沉睡去，凝视着她身上的伤痕，他感觉到一阵阵无法克制的暴怒。康熙轻碰了一下留瑕的手腕，那青紫的淤伤浮在雪白的皮肤下，十分明显。但是，为什么一个营妓，竟敢殴打皇妃呢？心疼留瑕的时候已经过了，他的眸子倏然变得阴沉，会是谁，在他眼皮底下动他的人？

康熙在床沿坐了片刻，内帐里没有点灯，全凭着外面透进的天光照明，他的脸半隐在更深的黑暗中，第一个想到的就是他身边的那些大臣。会是索额图吗？不，他皱了皱眉，伤留瑕对太子没有好处。那么，会是明珠？康熙心中也拿不定，明珠已经让他撤了大学士之职，成日惶惶不安，他还送过留瑕厚礼要巴结的，绝不敢在这当儿来招惹她。费扬古？不可能，他根本不认识留瑕，而且他也不屑干这样的事。佟家？更不可能了，留瑕是他们的护身符。阿密达？马思喀？阿南达？他们都是满洲哈哈珠子出身，不会做出这样下作的事，那么，还会有谁呢？

走到外帐，几个侍卫、军官和内大臣恭候已久，康熙登上虎皮座："那女人是怎么回事？是疯子吗？"

"回皇上，这女人平日神志正常，没什么问题，今日突然发疯，臣等也不知什么原因。"内大臣绞着手说。

康熙的眼睛又危险地眯了起来，他唇边的笑却温和得反常："不知道？你说得倒轻巧，问不出来原因，难道不会从她的出身经历去查？你这个内大臣只怕要去刑部走动走动，学点问案技巧吧！"

"微臣惶恐。"内大臣低下头，紧张地说。

"她是什么出身？"康熙不耐烦地瞪了他一眼，决定自己问。

内大臣看了看旁边，军官们互看了一眼，其中一人才斟酌地说："回皇上的话……她是……她是……"

"是什么？是老虎豹子？一句话说得吞吞吐吐，你这办得什么差！"康熙冷冷地说，他向来不用粗话作践人，因为他知道，有很多方法可以让人生不如死，比骂人更有效得多。

那军官犹豫了一下，才低声说："回皇上，她是……东宁遗族……"

清宫
qinggong · hongfenjinshu

红粉巾栉

东宁遗族，就是康熙二十二年，郑克塽降清后，手下的将官兵卒与他们的家属，全部下令内迁，分散到各个省份去垦荒，并且不得迁回本籍，就是郑氏家族，也都被羁留在北京，郑克塽几次上表想回福建，都被挡了回去。

"东宁遗族"四个字出口，所有人的头似乎都更低了些，康熙眸子里危险的光变成一种憎恶，"是郑家的亲戚？祖上是将还是兵？"

"回皇上，跟郑家没有关系，出身也不高贵，但是……是藤牌兵的后人……"那军官本就管着军妓，拿出花名册，翻到了刘女的那页，呈了上去，"标下依稀记得，似乎跟林兴珠是远亲。"

藤牌兵，是明郑降清后，投靠清军的一支部队，因为阵法精妙，甚至曾到康熙御前演练，康熙大为赞赏。但是这支出身南方的水军，却被派到北方与俄罗斯交战，得胜之后，领军的明郑降将林兴珠虽然升了官，后来又被罢黜，藤牌兵也不知所终。有人传言全都让康熙下令杀了，但也有人说特旨送回原籍养老去了，就连兵部中人都摸不清底细。

康熙看也不看，嘴上那一抹轻蔑的笑，像逮着了老鼠的猫，他往后一靠，眸子里游走着冷酷的光："这不就得了，你们还说不知道原因，这不就是原因吗！"

众人不敢说话，说实在的，出手伤了皇妃自然有罪，但是，就凭东宁遗族一条断定是原因，也未免过于武断，不过，皇帝都已经开口，还能多说什么？

"你们见过野狗吃猫吗？"康熙突然冒出这句话，说完，就瞅着内大臣，"你见过吗？"

"回皇上……臣没见过。"内大臣给他那冷漠的眼神吓出一身冷汗，抖着声音说。

"朕见过。"康熙的手指轻轻地敲着桌面，目光落到很远很远的地方，"朕十二岁的时候溜出宫去玩，经过一个小巷子，听见里头有狗跟猫的声音，探头去瞧，四只野狗围住了一只白猫。那只猫很干净，脖子上还系着金铃，先是一只狗抓了那猫一道，沁出血来，见血之后，其他的狗就像疯了一样，扑上去就把那猫儿撕了个血淋淋，能吃的吃下去、不能吃的丢了满地，那份惨，吓得朕几天没睡好觉……"

众人什么话都不敢说，他们的反应还跟不上康熙的思绪，只能愣愣地听。

"你们大约觉得没什么，可朕今日看见慧妃身上的伤，就想起那只猫。你们知道那些狗为什么要吃猫吗？明知道吃猫可能被人打、明知道吃猫既不顶饥又麻烦，为什么要吃？"

内大臣毕竟是在朝中混过的，此时连忙接口："微臣愚钝，请皇上示下。"

"因为嫉妒，嫉妒那猫儿餐餐有饱饭，不用去讨、不用去争，嫉妒那猫儿漂亮好看，每天有人给它理毛、打扮，嫉妒那猫儿有人喜欢、有人疼，你们以为只有人会嫉妒、会怨恨？"康熙的嘴角上弯，那个蔑视的笑冷如冰霜，他不咸不淡地说，"错了，在这点上，人跟野兽没什么两样，只是野兽直接就用抓用咬，硬来，人用的是软刀子，明着骂、暗着使绊子，若是恨得很了，就跟野兽一样动粗。那个女人就是这样！她就是只野狗，看着慧妃眼红，你们懂了吗？"

众人明白过来，骨子里升起一阵寒意，康熙宽仁大度的行政作风下，竟对人性抱着这样冷酷、轻蔑的态度，众人不禁暗自想着，康熙私下对他们的评价是什么？也是当做猫狗野兽看待吗？

康熙看着这群若有所思的臣下，心中很不耐烦，觉得他们真是笨到了极点。他将那花名册往下一扔，随便地说："不杀了，把她送到黑龙江，告诉黑龙江将军，这女人至死不得除籍，就这么办吧！"

除籍，是放了军妓让她可以从良，这是由各个军营的主官决定的。此时，内大臣见着是个空儿，连忙跪下来颂圣："皇上宅心仁厚，臣等不及。"

康熙却笑了，他挑着眉，手肘撑在案上，微微倾身，恶毒地笑着："你以为这是仁慈？呵呵，汉女向来是'饿死事小、失节事大'，朕知道陈永华在台湾推广教化，郑成功本人也是儒生出身，这女人既然是林兴珠的亲戚，自然是受过这套教化的。要不然，一般军妓巴着了伺候皇妃的差使，还不知怎么高兴，她倒攻击皇妃，若不是心里对为娼恨得极了，绝做不出这样的事。黑龙江的将士多苦闷，有这么个贞节烈妇去，正热闹。"

众人心中一凛，平素见康熙，总是宽厚得很，每回要勾秋决名单，康熙都亲自调阅秋决人犯的卷宗，确认其罪当诛才勾下去，此时听到这样的说法，众人头一次感觉到了康熙的可怕。

军中对军妓虽说称不上好，但是在军妓调换的事情上，至少都还要看本人意愿。黑龙江是边塞苦寒之地，将士苦闷而且个个都是北方壮汉，从来没有军妓愿意去，还不许黑龙江将军发善心放人，人死不过头点地，康熙却要让刘女生不如死、身心一起践踏。

众人能怎么办？康熙对刘女如此处分，可见是恨极了，只能遵旨办理，正要退出来，康熙又唤住了内大臣："你留下来。"

"是。"内大臣羡慕地看了其他人一眼，他真的很不想跟康熙待在一起，他第一次感觉什么是天威莫测。

康熙看他的膝盖在微微发抖，心中盘算着要把这人撤换，不过这人还管着正黄旗的旗务，郑克塽投降后，就编在正黄旗里，这人大约是知道情形的，所以康熙嘴里还是说："郑克塽在北京，还安分吗？"

"回皇上，据臣所知，汉军公很安分，只是他有衔无职，生活似乎有些拮据。原本这回还请要从皇上西征，名单送到上书房，好像是驳了……"

"是朕驳了，他一个纨绔子弟，不如那个宁王还靖王有气节，到底是朱明子孙，一根白绫上吊全了臣节，朕就敬重这样的汉子。朕不爱见郑克塽，正黄旗是朕亲管的亲军，让他进来已经是殊恩，把个祖宗江山都丢了的人，跟着朕出来能顶什么用？"康熙打断了内大臣的话，话语之间，把郑氏看得极低，"东宁降人，没几个能用的，只一个陈梦球 [101]，朕听说研习《易经》很有见地，他父亲陈永华确是公忠贤能，妹妹陈氏殉夫而死 [102]，也是贞烈之人，龙生龙、凤生凤嘛！倒是郑成功一代英雄，出了这么个稀泥软蛋，大约是天意。"

"皇上说的是，这是天亡明郑，将台湾回归真龙天子……"内大臣赶忙又拍康熙的马屁。

康熙不悦地看了他一眼，烦躁地挥了挥手："出去吧！郑克塽似乎还有个弟弟在做佐领，你回去之后，寻个事把他的佐领摘了。朕要代他们祖先好好教训这几个不肖子，逼着他们男耕女织，安安分分自食其力，去吧！"

康熙又撑着病体忙了几天，虽有留瑕服侍，但是草原上温差极大，加上他这些日子积劳成疾，病情虽不致命，已足够让群臣惶恐。毕竟他的身体状况也关系着群臣的身家性命，皇帝在军营里生病，放到朝廷上，御史们必定要追究近臣们的责任。

康熙披着一件宝蓝外褂，倚在炕上读着几份各省督抚送上的奏折，他伸手松了松领口，觉得帐子里有些闷，轻声咳了咳。在一旁帮他把看过跟没看过文书分类的留瑕，起身要替他倒水："皇上，喝点水好吗？"

康熙本不想喝，但是抬头看见留瑕原本丰润的脸颊清减许多，下巴也变得尖些,满腔烦躁也就压了下去。待她拿过水来,捧场地喝了一口,就把水杯放在旁边,抱过她来,牵起她的手腕:"怎么瘦成这样? 看你的腕子,朕手指一圈都还有空呢!"

康熙说着,将拇指、食指环成一圈,握在留瑕手腕上,握不满,留瑕摇头,只靠在他怀里不发一语。两人沉默了一阵,留瑕突然侧过头去,在康熙腮上蜻蜓点水似的亲了一口,又缩进他怀中不说话了。

"做什么偷偷摸摸,要亲就大方来一下子, 这么不干不脆的,让人心痒痒。"康熙轻弹她的耳朵,扶着她的脸,顺势就嘬了个嘴儿,"满腹心事似的,猫把你舌头给叼走了? 要让朕把你那些个傻想头都亲出来? "

康熙说完,又要再偷几口香,留瑕笑着把他的唇给挡住:"不是猫把舌头叼走了,是皇上堵着我的嘴,说不出声。"

康熙撑不住地笑了出来,戳了戳留瑕的脑门:"都是你的话。"

两人说笑了一阵, 却听外头有人通报:"皇上, 行宫有太子爷的消息呈上。"

"口信、书信?"康熙问,留瑕扭了扭身子要下地,康熙却抱着不放,听那人说是口信,他凑过去,将下颚放在留瑕肩上,"直接说吧! "

"是,太子爷今日清晨已在行宫下榻,因为三爷似乎有些不舒服,所以要请大夫在行宫给三爷看看,明日下午启程,估计后日清晨会到行营。"那人清楚地说。

康熙刚听完,毫不犹豫地说:"不成,让人现在就回古北口,要他们立即起程,不得耽延。"

"标下遵旨。"那人大约穿着马刺,踩着沉重并且带着金属声音的步伐远去。

康熙没事人似的,留瑕不安地说:"皇上,三阿哥还小,金尊玉贵的,还是让他们缓些来吧? "

"没事,什么金尊玉贵? 朕是天子还亲上战场呢! 普天下还有比朕更金尊玉贵的人?"康熙看起来丝毫不把三阿哥生病当回事儿,又抱着留瑕磨蹭:"倒是你,还回行宫去,那里没有猛兽,待得闷了,就去围场玩玩黄羊、獐子。你在行营,朕虽然高兴,可是你不能乱跑,只怕也闷,让你出去,塞外风大,要让风卷走了或者给鹞鹰衔走了,朕找不到你怎么办? "

留瑕心头一暖,这几日在他身边,也许是在军营的关系,总觉得他不像从前那么柔情万千,听他这席话,心里头给哄得暖呼呼的,低头一笑,显得娇羞可爱:"我知道了。"

"知道就好,朕就怕你以为朕不要你了,一会儿自己又不知道躲哪儿去哭,哭得脸花花的,心疼的还是朕。"康熙轻抚着她的长发,含笑中又带着点调侃的神情,像是个哥哥,拍了拍她的手,哄着说,"好了,快去把奏折分一分,别靠在朕身边,引得朕心都花了。"

"自己定力不够还赖我呢!"留瑕皱皱鼻子,娇嗔着说。

康熙捏了捏她的腰,留瑕笑着躲开,康熙说:"明明就是你这人坏,让朕没心思做正事。"

留瑕跑得远远的,才说:"连老佛爷都说了,皇上不是柳下惠。"

"做柳下惠有什么好? 要不是雪地里遇到的女人太丑,就是他不行,朕才不学他呢!"康熙随口乱说,逗得留瑕又嗔他没定力,他无所谓地耸了耸肩,又低头去看奏折。

太子……越来越精了? 会拿弟弟生病做挡箭牌,康熙脸上褪去了在留瑕面前毫无掩饰的轻狂样儿,换上一丝冷酷的笑,胤礽哪……要在朕跟前玩小把戏,你还差得远呢!

他想起那封截到的信,索额图竟要太子趁他不在,把索额图的嫡系都补上去,等他回京,六部就都换在索额图手里了,可恶的孩子!

但是三阿哥是真的病了,太子接了他的旨意后不敢耽搁,顶着大日头就带着弟弟与一干随从赶路。草原上毫无遮蔽,跟康熙一样因为夜行晓宿、冷热不调而生病的三阿哥,由侍卫抱着,两人一骑,跟着太子迅速赶往行营,给马颠得头昏脑胀,半路上呕了好几次。到最后,呕出来都是酸水,人也晕了过去,众人只能给他喝水,什么忙都帮不上。

太子与三阿哥虽然感情并不深厚,但是毕竟是一起长大的,看着弟弟病得痛苦,心中很不忍心,然而,他不敢违抗父亲的意思。走到半途,众人在这不熟悉的草原上不敢贸然扎营,赶路为求轻便,也没带帐篷,只能硬着头皮继续往前走。

从古北口出发是早晨,路上因为三阿哥耽搁了许久,虽想赶路,走得却越慢,直拖到深夜才到行营。康熙已经准备睡下,也不想又爬起来见他们,只让人给他们腾出营帐休息，明日再见。

留瑕却不知道两人到了，她服侍康熙洗过手脸后，就绕去厨下看过明日的菜单，才又回到大帐，看见太子扶着虚脱的三阿哥在大帐前磕了头，脚步虚浮地起身，留瑕不确定地喊："太子爷？"

"瑕姨！"太子惊喜地叫了一声，看见确实是留瑕，眼泪就涌了出来，只咬着唇不让泪水掉下。

"这是三爷？"

留瑕看了看三阿哥，三阿哥很勉强地撑开一只眼睛，毕竟还是个孩子，又一向习文不好武，看见是留瑕，就哭了出来："慧娘娘。"

"怎么了你们？哭什么呢？"留瑕慌了手脚，两个孩子抽抽搭搭地只是哭，也说不出个所以然，留瑕转头去问从人，"怎么了？"

"回娘娘的话，三爷染了风寒，今日吐了好几回，太子爷也有些头疼，赶了一天的路……"那人有些踌躇，他不敢说康熙什么。

"皇上怎么说？"

"皇上吩咐……吩咐……吩咐两位爷去休息……明日再见……"那人吞吞吐吐地说，留瑕询问地看着太子，太子点点头。

留瑕有些生气，她怒目看了大帐一眼，哪有这样做父亲的？儿子们抱病前来，连句慰问也没有？她又问太子："吃过东西了吗？"

"还没，只在路上吃了些干粮。"太子撑着三阿哥，三阿哥已经全然无法站立，身子直往下溜。

留瑕皱了皱眉，气不打一处来，连赐食都没有，这叫什么为人君父的道理？留瑕忍下气，温言说："你们快去帐里休息，瑕姨去张罗些熟食，很快就好。"

太子与三阿哥听了，都露出了欣喜的表情，留瑕转身又往厨下去。由于随时都有人巡哨要吃夜宵，所以军中在晚上是不断柴火的，留瑕看了看厨下的东西，想到三阿哥正生病，吃不得荤腥，就命人拿了些冷饭，加水，又放了几颗蛋、肉丝、木耳和姜丝，浓浓地煮成两大海碗的粥。亲自捧了，送到太子帐里去。两兄弟一闻到粥的香味，也顾不得什么，一人捧了一个碗，低头就吃起来，旁边的从人，不曾见过这两个皇子如此饕餮，都错愕地看。

"吃慢些，没人跟你们抢……吃不够，我让人再去煮。"留瑕静静地看着两个孩子吃得满头大汗。太子是她看着长大的，因为没娘也跟姐妹们不亲，所以把她当成干娘或者大姐姐一般，留瑕将他看做弟弟，册妃之后，就当他是自己儿子，看着他狼吞虎咽，似乎是饿了很久，心里觉得很可怜。

看向三阿哥，她也觉得有些不忍，这原本不干三阿哥什么事，只是康熙一句话，就这么风尘仆仆地赶来。病得七死八活，父亲一声令下，说什么都要来，连碗热的东西都吃不上，只怕药也没吃……思及此，留瑕连忙叫人过来："去把军医请来给三爷看病。"

"谢谢额娘。"三阿哥感激地看了留瑕一眼，又哭了出来，眼泪滴到碗中，和着粥一起吃下去。他的母亲是荣妃马佳氏，但是他与大阿哥一样，一下地就被送到康熙信任的大臣家里教养，有母亲也等于没有。在这种觉得委屈又孤单的时候，留瑕的关心让他很是感动，原本喊的"慧娘娘"，也变成了"额娘"。

"吃得慢些，生病的人胃弱，吃太快了，等会儿胃疼，缓些吃。"留瑕怜悯地看着他，与荣妃的交情还算好，看着荣妃的儿子受苦，她觉得很过意不去。

军医来了，给三阿哥看了病之后，留瑕让人去煎药，亲自给三阿哥喂下，安排了两个孩子睡下，才回到大帐。内帐还亮着灯，她挑帘走进去，康熙的双手枕在脑后，睁着眼睛，一听见声音，"忽"地坐起身来，冷着脸说："你去哪了？"

留瑕看他脸色就知道他生气，但是她也给他今晚这样不慈不仁的行为气着了，也冷冷地回答："给太子和三爷张罗吃住去了，可怜见的两个孩子，今日一口热的也没吃上。"

"行营的人都死绝了？要你一个皇妃去伺候？"若是留瑕婉言解释，康熙顶多抱怨几句就罢了，但是看见她这样的态度，他就不肯善罢甘休，"一个十六岁、一个十三岁，不会自己吩咐人做饭？朕都不担心了，又不是你儿子，用得着你去蛇蛇蝎蝎！"

"自己吩咐跟有人关心不一样！"话音一落，留瑕就顶嘴回去，"虽不是我儿子，但是是我看着长大的，给他们煮点吃的、安慰几句只是举手之劳，再说，不让孩子们寒心，不也是帮着您？"

"你还有理！这么说，朕要感谢你丢着朕去服侍那两孩子了？"康熙一想到她丢下自己去帮太子，心中泛起一阵醋意，"还谢谢你帮朕收拾人心！"

留瑕不跟他客气，哼了一声说："不用谢，这是正理。"

"混账！"康熙莫名地一阵暴怒涌上，他将一碗水掼在地上。留瑕被那突来的碎裂声吓了一跳，还反应不过来，康熙就到了她跟前，抓着她的手腕："你这是在说什么！"

"我……"

留瑕第一次看见他这样狰狞的表情，总是对她含情微笑的眼睛充了血，恶狠狠地盯着她；高挺的鼻子在此刻的留瑕看起来，竟像猛禽尖利的鸟喙，似乎随时都会攻击她。他的手握得那样紧，猛地腰上一紧，康熙把她整个人抱起来，压在床上，紧扣着她的肩膀："朕宠你，不代表你可以爬到朕头上，太子那边，你不要管，这是朕的事！"

留瑕稍稍从震惊中回复过来，她相信自己没有错，镇定地说："我也不想管，是皇上做得过火，太子……啊！"

康熙一拳重重地落在她耳边几寸，虽然不是打在她身上，但是那猛然落下的拳头还是吓得留瑕花容失色。她看着他紧握的拳，咬着唇不再说话，眼泪，却还是不甘而又谴责地滑下。她的睫毛轻轻地眨动，脸色给突如其来的惊吓震得青白，剪剪双瞳不屈地凝视着康熙，扎中他恢复理智的心。

康熙愣愣地看着被他压在身下的留瑕，他嗫嚅着唇想说些什么，但是发不出声音，他看见自己的拳头在留瑕的头旁，连忙松开，他觉得罪恶，刚才那一瞬间，他脑中蹿起的强烈嫉妒让他失了理智，他感觉有种猛然升起的狂暴念头一闪而过，此时回想，不由得一阵头皮发麻，他竟然想伤害她！

"留瑕……"康熙哑着声说，俯身将她抱住，一迭连声说，"留瑕……留瑕……"

留瑕没有说话，她只是任由康熙抱着，她知道他必定悔恨不已，但是，她无法说服自己原谅他，他连句道歉的话都说不出来……

太专注想着刚才，竟没发现自己正在发抖，留瑕发现，真的不是靠着爱就能过日子。她冷冷地看着康熙，从对他的眷恋深爱中抽出来看，她第一次觉得，他是一个可怕的男人，一个可能会为了功名事业、祖宗江山将她亲手杀死的男人。

夜已深，军营里很静、大帐里更静，是死寂。黑暗中，康熙看着留瑕的背，第一次，觉得她的背像一堵墙，让他看不见她的思绪。他伸出食指，很慢很慢地移动着，但是留瑕的背轻轻一动，他马上就缩回了手。

留瑕也没有睡着,她觉得很冷,心里头空落落的,好像丢失了什么。她可以感觉到康熙的目光就在她身后几寸,甚至也猜得出他想做什么,然而,留瑕再也没有去理解他、体谅他、包容他的心情了。她很害怕,就在刚才,她想到的是那疯女人刘阿姐,当时,她有康熙护着,可是,康熙的暴怒,有谁能护她?

她没了眼泪,只觉得一阵阵厌恶涌上,就像刘阿姐侵犯她的时候,那种恨不得立即逃开的感觉一样。她轻轻地坐起身,把被子塞好,就要绕过康熙的身子下床去,黑暗中,康熙坚实的手臂圈来,把她压回床上,他什么话也不说,只把双腿双手都缠在留瑕身上,不让她跑。

伸手推他,留瑕挣扎着,他热烘烘的身子整个贴在她身上,让她觉得更加惊恐,康熙却不肯放手,把她裹得紧紧。留瑕也不放弃,她拼死命地转动着身子,无奈他的气力实在大得多,他越抱越紧,而留瑕只是把自己累得气喘吁吁,丝毫动弹不得。

"动什么……"康熙终于出声,他的唇就在留瑕耳边,魅惑着说,"刚才确实是朕太冲动了,不该凶你,更不该动粗。人非圣贤,朕也有脾气,你把朕丢在帐子里孤零零的,想说话也没人,想亲亲你、抱抱你也没人,火气自然就大了。你乖乖的,哪里也别去,就在朕怀里,不好吗?"

留瑕没有说话,她不想听,但是康熙是个极有耐心的人,不达目的决不罢休,其他人也就算了,唯独留瑕能让他甘愿低声下气。他轻吻着她的耳垂,感觉她身子一阵轻颤,在她耳边低低地笑着说:"对了……就像现在这样,乖乖地在朕怀里,你是朕的心尖尖儿,朕在你心里,也是个心尖尖儿吗?"

说着,他不安分的手就伸进了留瑕衣裳里。留瑕咬了咬唇,无赖……她委屈地横了他一眼,但是黑暗之中,他也看不见,她想背过身子,但是康熙紧箍着不让她转身,他轻轻的笑声里带着一丝得意:"朕缠定了你,绝不让你跑了,留瑕,赶紧的,给朕生个格格,朕封你皇后,嗯?"

"我不是下蛋的母鸡。"留瑕咬着牙蹦出这句话,她感觉康熙的动作僵了一下。

但是康熙又笑了,这回真的笑得赖皮,他在她柔滑细致的皮肤上磨蹭着,吻着她说:"谁说你是母鸡了?生孩子是生死大事,朕也不想你受这个苦,只是朕受够了一个月只能碰你几次,也恨极了那些嚼舌根的人。朕想得很清楚,要堂堂正正做夫妻,横竖也不怕你欺负太子,你只要怀孕,朕就能封你皇后,好不好？”

“不好。”留瑕说什么都不会依的，她不要做皇后。此时，她只想逃得远远的，不要看见康熙，不要看见紫禁城。

康熙还当她只是要性子，又磨磨蹭蹭地把手脚都巴了上去：“朕让太医院给你熬的滋阴汤，能让你身子好受孕的，你都没喝对吧？回去之后，朕要盯着你喝，别跟朕斗气，朕要心烦的事很多，禁不起你今天闹、明天吵的。答应朕，别闹好吗？”

留瑕闻言，只是默然，她不再挣扎，康熙没想到她那么快就放弃了，倒觉得奇怪：“怎么？”

“是我错了吧？是吗？我竟忘了我爱的不只是一个男人……”留瑕的声音里有种深深的疲惫，她苦笑了一声，“我的男人是天子。”

康熙心中一揪，像是有人在他心头狠狠抽了一鞭，他也冷静下来，感觉到一种宿命般的悲伤包裹了他们，他拥着她，叹了口气：“不……你没错，你眼里只有玄烨；朕也没错，因为朕眼里还有大清。留瑕呀……朕舍不下你，更舍不下大清，做朕的女人，就是这么苦，你要认命……”

“不认还能怎么办？我都已经进宫了。”留瑕闷闷地说，她已经不气了，爱上了天子，就是这么无可奈何，她伏在康熙胸前，“我逃不开的……”

“谁能逃得开？”康熙抚着她的头发，怜悯地说，“是天让你到朕身边的。”

留瑕轻轻地动了动头，把又要夺眶而出的眼泪擦在康熙身上，低声说：“皇上，快睡吧！天要亮了。”

结果两人闹了一整夜，谁都没睡好，康熙早晨起身，就觉得头疼得厉害，留瑕叫了军医来，还是没休息的老病由。此时，太子与三阿哥早已等在帐外，连忙进来，两人比康熙睡得好，看起来精神不错。太子原本以为康熙病得很严重，一看却还好，说话的声音并不虚弱，这才放下心来。

康熙瞄见了太子神色轻松，他非常不高兴，想起昨夜太子在吃留瑕亲手煮的东西时，他自己一人在大帐里眼巴巴地盼着留瑕回来，又看见太子丝毫没有忧虑君父之病的表情，心中升起一阵厌恶。

“下去吧！朕身子乏得很。”康熙冷淡地说。

太子与三阿哥都很错愕，康熙从不曾用这样的语气跟他们说话，至少都还会慰问几句，两人跋涉数百里，看见康熙这样，都觉得委屈、心寒，无奈何，

只能退出来。

一退出来，却看见随驾的群臣、侍卫、军官都跪在大帐前，太子问："你们这是做什么？"

"回太子爷的话，臣等恭请皇上圣驾回銮，草原风大，再这么下去有碍龙体，请太子爷代臣等转奏。"

太子看了三阿哥一眼，只能摸摸鼻子又走进去。康熙见他回来，冷冷地问："什么事？"

"阿玛，群臣跪在帐外，请求阿玛回銮，将息龙体。"太子垂着手，恭敬地说。

康熙的目光犀利如电，扫向太子："你怎么说？"

"儿子……儿子……"太子没想到康熙会突然问他，不知所措之下，只能说，"儿子全听阿玛吩咐。"

"没点担当！"康熙暴喝一声，太子吓得腿一软，跪在地上瑟瑟发抖，只听康熙的声音像盆冷水浇在头上似的，刺骨刺心，"当了十六年太子，什么没学，就只学会做应声虫，朕白养了你！出去！"

太子从来没被人这样斥骂过，而且还是被最敬爱的父亲骂得这样一无是处。他忍住泪，浑浑噩噩地也不知道自己怎么回到帐篷，一倒在床上，就抱头痛哭起来。

然而，康熙还是应允了群臣的要求，大队兵马护送着康熙御驾返回北京。由于前方的恭裕两王已经找到噶尔丹主力，全面包抄，大局底定，所以康熙才放心回京。

说也奇怪，原本以为是康熙不习惯草原的天气才生病的，但是回京的路上，反而病得更严重了，整个人烧得迷迷糊糊，留瑕衣不解带、不眠不休地看顾，却还是不见起色。留瑕变得很沉默，大部分的时间都守在他身边，即使他已经病得分不清谁是谁，但是他的手还是紧抓着留瑕，如果换了别人，就马上甩开。

御辇停了停，有人靠近御辇，轻声说："慧娘娘，能否借一步说话？"

留瑕松开了康熙的手，一下车，就看见太子与群臣都在外面，她欠身一福，众人深深一躬，她说："什么事？"

"瑕姨，接下来有两条路，近的比较颠簸，远的平坦，大伙儿为了这事正在打擂台,只得请您来定夺了。"太子把路线跟她说了,众人都眼巴巴地看着她,她看见有人低下的眼睛里写着轻蔑,是觉得她一个女人没见识吧!

她看了太子一眼,淡淡地说:"太子爷的意思如何呢?"

"我?这事我也是第一次做主,还没有个定见呢!"太子踌躇地说,一双细白的手紧张地搓着。留瑕看见他的指甲上有咬过的痕迹,目光轻闪,还是个孩子啊……她突然明白康熙为何那样严厉斥骂太子,十六岁,明年就要纳妃的人了,还像个孩子,不知所措了就咬指甲……

留瑕的目光落在遥远的地方,这里几次随康熙到古北口避暑时来过,两条路确实都难以抉择,近的难走,好走的又太远,康熙病成这样,再拖下去实在不行……她脸上脂粉不施,比往常憔悴苍白许多,眸子里转着忧虑,蹙着的眉间聚着心疼,在场的人都看得见。

留瑕拼命地思索着,突然,她想起看过的一幅地图"我记得……这里似乎有条河,能通永定河?"

众人转头去看此地的县令,那县令想了想,随即惊喜地连声说:"娘娘圣明,确实有河能通永定,只是这河没法走御舟……"

"谁让大人您寻龙首御舟了?去征几艘大些的商船就行了,插上龙旗不也一样?主要是赶紧把皇上送回北京,再拖下去,谁都担待不起的。"留瑕回眸看着众人,又欠身一福,客气地说,"我一个女人家,原本不该做这个主,只是太子从前到古北口时还小,不记得地形,我就贸然做主了。各位大人有什么说法,不妨说出来,大伙儿作个参考,怎样?"

没有人有意见,走水路确实是最稳当的方法,又快、又不颠簸,于是很快就达成了共识。众人退去安排弃车登船的事宜,太子呼出一口气,向留瑕露出一个孩子气的笑:"谢谢瑕姨。"

"太子爷……总有一天,你要跟你阿玛一样君临天下的。有时候,别光听别人怎么说,跳出他们给你画的圈圈,听听你自己怎么想,自己想的,未必会错。从前,我把你当成弟弟,现在名分上,你也是我的儿子,但是我没办法给你做一辈子的主,你阿玛也是,我们会老,会死,你明白吗?"留瑕深深地看着太子,她很不想跟他说这些,宁愿他就这么单纯过一辈子,可是不行,他是将来的皇帝。

太子愣愣地看着留瑕,低下头去,用脚尖划着地,似乎心里很受打击,声音也变得像孩子一般稚嫩："瑕姨，不要说你跟阿玛会老什么的话……我要阿玛长命百岁、千岁、永远当皇上，我不要你们离开我，我不想当太子，只想当阿玛的儿子……"

有人来请太子过去，他依依不舍地看了留瑕一眼，才转头去了，留瑕目送着他，那一步一顿的样子，像个贪玩的孩子被逼去读书般不甘愿。留瑕回到车上，康熙紧闭着眼睛，手缓缓地在被子上移动，像在找什么，咳了几声，似乎是枕头太低，很不舒服。

留瑕一阵心疼，她握住他的手，感觉那手热得发烫，却紧紧地抓着她，她跪坐着，将康熙抬起上身，让他靠在她怀中。康熙沉重的身子压得她有些吃力，紧皱的眉宇，似乎藏着许多烦恼忧愁。她搂着他，手轻轻地拍着他的胸口，粉颊倚着他的额头，她拉起他的手，看见那横卧在掌心的纹路，她的手指摩擦着他的手心，他的睫毛扇了扇，没有醒来。

"皇上，你还不能倒下……"留瑕用蒙语对他说，她滚烫的泪落在他的睫毛上，"太子……还担不起这个天下……"

康熙在两天之后睁开眼睛，他抬了抬手，就发现手压在不知道什么软绵绵的东西上。他侧头去看，唇边露出了温柔的笑，是摸到了留瑕。她坐在床边，身子躺进床上，眼睛四周有深深的紫影，皮肤也变得有些粗糙。是憔悴得多了，但是他感觉此刻的她比任何时候都美，她让他想起了生母慈和太后，记得小的时候生病，因为还没确定是天花，只以为是普通的风寒，慈和太后也是这样靠在他身边，为了照顾他而憔悴消瘦。康熙看见他们的手紧紧地交扣着，就连在睡梦中都不曾分开。

这么多年来，康熙第一次感觉有种不明白的感情在心头萦绕，像是有什么温暖的东西轻轻地掐了掐他的心脏，瞬间又沉进了心底，似乎早就在那儿，又好像是刚生出来的。这样的情感，康熙很陌生，却异常地不感觉排斥。他抚着她有些脱皮的鼻头，她让他感觉是被宠爱的、被保护的，即使他能清楚看见她的脆弱、她的缺陷。

"怎么舍得离开你？"康熙无声地动着嘴唇，一睁开就是清醒犀利的眼睛，竟有些温热了，唇边噙着一丝稚气的笑，有些艰难地移动身子，他倚在她身边，嗅着她怀中那熟悉的女人香，他低低地说，"朕缠定了你，绝不放你走。"

熟睡的留瑕，唇边亮起一个包容的微笑，她没有睁开眼睛，却准确地找到了康熙的耳朵,轻轻地一弹,康熙吓了一跳,却听留瑕懒懒地说:"吵死了,病人没有说话的资格。"

康熙睁大了眼睛,又好气又好笑地说:"哎哟?朕……呜……"

留瑕吻了他。

注释:

1.陈梦球:字二受,号游龙,福建同安县人,入汉军正白旗,延平王国总制陈永华之子、监国世子克臧(臧字下)妻舅。康熙二年以旗籍中举,习《易经》;三十三年中进士,即日擢为翰林院编修,康熙召问台湾遗事,并常对人言"此忠义陈永华之子";后督学山西,卒于任上,康熙特旨恤其家,食俸三年,妻洪氏以子幼奏请还籍,准出旗籍,命驰驿还乡,康熙特谕同安县"陈梦球之子长成,准陛见擢用"。

2.陈氏殉夫而死:陈永华季女嫁延平郡王郑经长子克臧为妻,克臧贤明果敢,但因其母出身低贱,故国中多有传言克臧实是屠户之子。克臧为监国世子,处事公正,领护军三千,为群弟、诸叔所嫉。郑经死,其母董国太素恶克臧,听信冯锡范与宗族之言,欲收监国世子印,克臧语妻陈氏曰:"耳目殊异,恐不能相保。"陈氏曰:"夫在与在、夫亡与亡,无相负也!"克臧亲往郑经灵前缴印,董国太遂幽其於别室。夜间,宗族奉董国太命,使乌鬼将克臧拉出缢死,时年十八。董国太语陈氏曰:"汝参军女也,参军於国有大功,汝居宫中,当善视汝。"陈氏讽曰:"昔为郑氏妇,今屠儿妇矣,官民礼隔,尚安居此?"遂居克柩边。其时,陈氏有孕,或有劝其存孤者,陈氏答曰:"纵生孤,孰能容之?有死而已。"百日后,陈氏以身相殉,时年二十。克臧与陈氏合葬於洲仔尾,时人常见克乘马来去,或与陈氏携手并出,容色如生,台人遂以克臧为沙淘太子,并筑沙淘宫祀之。

第二十三章

qinggong · hongchenjinehu

紫禁城

康熙二十九年秋

　　康熙回到紫禁城后，军务、政务两头忙，身子弱，也不能召幸留瑕，不要她惹上麻烦，只能偷着空，中午时分让留瑕到乾清宫哄他歇晌，睡半个时辰，还要起来忙。

　　后宫也没闲着，原本就是个是非之地，惠、宜两妃这些日子简直嫉妒得要疯了。当初听说康熙回宫，她们两人一前一后要去乾清宫抢着请安，结果一进殿就看见康熙一手写字、一手抓着留瑕，胶住了似的说什么都不放，留瑕尴尬极了，但是康熙毫不在意，甚至有些故意挑衅两妃。

　　两妃又气又恨又无可奈何，想去太后那儿挑拨几句，刚起了个头，太后就欣慰地说："是吗？听说皇帝在蒙古病得七死八活，慧妃为了照顾他不眠不休地守了十多天，连太子、三阿哥都说看了感动，看来我们皇帝是真爱极了她。依着我说，封个贵妃也不差嘛！你们说呢？"

能说不好吗？两人恨得牙痒痒，当初骗大家说留瑕去园子，结果留瑕与康熙一道回来，太后又说是中途派她去了蒙古，谁会猜不出来留瑕一开始就跟着康熙出征去了？

　　一旁的荣、德二妃腹中暗笑，嘴上自然赞成。荣妃是感激留瑕照料三阿哥，而德妃本就与留瑕交好，再说，她知道自己的家世普通，绝无封贵妃的可能，乐得做个顺水人情。

　　留瑕的贵妃册文很快就拟出来了，由于升妃并不需要太隆重的仪式，只要皇帝派遣使节持贵妃印信、册文、朝服、朝冠宣布即可，康熙随即命令江宁织造赶制新的贵妃朝服，一等明年开春就册封贵妃。

　　千里外的乌兰布通，最后的决战开打，裕亲王福全将兵马分成前、次、后三队，前队由杨岱、迈图等八人统军，次队由杨文魁、伊垒等四人领军，其中，杨文魁是康熙亲自提拔的人。康熙二十三年，台湾设治，杨文魁就是第一任的台湾总兵，与知府蒋毓英同为压制靖海侯施琅的康熙嫡系班底。又以彭春等人领两翼侧队，裕亲王本人领着一干皇亲明珠、索额图、佟国维等人待在后队，几乎所有都统以上的带兵官都是康熙的心腹。

　　噶尔丹军依山扎营，与清军隔河相望，并用骆驼做成驼城躲避清军的攻击。然而，康熙送去的红衣大炮三两下就把驼城炸瘫，裕亲王不惜血本地将炮弹、弓箭、鸟铳齐放，作为掩护，左翼与次队绕进山腰，从后军杀出来，右翼在左翼厮杀时，迅速渡河堵住噶尔丹的退路。此时，裕亲王才把阵线打开，下令次队、前队与一部分的后队全部杀进噶尔丹军中。

　　这样的打法，迥异于裕亲王一向小心谨慎的作风。裕亲王福全控马立于军后，皇亲们看见现在情势大好，也都摩拳擦掌想要上阵，裕亲王淡淡一笑："都去吧！"

　　佟国纲、佟国维、明珠与索额图巴不得这一声，分配好了攻击路线，纷纷自领一军也跟着杀进去。大阿哥看着这群中老年人上了战场全都年轻了二十岁，而自己正值青年，却只能跟在裕亲王身边看戏，怎么想怎么窝囊。但是他不能妄动，因为康熙已经透过给明珠的私信警告他不许胡为。

　　"二大爷……"大阿哥艰难地开了口，他看着裕亲王那张与康熙有几分相似的脸，心里头腻味得很，但是嘴上还是低声下气地说，"舅爷们都上去了……我是不是也……"

"那可不行，皇亲们怎么说都只是外臣，你是大阿哥、直贝勒，身子骨儿金贵得很，不能轻易涉险，就在这儿看着吧！我会带兵也是看出来的，旁观者清嘛！"裕亲王不咸不淡地说，从哪里看都是重视大阿哥，放在一起却是调侃。大阿哥恨不能一个窝心脚踹过去，但是不能，他也想过自己领军冲出去，不过他手下根本没有兵，没有裕亲王的宪命，他甚至都不能出营。

大阿哥恨恨地转过头去，此时，却听连着几声炮响，轰向噶尔丹的右营，骆驼被炸得血肉横飞。内大臣佟国纲毕竟是有年纪的人了，没留意到身后一颗大炮飞来，竟给自己人炸成重伤，摔下马来，当场毙命。

这颗炮弹，让佟家与索额图结下了冤仇，那颗夺命炮是为掩护索额图而发的，因为索额图贪功，冲进了佟家兄弟的攻击区域。红衣大炮营的管带是索额图的武举门生，自然心向老师，就把炮投了过去。

裕亲王静静地看着眼前这场疯狂的杀戮，这确实不是他的风格，就算赢了也要死伤多人，但是他实在是不能再等了，这场满蒙贵族大战，他承担了太多压力。敌方的也就罢了，最难受的还是皇帝弟弟的严密监视，冷冷地扫了大阿哥一眼，很快就收回目光，他可不想让大阿哥回京之后跑去跟康熙哭诉。

裕亲王动了动脚趾，马也跟着动了几步，从人问："爷，可是要亲自上阵？"

"都杀得差不多了，我上去做什么？"裕亲王打了个哈欠，看了看大阿哥，凉凉说了句双关话，"是鞋做得小了，挤得慌。"

裕王在前方打了大胜仗，然而，又因为噶尔丹遣使周旋、拖延，裕亲王按兵不动，却让噶尔丹跑了。他又不想动大军追捕，所以只派了几个熟悉地形的蒙古台吉去追，自己带着大批军队回师休养。等到康熙接到消息的时候，噶尔丹早已安然逃回老巢，康熙气坏了，但是大军打了胜仗是事实，不能不把凯旋办得盛大些。筹赏银、凯旋大典、郊迎等的繁文缛节，把大病初愈的康熙忙得个焦头烂额，畅春园里人来人往、川流不息，人人都忙得不落座。

耶稣会教士们给康熙画像的事情自然是耽搁了，洪若翰却透过白晋，请求给留瑕画像，康熙应允了。于是在深秋时节，洪若翰才在白晋的带领下，再次进到畅春园，不是在水榭，而是在一个漂亮的树林，林子里有个小巧的亭子，留瑕与一干太监宫女就等在那里。

留瑕正在看书，见他们过来，起身一揖："白师父、洪师父。"

"娘娘吉祥。"两人要跪，留瑕却示意他们免礼。洪若翰支起画架，春天那次见面后，他抓住了留瑕的神韵，早已打好画稿，这次要先做些粗步的架构。白晋拿来几本装订精美的书，双手奉上："娘娘，这是小臣代我们教化王送给您的礼物。"

"谢谢。"留瑕让人接了，第一本是皮面装订，打开来，上面都是些弯弯曲曲的螃蟹字，但是画着花草走兽，色泽鲜艳；第二本却是线装，用半文言的中国字写成；第三本则是利玛窦的《西国记法》[1]。留瑕翻开《西国记法》，好奇地问："听说这位利师父用这套方法，能把不懂的书整本记下来？"

"回娘娘的话，是的，这套方法，小臣与若翰弟兄都学过。"白晋微笑着说，他在中国虽然不像利玛窦待了那么久，但是他很清楚要吸引中国人，必定要用些实用性高的东西。

果然，留瑕有些敬畏地看着扉页的"利玛窦"三个字。洪若翰对白晋说了几句话，表示他要开始给留瑕画像，白晋就退开，站在不妨碍洪若翰作画的地方与留瑕说话："……这套《西国记法》，小臣觉得很有用，来中国学中国话的时候，就是多亏了这套方法……"

"如果……这套方法能教给天下的读书人，就不用花那么多时间背书，可以把时间拿去学其他的文韬武略吧？"留瑕若有所思地说。

白晋却笑了，留瑕询问地看着他，他说："娘娘果然是皇上的妻子。"

"我不是……"留瑕摇头。

"中国好像有句话说，什么什么……心里有个犀牛通的……大概就是娘娘跟皇上这样了。"白晋眼角深深的鱼尾纹里，似乎藏着回忆，他骄傲地说，"小臣第一次教皇上这套方法的时候，皇上跟娘娘说的话一模一样。"

"你是要说心有灵犀一点通吗？"留瑕笑出声来，但是白晋的话让她觉得有些温暖。

去爱一个男人、一个天子、一个立志圣明的天子，很不容易，长孙皇后的爱很宽容、马皇后的爱很家常、杨贵妃的爱很任性，每个天子背后的女人都用不同的方法去爱，而留瑕觉得，她的爱，只是契合。有时候并不是刻意，只是她可以感觉得到康熙的情绪波动，她不用问他想什么，只问自己想什么。契合，也许就是这样吧？在千万人中，唯有一人，能与她呼吸相同、心跳相同，就是康熙。

"白师父，你之前说的圣嘉萨琳，是个怎样的女人？"留瑕突然想知道，那个爱上神的女人是怎样的人。

白晋一听此言，十分高兴，连忙说："圣嘉萨琳，博学多闻、美丽贞洁，是圣母为圣子所选定的新娘……"

"她爱圣子吗？"留瑕只想知道这个问题。

白晋连连点头，他兴致勃勃地说："当然，她爱圣子胜过一切，因为圣子与上帝是真理的依归、信仰的真谛……"

"那她爱的不是圣子吧？"留瑕寂寞地笑了，她轻轻地说，"她爱的是你所说的真理跟信仰，不是圣子呀！"

白晋睁大了眼睛，他不太理解这个皇妃的想法："娘娘，真理跟信仰，就是圣子，圣子就是我们的真理与信仰。"

"你们的神，太高贵了。"留瑕吸了口气，看着秋天的红叶落下，"我们的神可以有爱有恨，因为爱恨情仇就是天地之间必定会有的东西。白师父，你们的神，怎么可能这样一尘不染呢？ 神也会有做错的时候吧？"

"上帝是不会错的，一定是人错了。"白晋斩钉截铁地说。

留瑕不跟他争，她翻看着白晋送的书，一个字也没有入眼。神当然有错，因为错而生出的各种误会，造就了人间的聚散离分、悲欢离合。什么是天理？杀人劫财的，拿了钱财可以捐官、可以成为大富翁，甚至长命百岁；十六岁的少女嫁给六十岁的半死老头，天雷不劈坏人、倒劈辛勤的耕牛，这就是天理、没有道理。

"白师父，你们把错归于人，我们把错归于天，说到底，全都是一个苦字。皇帝苦、皇妃苦、穷人苦、富人也苦，人间万苦，做人最苦，这就是我们对世间因缘的看法。也许，你该去看看佛经，看看我们想些什么，你再看这个人间，或许能得到更多。"留瑕浅浅一笑，结束了话题。

大军班师，做给天下百姓看的是国运昌隆、军威壮盛，在朝中，班师之后透出来的苗头，看在京师数千大小官员眼里，却是皇帝给予的警告。再也没有人敢乱窜，只能借着吊祭战死官员的场合，小小声地讨论着，一有不熟识的人靠近，连忙就躲开了。

康熙当着众人面前斥责了多次顶撞裕亲王的大阿哥，不让参赞政事，打发他去帮办佟国纲的丧事。原本满心要在康熙面前举报大阿哥胡作非为的裕亲王，还没来得及说话就看到大阿哥被大大扫了脸，自然是不能再拿大阿哥出来做文章。没了这个转移皇帝注意力的筹码,裕亲王如哑巴吃黄连——有苦难言,只能把千错万错都揽在身上,上疏请罪。

康熙以国法议处,众臣揣度上意,最后竟说要夺他的王爵,还有人喊出圈禁等过于苛刻的惩罚,把裕亲王一家吓得惶惶不可终日。又由于康熙好几日不见大阿哥,大福晋也十分担心自己的丈夫失了圣眷,与裕王福晋等女眷整日里往宫中疏通,想从仁宪太后、淑惠太妃等处说情,后来,全都涌到了承乾宫。

裕王福晋刚坐下没多久,一捧茶杯就开哭了:"慧娘娘,您可不能见死不救!我们爷总说我头发长见识短,虽都是从别人那儿听来的,但是您在前线,我们爷的功劳,不用我说,您该知道的。我们爷放了那天杀的噶尔丹确实糊涂,可他前头有功不是?"

"二太太说的是,我们爷是任性,可他没误了军机,阿玛这些日子不待见,我们爷愁得……就是那几个明珠舅舅送来的狐狸精都没法让他开心。额娘,我们爷犯浑,跟二老爷闹了生分,我听见这消息,马上就备礼给二太太磕头赔罪,二老爷也说了不跟我们小辈计较,阿玛那儿好歹说句话,骂他是'浑蛋'、'浑人'什么,哪怕是个'滚'都好,我们爷就不犯愁了,额娘……"大福晋也呜呜咽咽地扯着绢儿抹眼泪,一边偷觑着留瑕。

留瑕静静地坐在炕边,她用调羹缓缓地搅着一碗甜汤,沉吟了一会儿才说:"我虽说随驾到蒙古,可外头爷们的事,我是向来不问的。该怎么处理,那是外边的朝廷制度,我要插手就是干政,皇上不能容,就是太后也不许的。"

"那是当然,我也知道娘娘的难处,只是现下除了太后老佛爷,您是唯一能跟皇上说上话的,只好老着脸皮来了。我们爷不喜欢我来宫里啰唆,可是,这么多年的夫妻,我不能看着他就这样给外头那群龌龊官儿折磨死。"裕王福晋黯然地说,她与裕亲王结发十数年,总有一半时间是一个人带着孩子过活,说到这儿,也动了真情,潸然泪下,"娘娘,我们爷也是望四十的人,就希望他能跟我过过老夫老妻的日子,也不求什么,总念在我们爷从前和皇上一同捉蝈蝈、粘知了的兄弟情分,让他做个闲王爷,比什么都强。今儿,您好歹给我句瓷实话,成吗?"

留瑕看着裕王福晋,心里头觉得很可怜。她是正牌皇嫂,内外命妇中头一人,就是宠妃留瑕也要敬三分,若不是真的慌得走投无路,断然不会这样把心里话都掏出来说的。

大福晋却不知趣，她与大阿哥少年夫妻，这次放马出征，也只觉得荣耀、不知凶险。她其实对留瑕窝着一肚子不悦，前阵子跟大阿哥吵架，大阿哥吼了她一句"你还不及承乾宫小主一根脚指头"，只是做惯了康熙的长媳，向来跋扈得很。看着丈夫窝在家里，在人前争脸争了这些日子反落了个最后，心中不畅快。眼看太子不久要纳妃，长媳这露脸位子只怕坐不稳，因此要赶紧地来求留瑕。

"额娘，我们爷……"

"大福晋，请先到外间稍坐。"留瑕清楚地说，目光落在手上黄澄澄的汤上，"我先与二太太说了话，一会儿再与您说。"

大福晋不悦地咬了咬牙，但是留瑕是站在婆母地位，保不定还真会成为嫡母，自然不能得罪，只能退了出去。

"二太太，您别难过，您要瓷实话，我就给您实话，皇上并不真的想关二老爷。就像您说的，皇上其实惦着从前捉蝈蝈的情分，他是个要名声的，关了哥哥，传出去也不好听，这回让人议处，只是敲山震虎，要警惕警惕那些个……"留瑕的眼睛飘了飘外头，淡淡地说，"有不臣之心的人。您家里那块裕王府匾额太亮，要偏了哪儿，哪儿就有人要借光。说穿就是这个道理，您与二老爷只管在家安坐，惩罚是免不了的，但那都是场面上的事。只是二老爷要警醒些，有些个牛鬼蛇神乱窜的别理会，别想天上哪块云会下雨，真正行云布雨还是天。这些是皇上要我说的，再深些的，皇上不叫我说，您得体谅。"

但是这样已经够了，裕王福晋脸上原本愁眉不展，现在定了心，又恢复了从前的神采。她感激地看了留瑕一眼，起身一福："娘娘这几句话抵得上旁人几十句。往后娘娘但有任何差遣，一声吩咐，水里水里去、火里火里去，要皱一皱眉头，裕王府招牌就算砸了。"

"我只是皇上一个传话筒，关键还是在二老爷自己。二太太，咱这群爷们都像小孩子，有时候拗起来真拿他们没法儿，打又打不得，骂了又犯偏，只能他们自己出去走走玩玩，一会儿就手牵手回来了，是吗？"留瑕微笑着看裕王福晋，后者是何等聪明，千恩万谢地退了出去。

大福晋走进来，她也不等留瑕说坐，就自己坐下，直勾勾地看着眼前这个只大她不到十岁的"额娘"，嘴上却还是委屈地说："额娘，我们爷确实是委屈了，他心里头其实就是想给阿玛争脸，阿玛不理他，他那份愁……"

"这有什么？皇上一天要忙三四百件事，又病着，能顾得上这些个儿女私情？"留瑕冷着脸说，明亮的眼睛里闪着一种让大福晋畏惧的寒光，"男人心里头想争脸，这是好事，该劝着他打起精神做事。我虽是女人，可外边的事，从前在皇上身边都见过的，要给阿玛分忧，哪一桩不是事儿？大爷管着侍卫、管着内务府，去点一点卯、帮办事务不是事儿？弟弟们还小，去监督着宗学运作不是事儿？去毓庆宫帮着太子爷不是事儿？犯得着在府里做这躺倒挨锤的样？"

"额娘……这……这……"大福晋没料到这个向来文静的妃子突然变了性子，端起婆母架子来。大福晋毕竟年纪轻，没见过世面，嗫嚅着嘴什么也说不出来。

留瑕喝了一匙汤，淡淡地说："大福晋喊我一声额娘，我少不得提点几句。我也知道大福晋难，就像我刚才跟二太太说的，爷们就像小孩子，大爷年纪小，更是个小孩性子，打不得骂不听，是不是？"

"是……"大福晋点点头，她偷偷瞄了留瑕一眼，又低下头去不言语了。

留瑕微微一笑，又搅着汤说："其实这爱新觉罗家的男人都一个性子，你们阿玛也是。别看外头诸般大事圣明得很，在我这儿，有时候不知好歹起来，真拿他没法子。可他是皇上爷，我不能说他，要揍他，我是女人，也打不过，怎么办呢？"

"怎么办呢？"大福晋好奇地问，她听得很专心。

留瑕正是要她专心听，便说："从前太皇太后在的时候，我有一回惹了你们阿玛不高兴，他说不要我、把我赶回老太太那里，我就跟老太太说'打死都不要再服侍皇上了'。老太太只笑了笑，跟我说，从前在科尔沁的时候，有个老妈妈告诉她'草原上的野马要顺了马鬃摸'，老太太还说'爱新觉罗的小子吃软不吃硬'，跟他耍倔，他比你更倔；跟他好声好气说，真说不转就撒娇，千万别哭、别闹。就咱们自己想，谁喜欢泼妇呢？"

"管用吗？"大福晋有些心动了，她一向与大阿哥吵架时候，又哭又闹的，搞得整个府里翻天覆地，可总不管用。

留瑕放下甜汤，拿了一柄扇骨镂空的湘妃竹扇，折起又张开，轻轻地摇着，笑而不答。阳光透过玻璃窗，再透过扇骨的镂空花纹落到留瑕身上，大约有些热，持扇的手移到脖子上。如窗棂般的漂亮格纹印在她浅笑的唇边，像只猫在阳光下慵懒地笑着，有种经过算计的善意随着扇子扇出的风，轻轻地拂过大福晋身边。

对于裕亲王的处分很快就下来了,康熙罢了他的议政王、撤三佐领人马、罚俸三年,但是宁寿宫的家宴上,却又拉着裕亲王一同舞剑,末了还同饮一盅酒,一派雍穆平和、兄弟情深。裕王福晋往太后身边看去,与留瑕目光一碰,两人会心一笑,又都转过头去。

康熙玩得一身汗,要去更衣,太后向留瑕努了努嘴,留瑕便起身往偏殿去,宜妃恨恨地看着她的背影。在转角,康熙还站住脚等她,牵了手一起去。

宜妃愤愤不平地灌下一口酒,喝得太猛,呛咳了出来,她的妹妹郭络罗贵人连忙过来给她拍背顺气,小声地说:"姐姐,您悠着点,'那位'咱可得罪不起。"

"我知道!"宜妃横目瞪了妹妹一眼,又将一杯玉泉酿喝干,脸上飞起了红晕,酒的温热漫进眼睛,很快就红了眼眶。

坐在她隔壁桌的惠妃冷冷地看,她当然知道宜妃为什么借酒浇愁,心中有种兔死狐悲的哀伤。康熙宠过的妃子多了,今天喜欢这宫、明天抬举那宫,叫谁也别自信能抓住他。然而,从来不是这样的宠法,把那留瑕像个宝贝似的揣着,走到哪儿,能带就带、不能带也牵肠挂肚,就怕有人欺负了她。惠妃优雅地夹了一块鸡肉,已经凉了,一夹到唇边就闻着恶心,筷子夹住的地方掐出深深的沟,眼看着是不新鲜,顺手往下一扔,抛给蹲在脚边的那只狮子狗。

看着狮子狗扒着那块肉,惠妃觉得心头一沉,顺手摸了摸自己的腰,摸到了今日用的勒带。因为身上这件绛紫织八吉祥纹绫袍是两个月前做的,嫌小了,可是样式新颖好看,又舍不得穿,只好用勒带把腰腹束小些。虽是用的透气的纱,可是紧贴着肉,又浸着汗,很不舒服,回去定然要出一层痱子……惠妃暗暗后悔。

康熙绕了出来,换了一身蛋青宁绸四开衩长袍,腰间束着玄色四块玉绸带,神清气爽,微笑着又往兄弟们那里去了。却没看见留瑕出来,此时,一个小妃子压低了声音问:"慧娘娘呢?"

"哪一个?"另一个人也低声回答,从鼻子里发出一个暧昧的笑,"若是问要高升的那位,只怕是更衣时候给皇上累坏了,这不,皇上多精神?"

一群小妃子用手绢掩口,唧唧哝哝地说笑着,惠妃耳里听着,眼里看着酒杯里映出的自己的脸。其实若放在命妇中间也不显老,只是坐在这群妃嫔之中,身边挤着那群可以当她女儿的小妃子,怎么能不老?

康熙走过来,惠妃在这一区是最老资格的妃子,便起身迎过去。康熙看起来神态轻松安适，惠妃心头一疼，从他十多岁就伺候他，确实，他只要燕好过，总有一两个时辰，脾气好得没话说。

康熙向她温和地一笑，把自己杯里的酒倒进她杯中，杯子一碰，啜了一小口："惠妃，你心悸的毛病好些了吗？"

"蒙皇上赐苏合香酒，心悸已经不犯了。"

"那就好，你心脏不好，要多注意，让老大媳妇有空带那个刚生的小孙孙进宫陪陪你，说说笑笑，也就好了。"

惠妃欠身一躬，却不敢弯得太低，怕袍子绽线，但是就在欠身那一刻，康熙的衣服擦过她身边，她闻到了留瑕常用的沉水香。不会错的，这种沉水香都是爪哇、暹罗的贡品，历来只给太后、太妃供奉神佛，只有留瑕刚进宫的时候，因为逃难惊吓过度，总是睡不好，太皇太后心疼，赏了几块上好的黑沉香。那时候有人说太皇太后赏的是从前明就藏着的伽罗古香、沉香中的极品，到底是什么，惠妃也说不清楚，总之是赏了沉香让她放在枕边做息香。那些黑沉香不用熏也会发出味道，而且越老越陈，留瑕从来不熏衣，却总带着那种悠远的清香。

康熙走远了，如风的脚步在桌椅间穿行，所到之处，妃嫔们纷纷起身敬酒。惠妃不想看，于是忧郁地看向大阿哥、大福晋那桌，这两个孩子这些日子似乎好多了，也不闹性子，好得蜜里调油。看着大阿哥出落得这样一表人才，越来越像年轻时的康熙，惠妃品了品酒，尝得出杯中味，心中怎尝这样的百味杂陈？

若是当初不入宫，嫁个公侯将相，至不济，也是个正夫人，哪像今日，就这么熬着，老了、丑了、胖了，连个儿子也留不住，还要跟群小女娃争宠……惠妃呆着脸想自己的心事，却看见留瑕又出现在席上，正与裕王福晋、恭王福晋说话，衣裳发饰虽丝毫不乱，但是眉间眼底，那抹慵妆妩媚、未饮先醉的少妇韵味，怎么藏得住？

惠妃凝视着留瑕，仿佛从未见过，也许是带着醉意，她发现留瑕其实并不算特别漂亮。众妃之中，脸蛋儿最美的当属敏嫔；说冶艳，没人比得过宜妃；说端庄，留瑕也比不过德妃；说温柔，更不及荣妃；说雍容华贵……惠妃失落地笑着，谁的珠宝首饰能比她多？可就是这事事不及群妃的留瑕，占尽了群妃不能比的宠爱。

宜妃大概喝得太多，开始胡天胡地说醉话，头上珠翠颤巍巍地抖动着，一闪一闪的像是泪光，郭络罗贵人跟她的宫里人连忙将她送回去。惠妃静静地坐在原地，喝一碗冷了的鸡汤，调羹倦倦地翻着，把鸡汤上凝着的一层油翻掉，她喝了一口，皱着眉咽下去，就把碗推开了，对旁边的安嫔说："一碗汤不知道加了几担盐，咸得发苦。"

安嫔笑了笑，筷子点了点空空如也的碗盘："我一口也没吃，在宫里吃饱才来的，这哪叫御膳？真不知打哪儿选来这些个该打的御厨。"

"这都是家传把式，有的从盛京带来的，有的是前明留下来的，不做事也是厨子，一代传过一代，也就一代不如一代了。"惠妃厌恶地看着满桌看来丰盛、其实没几样能吃的菜，勉强笑着说。

安嫔眯了眯眼，羡慕地看着太后、太妃那一桌，太后身边有两个空位，她有些酸溜溜地说："几十桌里，只上头那桌是真正的御膳，讨得老佛爷、皇上喜欢，就有赏，哪管我们底下人吃冷饭、喝凉汤呢？"

"安姐姐这话是正理。"一个已经进宫多年的贵人陈氏抿着嘴笑，冷冷地扫了上席一眼，"要我说，我们这群满汉妃子是投错了胎，要是个什么王爷的孙女外孙女，自然是吃热菜、喝热汤了。"

众人互看了一眼，有个老资格的低等嫔御要讨席上一妃一嫔的好，斟酌了一下，紧张地笑了笑说："若是个王爷的孙女，还不只吃热席，就换个衣裳的时间，搞不好就有了龙种呢？"

"这话说得太好了。"安嫔鼓励似的向那妃子一笑，看着留瑕与康熙连袂走到太后身边的空位，有说有笑，安嫔眼尖，瞧见康熙的左手放在留瑕腰上，更是冷笑不绝，一扬下巴，示意大家看去，"就这个样子，要做六宫之主？若真有了龙种，只怕又是个海兰珠。"

众人心中一凛，有太后的场合，她们不敢提起董鄂妃，恰好太宗也有个下场不好的宠妃——太皇太后的亲姐姐、宸妃海兰珠，产子而殇，最后一病不起。太祖、太宗、世祖三代，都有斩不断的情孽，康熙这一代……众人都感觉到宿命似乎就拍着翅膀在紫禁城上盘旋，一时之间，所有人都沉默了。

夜深了，太后首先道乏离席，康熙也跟着走了，众人也就三三两两地散去。惠妃故意走在最后，她绕到承乾宫附近，看见一刻钟前说要回乾清宫的康熙，拉着留瑕的手，走进了承乾宫。

然而，这些闲言闲语无法阻挡留瑕成为六宫之主的现实，相反地，呈现出来的情形顺利得出乎康熙意料之外。留瑕与裕王福晋的友好，使得外命妇们全都倒向承乾宫，透过大福晋，以大阿哥为首的纳兰氏族也从原本的猜忌，转为不置可否的暧昧态度；国丈佟家原就是留瑕的干娘家，拥护太子的赫舍里家族更为积极地替留瑕收买人心，晋位贵妃完全没有受到任何阻拦。

康熙三十年开春的后宫第一事，就是下贵妃册文，由太子师傅、学士李光地持节，带着簇新的贵妃朝服、朝冠、册宝前往承乾宫册封。

留瑕先在自己宫中受封，换上贵妃冬朝服，受四妃、五嫔、诸贵人常在答应行礼，再受外命妇行叩头礼，最后率众人前往乾清宫叩谢皇恩。

这本是一叩头就完的事情，但是康熙郑重地换好朝服，头上是三层宝塔式冬朝冠，内里铺着黑狐皮，顶上加金缕丝镂空金云龙嵌东珠宝顶。宝顶分为三层，底层为底座，有正龙四条，间饰东珠四颗；其他两层各有升龙四条，各饰东珠四颗；每层间各贯东珠一颗；顶部再嵌大东珠一颗。

身上则是明黄地彩云金龙妆花缎海龙皮朝袍，圆领、大襟右衽，披领与朝袍相连，明黄缎面织金龙纹，用五彩丝线织祥云和平水江崖纹。外镶石青色织金缎及三色金边，衣身边缘及披领镶着黝黑出锋的海龙皮，马蹄袖口镶熏貂，袍内以天马皮衬里。康熙正襟危坐在乾清宫里等着留瑕，众位大学士、内大臣退到偏殿，看着这群女人过来。

为首的留瑕穿着那一身簇新的贵妃冬朝服，海龙皮领金黄缎绣彩云金龙八团龙袍，马蹄袖上则是石青缎绣五彩云金龙。外套着朝褂，这朝褂其实是圆领对襟、缺袖后开裾的长坎肩，前胸后背各织绣正龙一条，腰间绣行龙四条，下幅绣行龙八条，下摆则织有寿山福海。头上一顶熏貂为里，外面三层宝塔式、层层叠着金凤、珍珠、冬珠、金累丝青金石，后面垂着葫芦形的熏貂出锋护领，用明黄丝绦系住。

这一身朝服虽说累赘，穿戴起来却容光焕发、明艳动人。大学士张英隔着小小的玻璃窗洞看了一眼，回头拈须微笑："内人那身一品诰命服，虽说看着也差不多，可穿上去，总觉得像灌饱的肠似的，今日一见，娘娘就是娘娘，真让我这老头子开了眼界。"

"那是，我也见过前头几位贵妃娘娘，可这位，倒不怪皇上疼宠。"李光地刚从承乾宫回来，他年轻时是个风流才子，也看着外头这场热闹，笑着说。

索额图抽着水烟，满意地看了这两位汉臣一眼，嘴上却淡淡地说："皇上后宫虽说不少，但是对慧妃娘娘，看来是一片深情。"

"索老相可要早些改口，现下是慧贵妃啦！"太子的另一位师傅熊赐履刚从河南回来，他原是理学大家，又与李光地有隙，只是今日大约是气氛轻松，显得不那么拘谨。他抚膝说："这位娘娘听说很安分，这样也好，只要不牵扯到朝政，爱怎么宠是皇上自己的事儿。"

"熊老师这话在理，依着我说，男人，谁不希望有个解语花？皇上是圣明天子，年届不惑、功业有成，儿女妃嫔成群，可在这上头，也是一样。皇上前些日子看着有些烦躁，我都不敢多说笑话，现在有贵妃娘娘撒撒娇，我们这些办事人就算是'小秃跟着月亮走——多少沾点光'吧？"李光地拿下大帽子，拍了拍剃得干净的前额，打趣着说。

索额图微笑，他向来自矜身份，不太与这些汉臣多攀谈，但是今日兴致看来不错，他说："那我回去要拿内人的头油抹一抹，看能不能多沾些光了。"

"那要斟酌着擦，别抹得太多，光没沾着，粘到了苍蝇。"

明珠的声音凉凉地从门外飘来，话音刚落，人就晃了进来。脸上却含笑，进门团团一揖，对每个人都拍着肩、握着手，按着旗下人规矩，家中大小问候过了，才斜欠着坐到索额图对面，拿出一支旱烟，塞进烟丝。这两人已经是十多年的仇家，明争暗斗了不知多少回，但是索额图熟练地拿了纸捻点燃，明珠烟管一偏，纸捻上的火星子落进烟锅里，碰到烟丝的那一刹那，一缕青烟飘起，索额图把纸捻往下丢，厚底朝靴踩了踩，明珠早已捧着烟杆抽了起来。

其他人默默地看着，心里头都在琢磨，这两人，到底是怎么样的相处模式？明明是满朝皆知的死敌，但是康熙从来不曾把他们俩调开，两人若合作什么事，也从没有砸锅的。然而离了康熙，这两人说什么都要置对方于死地，表面上看起来，又好像什么事都没有，像两口深井，看来无波，其实深不可测。

沉默之中，众人都把视线投在门外那群跪在金砖地上的女人身上。留瑕走进了乾清宫，康熙对她露出一个微笑，留瑕三跪九叩，接着，康熙走下，他要与她一同前往慈宁宫见太后。他站在她身边，梁九功拿来大氅，留瑕亲手给他系上，她仰起头，上移的目光如此柔顺，康熙觉得心头也像披上了大氅那样温暖。大步走出乾清宫，她跟在他身边，朝裙发出窸窸窣窣的声音，走得四平八稳，两人绕过转角，用身后的太监作掩护，挡住了妃嫔们的视线，康熙的手往后伸，碰到了留瑕冰冷的手。

"怎么那么凉？"康熙低声问，将她往前拉了拉，把她的手握在掌心搓了搓，"回头让人拿手炉暖一暖，别冻伤了。"

留瑕捏了捏他的手，只低头一笑不回答，有时候不想说话，康熙会懂得的。夹巷很长，直直地延伸到紫禁城的另一头，好像永远走不完，拉着他温暖的手，不是康熙二十八年时，那种如火的燥热。留瑕靠近他，经历了那么多的事，他的手、他的肩膀，一直都在她身边……

"皇上，这回，我很高兴站在您身边的，是我。"留瑕坦率地说，抬头，看见康熙眼中一闪而过的欣喜。

"有你这句话，朕就安心了，留瑕，朕太需要你，离了你就觉得难受……"康熙长叹一声，看着留瑕没有一丝皱纹的脸，康熙紧张地问，"你说，朕是不是老了？"

"人说老小老小，越老越小越任性，等皇上哪天任性到躺在地上要赖的时候，才是真的老了。"留瑕抿嘴儿一笑，光是想象康熙在地上打滚要赖，就让她忍俊不禁。

康熙先横了留瑕一眼，自己也忍不住笑了，他可从来没有躺在地上要赖过。他看着远方，牵着留瑕的手，跟她在一起的时候，时间好像总是静止的，她浅笑的容颜，如同她的名字，是满天绚烂的彩霞，一种无法移开视线、无法不停留的牵挂，不管走得多远，一想起，就想再看一眼。这是她父亲取这个名字的原因吗？是名字造就了这样独一无二的她，还是她成全了父亲给予的预言？

大队人马进了宁寿宫，轻轻的雪花缓缓地铺在他们刚才经过的路上，离去时，在地上踩出了浅浅的脚印，又被抛棉扯絮似的雪掩盖住。康熙一向喜欢雪，从来不在雪天撑伞，他拉着留瑕回到承乾宫，他的右手伸进她左手的马蹄袖里，两个人的袖子紧紧连着，雪落在他的端罩上，他向留瑕微笑："咱俩像不像从前去景山堆的雪人？"

"有雪人手拉手的？"留瑕的手指触着他温暖的手臂，冰冷的指尖明显感受到了皮肤下温热的血液流动着，她往他身边缩了缩，嘟囔着说，"今年的雪下大了。"

"下雪好啊……"康熙任她紧偎着，低头轻声说，"瑞雪兆丰年嘛……"

留瑕又微笑了，康熙看着她那淡淡笑着的眼睛，感觉是温柔的牵绊。早已习惯有她在身边，康熙试探地问："如果有一天，朕去了，你怎么办？"

"当然是跟着去，我不想为皇上哭哭啼啼几十年。"留瑕毫不考虑地说，仿佛这个答案在她心头已经萦绕多时，"但是我知道，我如果去了，皇上还要活，我比皇上自由，至少，我可以选择去留，您，只能活。"

"记得你今日的话，留瑕，朕比你大十二岁，也许真有一天，朕会早你一步离去。到那时，朕不要你独活，我们牵着手，一起去。"康熙握紧了她的手，明知道这个要求对她不公平，但是他不想放开，即使是死，也要抓住她的手。

留瑕看着他，眸中闪过一丝怜悯。他抓着她的神情，就像太子小时候抓着心爱的那只布老虎一样，那是赫舍里皇后在他还没出生前给他缝的，是皇后唯一留给太子的纪念。康熙此刻的神情，看在她眼中，与太子的脸重叠了，父子两人，都早早地失去了母亲，一个顽强地活着，一个柔弱地怀念着，却都一样可怜。

"我会记得，如果我先去了，请皇上不要有任何加恩，我不求什么金丝楠木、陀罗经被，就照着入关前的习俗，把我化了，混在满天红尘里，随风游戏，好吗？"对于生死，留瑕看得很淡，她把身后事都想得很清楚。

康熙没有答应，因为他刚在自己的景陵陵园里，下旨盖了留瑕的园寝，那个园寝所在地的一花一草，都经过十多名风水堪舆名家看过，他要把留瑕的灵魂留在慧妃园寝里，与他一同避开六道轮回的分离，永生永世，在他们生前走过的地方，一遍一遍演绎着，只属于他们的记忆。

像雪，一年下了又一年，却还在飘着、飘着，三百年前的雪，也许与今日没什么两样，雪，是水的鬼魂，不断地重复着，百年前的韵律，飘着、飘着……

注释：

1.《西国记法》：是利玛窦于明末介绍到中国的一种记忆方法，这种方法在当时的西方行之有年，有些类似现在的图像记忆，是把人的记忆以图像符号作为标记，存放在心理上组成的结构中，并通过不断的回顾与实践，使记忆先成为扁平的地图，再经由迅速地搜寻，找到立体的记忆。

第三卷·慧贵妃
qinggong · hongchenjinchu

第二十四章

zijingcheng · kangxisanshisinu

紫禁城

康熙三十四年冬

　　雪无声地落在承乾宫的明黄琉璃瓦上,屋脊上两只张着大嘴的螭吻依然瞪视着对方,没防着自己也白了头;七只走兽一溜儿蹲在屋檐上,头上都堆着尖尖的白雪,像是戴了昭君套似的,平添一丝趣味。但是这些趣味无人欣赏,宫女、太监们能躲的都避风去了,在这无月无星的雪夜里,一切都显得那样静谧。

　　承乾宫中也是,夜已深了,留瑕坐在镜前,妆台上点着一根蜡烛,外面的天色很暗,摇曳的烛光下,她若有所思地梳着长发。烛台下,压着几份素纸折子,上面密密麻麻地写着日程,她看过了一张又一张,不远处的红木大床传来几声轻嗽,仿佛是试探可以咳得多小声,她纵容地一笑,放下梳子,回眸:"怎么不多睡会儿?"

　　"没你,睡不沉。"康熙半撑着身子,似笑不笑地看着她,垂在胸前的辫尾,已有一半花白了,却还撒娇似的说,"哪来那么多要紧事要看?睡饱再看不成吗?"

留瑕含笑睐了他一眼,还是坐到床沿去,康熙得意地翻过身子,舒舒服服地趴好,留瑕轻轻捏他一把,康熙反手也戳了戳她当做报复,却听留瑕说:"不让我看日程,还以为真心疼我,你这人……"

虽说嘴上念他,留瑕的手没闲着,沿着康熙的脊椎一路按下来,在肩胛骨附近,拇指沿着胛骨下缘用力按压。康熙眯着眼睛,闷闷地发出"嗯"、"嗯"的声音,像极了一只晒着太阳的猫。留瑕有些怜惜地看着他发辫上的几丝灰白,杂在黑发间,那样醒目地标示着他的烦忧。

"你按得比按摩处好一百万倍……要人人都像你,朕就要把按摩处给裁了……"

康熙给她按得通体畅快,舒服得想睡,翻了身,把她拉到身边,手脚缠上去,磨蹭了一阵,头枕着她的肩,半晌不语,留瑕轻声问:"想睡了不是?"

"嗯……困得要老命……"康熙回答,每次留瑕这样问,他都这样答,不久,他的呼吸就轻了下去。

留瑕宠溺地看着他,额上已经起了深深的纹路,她轻抚着他的眉头。从康熙二十八年册妃,已经跟他做了七年夫妻,他越来越依赖她,从前,是她睡在他怀中,这三四年来,他总要把头凑在她颈间,让她抱着他、哄着他。

留瑕抚着他的背,眷恋而疼惜地想着,他当了三十多年皇帝,把个乱世驯成治世,治世下也没闲着,春天祭祀、夏天避暑、秋天北狩、冬天避寒,又不定时出去各地走走绕绕,兴兴头头地忙了这个忙那个,每天三四百件事等着办、赶着办,终究是要累了、倦了吗?

留瑕轻轻在康熙腮上一吻,这是她生命里唯一的男人,在普通时候,是父亲、兄长与丈夫的集合,但是在她怀中,他安睡得像个大婴儿。她在他耳边低低地呢喃着:"小阿哥……"

"额娘……"康熙埋首于她怀中,蹭着她,露出满足的笑意。他只是动了动,留瑕扯过被子覆在他身上,突然,康熙咕哝了几句话,留瑕以为他说梦话,康熙却一把搂紧了她的腰,迷迷糊糊地说,"朕要再去亲征,朕要把那噶尔丹的老巢端掉……"

"你哪儿也别去,乖乖睡,外头有的是将军,嗯?"留瑕哄着他,轻拍着他的背。

康熙又说了一串不知道什么话,留瑕低头看去,他闭着眼睛,压根没醒来,连梦中都惦记着西北军事……留瑕想起六年前的那次亲征,原先的温柔神情,变得忧虑。裕亲王放走了噶尔丹,确实是纵虎归山,西北虽只不到五万的叛军,但是他从来没有忘记,满人、蒙古人就是从关外冲进中原的……留瑕凝视着他熟睡的脸,感觉他的手紧紧地箍着她,这样一个抓到就绝不放手的男人,怎能容人在关外扰乱?

"哪儿也别去……"留瑕的声音很轻很低,真的,她希望他哪里也别去,因为做了贵妃的留瑕,是不可能再陪他亲征了……

承乾宫里,留瑕怀着一颗惴惴不安的心,似醒非醒,千里关山之外的科尔沁,达尔汗亲王班第也没有睡着。他躺在侧福晋塔娜身边,却辗转难眠,塔娜浑圆的手臂攀着他,柔声问:"王爷,愁什么呢?"

"愁巴雅尔的婚事,她已经十七岁了,还拧着不嫁,再不嫁人,就是老女了……"班第叹了口气说,巴雅尔原是他的堂妹,因为老福晋喜欢,就认作养女,班第与巴雅尔差了二十几岁,说是妹妹,其实就像个大女儿,"可我又不想随便把她许人,总是要找个她喜欢的才好。"

塔娜丝毫不担心,她耸了耸肩:"有什么好愁?巴雅尔喜欢的人,不是一天到晚挂在嘴上吗?"

"是吗?"班第讶异地看着塔娜,她是巴雅尔的小姨,是最了解巴雅尔的人。

"当然是。"塔娜打了个哈欠,缓缓地说,"她喜欢的是博格达汗呀!"

博格达汗,是蒙藏诸王对康熙的称呼,班第闻言失笑,拍了塔娜的臀部一下,不在乎地说:"她说的玩笑话,你还当真了?"

"谁说玩笑话?她是认真的。"塔娜起身,拿了桌上放的一本书,丢给班第,"这不,还拿什么汉女人的书给我呢!"

班第拿起那本线装书,他虽只粗通汉文,但也知道这本书是《列女传》,专门表扬史上贤德后妃、才女贞妇:"光凭一本书……哪能就说她真想嫁博格达汗呢？"

"要不是想跟着几个娘娘的脚步嫁进北京去，看这些废书做什么？"塔娜撇了撇嘴，对于这些汉人的礼教不屑得很，却又叹了口气，摇头说，"她那里满坑满谷的汉文书，没日没夜地看，劝她别这么认真，她就搬出慧娘娘，说慧娘娘就是读书读得多，博格达汗才喜欢的。上次王爷您派了人送东西给娘娘，她还跑去问那些人，慧娘娘穿什么、戴什么，又差人去盛京做一模一样的，现在光看衣裳，还真以为是慧娘娘呢！"

"胡闹……"班第皱了皱眉，他不忍心拂了巴雅尔的意，但是康熙整整比巴雅尔大了二十六岁，做父亲都还绰绰有余，他烦躁地说，"巴雅尔也没见过博格达汗几次，怎么就认定了要嫁呢？"

"这我也不知道，她说博格达汗救过她，从那时候，她就跟敖包发誓要嫁博格达汗了……"

班第满脸不可思议的表情，他挑着眉说："怎么？她还记得遇狼的事儿？"

塔娜点头，一脸无可奈何。那是五年前的事了，康熙为了防堵噶尔丹，亲自在草原上会盟诸王，也带了太后、留瑕与太后的亲妹妹淑惠太妃。为使三人能一解思乡之愁，康熙要科尔沁博尔济吉特诸王领着家人一同前来。

一场家宴之后，太后太妃跟一群老福晋又哭又笑地说个没完，康熙见是个空儿，拉了留瑕去跑马，巴雅尔不知道为什么也跟了去，却遇到几匹误闯的狼，康熙与留瑕看见了，放箭把狼射死。当时巴雅尔不过十一二岁，康熙则已经三十八岁了，怎么会就这么认死扣要嫁？班第与塔娜实在想不明白。

"都怪那些老头子乱唱些故事，小孩子不懂事，把故事当真了……"班第烦恼地说，这种英雄救美的故事，从小听到大，可从没人把它当真，怎么会想到，家里头就真有人闹出这种非君不嫁的笑话来？

塔娜沉吟多时，才慎重地说："我看，就把她送去给慧娘娘做个宫伴吧？一来，她会看见博格达汗宫里不是那么单纯；二来，慧娘娘是博格达汗爱如东珠的女人，王爷也见过的，她与博格达汗，我看着倒不完全是男人女人，她有几分像娘、有几分像姐姐，有时候又像个妹妹，那种什么都恰到好处的美，不是小丫头学得来的。"

"这也是个办法……"班第沉重地点着头，看着那本《列女传》，叹口气说，"你还少说了一样，三来，还可以请太后给她指婚，保不定能嫁个黄带子阿哥……"

塔娜点头，讨好地一笑，吹熄了烛火。

天未亮，宁寿宫前，就已经静悄悄地站满了妃嫔与几个七岁以上的格格，德、荣两妃并肩而来，一眼就看见留瑕笑吟吟地站在正殿檐下，两人加快脚步，拾阶而上，三人同时欠身，二妃说："娘娘吉祥。"

"姐姐们早。"留瑕没有拿大，一手拉了一个，轻声问候。

"今儿我特别起了个早，还想着定然要抢个早，没想到贵妃娘娘还是拔了头筹。"惠妃的声音从阶下传来，缓缓走上，先向留瑕一福身，微笑着说，"我还没恭喜娘娘呢！听我们大福晋说，娘娘有孕了？"

阶上阶下的众妃嫔一听，各种目光都投向了留瑕，有的嫉妒，有的羡慕，有些看惯了明争暗斗的，则摆出看好戏的态势，静静地瞅着留瑕。

惠妃唇边是一抹恭敬的笑，眼睛里闪着异样的和善，留瑕却淡淡一笑，欠身说："有劳姐姐惦记了，其实也没什么，只是这几日觉得有些倦，大福晋来看我，说有可能是有孕，御医那里说，还诊不出来。"

惠妃眼里那种异样的和善消失了，只应酬似的扯了扯嘴角。却听殿里一声轻嗽，众人纷纷站好，顺手把发鬓按了按，殿里开门，由留瑕领着，鱼贯而入，给太后磕头请安。

"都起来吧！给贵妃、正主儿和格格们看座。"太后吩咐，宫里太监宫女答应了一声。其实那几个江西瓷墩早就备好了，只是稍稍挪了一下，留瑕坐到太后左边，其他三妃与格格们则分坐左右，各宫的妃嫔站在自家正主儿身后，承乾宫人垂手立于十三格格后方。

"郭络罗家的呢？怎么没见？"太后扫了一眼，宜妃的座位上是空的，其实早就知道宜妃即将临盆，太后亲口说过可以不用来请安，只是连着几日不见，太后心中有些不悦，怎么？说不用来，还就真的不来？

一片沉默，宜妃的妹妹郭络罗贵人动了动嘴唇，想替姐姐分辩，但是她位分低，没有直接给太后回话的资格，但是宜妃的宫里人，又没人比她身份高，她急得脸都黄了。

"回老佛爷的话，宜姐姐……"终于有人出声，却是留瑕，她怜悯地说，"昨儿深夜，孩子一下地就咽气了，是个格格……"

"有这事儿？"太后似乎不太放在心上，只点了点头，叹了口气说，"我倒错怪她了，也罢，这事儿你看着办吧！该用的、该补的，都打点着，你再下个片子，让郭络罗家进来几个，有娘家人照顾，总是贴心些。"

"奴婢遵太后慈谕。"留瑕欠身答应。

"嗯……格格们都先回去吧！"太后说，格格们起身跪安，踩着花盆底去了。太后展开手上一份折子，点着上几行字说："今儿趁着大家都在，我要议一议六格格的额驸人选。宗人府开了一份名单，都是亲戚，让贵妃给你们念一念，要有知道这些人家世背景人品的，就说出来。"

留瑕双手接过折子，展开，朗声唱名"……博尔济吉特氏——科尔沁达尔汗亲王世子，罗布藏衮布；科尔沁贝勒，巴克什固尔；喀尔喀郡王，敦多布多尔济；翁牛特杜棱郡王，班第，这跟达尔汗亲王是不同人，是小班第；佟氏——等公、内大臣佟国纲孙，纳穆图；董鄂氏——三等伯、抚远大将军费扬古子，陈泰，图把。"

"念完了？"太后原先闭着眼睛听，此时睁开眼睛，询问地看着众妃。

妃嫔们都在斟酌，荣、德两妃根本就打定主意不出声，这份名单明摆着是要继三额驸与五额驸之后，再招个蒙古女婿，其他的人，也都是外戚与勋贵的后代。马佳与乌雅两个家族的子弟，虽然也有在适婚年龄的，但是这两姓既没出过皇后，门第也不显赫，自然不在考虑范围之内。但是名单上的满洲外戚勋贵，哪里及得上博尔济吉特家族，随手一抓就是贝勒郡王？

太后见无人说话，眼睛一瞄，就点了人："佟家的，你家那个纳穆图，怎么样？"

"回太后老佛爷的话，纳穆图是奴婢堂侄，只依稀记得小时候的样子，看着挺富态的，也机灵，多年不见，不知怎么样。"佟贵人出列，垂手低着头回话。

太后点了点头，又问："哦……董鄂家那俩孩子，有谁知道？"

没有人回答，留瑕看了看众人，本想出来说点话，但是一想到六格格是郭络罗贵人的女儿，若是多说什么，只怕宜妃不肯善罢甘休。思及此，她就犯了踌躇……正寻思着，却听德妃出声，赔笑说："这选额驸呢，家世显赫、人品好之外，最好还能小两口子看得对眼。格格喜欢怎样的男孩子，除了做娘的，旁人怎么说得清楚呢？"

"这话说得有理。"太后也是个明理人，便转头去看郭络罗贵人，"我看这份名单也不清楚，你倒说说，六格格喜欢怎么样儿的？我让人告诉宗人府，寻个适合的男孩子。爱新觉罗的姑奶奶，总是不能委屈了的。"

郭络罗贵人从没想过这个问题，她期期艾艾地说了半天，反复总是那几句"听凭老佛爷做主"、"老佛爷圣明烛照"之类的话。太后耐着性子听完，还是觉得自己决定就成了，让妃嫔们退下，只留留瑕。

留瑕陪着太后到内寝，帮着换了轻松些的衣裳，太后弹了弹那份折子："刚才怎么不说话？"

"我能说什么？明摆着是要把六格格嫁到我们家来嘛！"留瑕轻轻给太后捶着腿，轻松地说。

太后向她眨了眨眼，摊开折子说："其实我是挑中了敦多布多尔济。上次会盟的时候，我见过他，挺结实的一个小伙子，那时还小，不过个子就挺高的了，相貌呢……比你阿爸当年，还俊三分，勤勤恳恳，见了我，也喊姑姑，虽说早就不知道是该怎么喊，不过喊这一声，总是三分情不是？"

"是，其实这份名单，皇上也已经过目，说这上头列的几个博尔济吉特，喀尔喀最是要紧，正要寻个由头加封亲王，若是六格格也过去，翁婿一家，等于在漠北安了个自己人。"留瑕说，其实这件事，康熙早已与她商议过，就等着太后点头指婚。

太后看着留瑕，脸上淡淡的没有表情，突然，扁了扁嘴，幽幽地说："你越来越有贵妃的样子了，老太太刚过去的时候，我总想着，要把这些个家事跟天下事兜在一块儿，可是这几年，又觉得这样实在太累。六格格虽说与我不亲，毕竟是家人，我自己守了几十年寡，知道守寡苦、守活寡更苦，只盼着能给她觅个好男人，喀尔喀自然比不得北京繁华，但是只要男人有份真心，也就不那么难挨，唉……"

太后不知给哪一句话触动了情肠，默然不语了。留瑕没有搭腔，她只是想着那句"越来越像贵妃"，太后没有任何责备的意思，但是留瑕却觉得，好像有人照脸啐了她一口，也不说话了。

婆媳二人坐了一会儿，太后就拿笔在敦多布多尔济的名字上一勾，让人拿到乾清宫去给康熙。留瑕正要辞出来,太后又叫住了她:"你宫里还有空院吧?"

"有的,老佛爷有什么吩咐吗?"

"你让人收拾个空院,科尔沁本家的一个小格格要来宫里玩玩。宁寿宫是个养老的地方,年轻女孩子,大约觉得气闷,还是让她跟着你吧!"太后说,留瑕连连称是,太后的目光移到她的腹部,轻笑起来,"再说,你终于有孕了,有个娘家人在,总是好些。"

"还没个影呢!"留瑕微笑着说,隐隐感觉一种不安,但她没有在意,欠身退下。

博尔济吉特·巴雅尔,在半个月后抵达紫禁城,她穿着一身淡绿色的蒙古装,辫子上缠着缨络,胸前挂着护身佛,一双白色的短靴,腰上束着白色的纱巾,十足一个蒙古少女样儿。太后微笑着看她行了礼,太监捧上一条哈达,太后就以蒙古的习俗,送了巴雅尔哈达表示欢迎。

"巴雅尔请圣母皇太后安、太妃吉祥。"出乎意料地,巴雅尔的汉语说得极好,声音又甜又脆。她不像留瑕那样高挑,而是丰满娇小,带着一种小女人的楚楚可怜。

太后看了坐在旁边的淑惠太妃,笑着说:"这孩子长得跟你比较像。"

"我小的时候,可没这么漂亮。和塔大伯伯怎么生得出这样的美人儿?记得我们从前都说他是熊伯伯吗?"淑惠太妃怀念地说,她是太后的亲妹妹,也算是巴雅尔与留瑕的堂姐,这些年潜心修佛,不太常参与宫里头的应酬。

太后却摇摇头,拉了巴雅尔坐到身边,才对太妃说:"这不是和塔大伯伯的亲生女儿,是图纳赫小叔的女儿,给大伯母做了养女。"

科尔沁的博尔济吉特家,由太宗孝端皇后的父亲莽古思传给太皇太后的父亲宰桑与留瑕的曾祖父洪果尔,洪果尔受封为札萨克多罗冰图郡王;而宰桑因为是后父,加封为忠亲王,宰桑的两个儿子吴克善与满珠习礼同为亲王,是世袭罔替的卓礼克图亲王与达尔汗亲王;吴克善的女儿就是顺治皇帝的第一任皇后,后来被废,又选中了满珠习礼的孙女做后做妃,就是仁宪太后与淑惠太妃。满珠习礼的王位传给嫡长子和塔,再由和塔传给班第,而巴雅尔的生父图纳赫则是吴克善的庶子,只是个辅国公。

巴雅尔静静地听，但是眼睛却在殿中四下旋摩，太后问："你在找什么？"

"巴雅尔想见慧娘娘。"巴雅尔小声地说。

太后与太妃先是一怔，接着都笑了，太妃说："刚进宫就找姐姐？其实我和太后也是姐姐，只是是老姐姐了。"

"我们两个老太婆，还顶着说是小姑娘的姐姐，当奶奶都行了。"太后笑着说，却拍了拍巴雅尔的手，"你姐姐今天本来要来接你的，但是给你姐夫半途抓去景山种田了。一会儿，她宫里有人来带你，晚上就能见到了，嗯？"

"姐夫？"巴雅尔一时转不过来，困惑地问，"为什么要去种田？"

"姐夫就是皇帝啦！至于种田，景山下有几分水田，是皇帝小时候常去玩的地方，抓什么田蛙啦、草蛇啦，这些年忙着国事，好久不去了，今儿也不知怎么，竟又想起来去种田……"太后含笑说，已经起了皱纹的脸庞，揉着一种温婉慈爱的笑，她对太妃说，"听人说，刚才还穿了一身农夫衣裳偷偷溜去，这么大人了，还像个小孩子似的。"

太妃也笑了，轻轻的笑声里，带着疼爱与纵容，三个人都看着宁寿宫外，那些停在金砖地上的麻雀，想着各自的心事。

年轻的巴雅尔不明白，为什么伟大神圣的博格达汗，也要去种田？她睁着漂亮的眼睛，不解地环视着这巍峨壮丽的宫殿，这是宇宙在人间的投影，是人间的天宫。

巴雅尔很想早点见到康熙，她忘不了那个在草原上用连珠箭将狼群射死的男人，她看见他驾着一匹血红骏马向她奔来，雪亮的长刀出鞘，往狼脖子上一拉，免得它们暴起伤人。他身上披着太阳的光，她看见染血的刀尖，一滴狼血落下，狼血渗进草原的那一刻，骏马如风，早已跑开。

那匹骏马四蹄轻巧而迅速地落在草原上，如同传说中的神驹阿兰札尔，马背上的博格达汗，却催马奔向那个在远处的女人，他们一起来到巴雅尔身边。从不曾看过这样的女人，她脸上几乎看不出化妆的痕迹，在盛妆的蒙古妇女中，显得有些苍白。但是，她让巴雅尔想起老福晋常常把玩的那尊青瓷杯，那是太后赐的，表面上是匀称的冰纹，若是冲过热水，就感觉温暖柔润。她向巴雅尔伸出手，巴雅尔很自然地就上了她的马，与她共乘一骑，她的怀抱并不燥热，像冲过冷水的瓷杯，很容易就能让人静下心来。

那个女人就是留瑕,巴雅尔后来才知道,那就是家族中人成天挂在嘴边的慧娘娘。之后的几天,巴雅尔窥伺着她,她总是在博格达汗身边,那样恰如其分、理所当然地站在他身边,像太阳边的霞光,像牧人拉着马头琴传唱的美丽故事。

"如果站在博格达汗身边,就能成为那样的人吧? 只有那样的人,才能站在博格达汗旁边……"巴雅尔一直这样相信着,所以她来了……

佟贵人代替留瑕来接人,巴雅尔向太后太妃告辞,默默地随着佟贵人走向承乾宫。

佟贵人上次怀的孩子没有保住,御医说她与佟皇后是一样体质,不易受孕、容易流产,她也就死了心,跟在留瑕身边帮办事情,磨练了这些年,已经是留瑕的得力助手。她安排了巴雅尔的住所,帮着安顿,巴雅尔正在整理东西,却听外头一阵骚动,她有些不安地问佟贵人:"佟姐姐,这是? "

"皇上与贵妃娘娘回来了。"佟贵人对她微笑,对她露出一个"走吧!"的表情,巴雅尔就跟在她身后,忐忑不安地走了出去。

巴雅尔由佟贵人领着,来到正殿前,却见宫女、太监们井然有序地进出正殿,还有几个苏拉太监抬着热水往偏殿送。佟贵人与一个太监说了几句话,微微一笑,转头对巴雅尔说:"先回去吧,等会再来。"

巴雅尔看了看佟贵人,似乎想问什么,但是没有说出口。佟贵人对她微笑,自己先进了正殿,巴雅尔在太监的引导下,回到住处。约莫半个时辰后,有个宫女走进来,盈盈一福,用生涩的蒙语说:"格格,贵妃娘娘请您过去。"

"谢谢,我会说汉语。"巴雅尔对那宫女一笑,起身,又问,"是要我现在就过去吗? 要换旗装吗? "

宫女一怔,恭敬地说:"回格格的话,虽说皇上也在,不过娘娘说,只是姐儿俩见个面,家常场合,格格可以随意些。"

巴雅尔点头,回身拿了绢子,跟着那宫女出去,天色已经暗了下来,一轮明月从东边爬上来。今日有些雾重,明亮的月,也笼上一层薄薄的月晕,时近深冬,正殿的门户都闭得严实,从窗纸上,透出明晃晃的亮光,隐隐听见有人说说笑笑,似乎很是热闹。殿外的宫女、太监虽然站得笔直,却都带着一丝笑意,似乎也在偷听殿里的笑话。

那宫女示意巴雅尔在殿外稍等,自己开了门进去通报。殿中的声音沉寂下来,有种严肃威压的气氛,攫住巴雅尔的心头,她绞着手绢,努力地默背着参见的礼节。突然,朱红的门打开了,一个梳着巴巴髻的小女孩探头出来,左右一看,对巴雅尔招招手,又往里头喊:"阿玛,'请进'的蒙古话怎么说呀?"

巴雅尔忍俊不禁,殿里也传出一阵笑声,却听刚才那宫女笑着说:"格格会说汉语的。"

"我当然会说汉语啊!"小女孩抓了抓脸,向巴雅尔不好意思地一笑,用蹩脚的蒙语说,"等……等一下。"

巴雅尔走近几步,小声地说:"我是会说汉语的。"

"哦……"那女孩愣了一下,垮下肩来,似乎有点失望地说,吸了口气,才说,"额娘请你进去。"

说完,小女孩就把头缩回殿里去了,巴雅尔只得自己走进去,一走到殿门前,却没看见人,那小女孩直接跑进左边的西暖阁去了。巴雅尔小心翼翼地跟着过去,刚才的宫女撩起厢房的帘幕,巴雅尔向她点头,这才看见里头的情形。

众人坐在西明间里,雕花折门隔出明暗间,暗间的门是关上的,明间靠窗的一边是暖炕,地下串着地龙,很是暖和,因此众人都没有穿大衣裳。

一进门先看见的是佟贵人,她坐在一张凳子上,正用火筷子拨着火盆里的炭,火盆里翻出几点杏黄,却是烤得爆开的栗子。暖阁里隐隐地透着栗子的甜香,盆边放着一只水壶,佟贵人抬头见是巴雅尔,向炕边一努嘴,示意她看过去。

刚才的那女孩子爬上炕,捡起条桌上几颗剥好的栗子就往嘴里塞。巴雅尔的视线移到女孩旁边,身子一震,惶恐地跪了下来,一句话也说不出来。

"起来吧,不用拘礼,在这里,朕不是皇帝。"康熙的声音送入巴雅尔耳中,迥异于之前在草原上会盟时的洪亮庄重,显得十分温馨随和。

巴雅尔拿捏着起身,有些不知如何是好,她偷偷看了声音来处一眼,只见康熙穿着深金色裤褂，把脚放在水盆里，一个太监正在给他洗脚。他倚着旁边的迎枕，看起来确实一点都不拘礼。由于他侧过了脸，面目看不清楚。那小女孩把栗子抓在手里，往自己嘴里塞一颗，往他嘴里也塞一颗："阿玛张'龙嘴'。"

众人忍俊不禁，就连那给康熙洗脚的太监也偷偷抿着嘴笑。康熙"啊"了一声，故意把嘴张得大大的，又突然咬下去，装作要咬那小女孩，吓得她尖叫一声，又扑在康熙怀中咯咯直笑。康熙把栗子吃了，那女孩子却把还没剥的栗子放到他手里，撒娇说："阿玛给我剥栗子。"

"紫祯，怎么好麻烦皇上呢？来，姨给你剥。"佟贵人连忙说。

"真是，就知道你这小鬼头儿对阿玛好是有心思的，就你这点小算计，还能骗得过朕去？现放着你佟姨还有这么多姑娘，就要阿玛给你剥，阿玛手里有蜜是怎么着？"康熙念叨了一大通，还把栗子接过来，当真给她剥了，却先往自己嘴里塞一颗，才往她嘴里也塞一颗："啊！张你的'小龙嘴'。"

众人轻笑起来，康熙把那小女孩抱在怀里，跟她猜拳，看也没往巴雅尔看一眼。巴雅尔知道该说些谢恩的话，可是一时之间，也不知道该怎么开口，正在寻思，听见暗间的折门拉开，一个女人的声音说："这是巴雅尔？几年不见，出落成大姑娘了。"

巴雅尔转头，留瑕笑吟吟地站着，留瑕后面，又是一层帘幕。她一手抓着几张纸，另一手抱着一只铁灰色的猫，米白斜襟衫子下，一件秋香色缎面裤子，明眸映着房间里温暖的黄色灯光，唇边含笑，有种说不出、道不清的风韵，巴雅尔连忙一福："娘娘吉祥。"

"吉祥，来人，给格格看座儿。"留瑕向外吩咐一声，把猫放到地上，拉着巴雅尔的手左看右看，好生夸了一番，才对她说，"妹妹远道而来，不容易，就像皇上说的，在我这儿不拘虚礼，就当是自己家，有什么想玩的、想吃的，尽管说。要觉得宫里气闷也告诉我，我请阿哥们领你去城里玩，啊？"

巴雅尔答应一声，回了她问的几句话，留瑕拍了拍她的手，鼓励地一笑，坐到炕上去。那只猫很知趣，自动地跳上炕，蹭了蹭留瑕，就自己钻到条桌下不出来了。太监搬来凳子，正在翻栗子的佟贵人轻声说："把外头茶吊子上的奶子倒一碗来给格格。"

"谢谢。"巴雅尔道了谢,佟贵人摇摇头表示不客气。

这头,康熙笑着说:"人家说'未嫁的姑娘靠着母姐走',果真不假。朕刚才说了这么多,也没见回话,你们两个随便说几句,就应声,真气人。"

巴雅尔这才想起来自己还没谢恩,正要答话,却见留瑕睐康熙一眼:"还有下半句呢!怎么不说?"

脚已经洗完了,太监给康熙套上厚袜,他盘膝坐着,两个宫女用托盘端着四五碗奶子进来,一一敬了。康熙端着自己的那碗奶子,移近条桌,桌上的灯照亮了他挑起的眉,一双在满、蒙两族中都少见的大眼睛黑白分明,眼波流转,似笑不笑地盯着留瑕,额上深深的皱纹似乎都舒展开来:"你叫说就说?那朕这姐夫当得多不体面?"

佟贵人抿嘴儿一笑,对巴雅尔说:"那下半句是'未娶的小子跟着姑娘蹓',娘娘总是拿这句取笑皇上。"

"我才不是取笑呢!这可是真的,娶了一窝又一窝,才气人呢!"留瑕故作恼怒,皱了皱鼻子,却伸指头戳了戳康熙。

康熙哈哈大笑,耸肩不在乎地说:"朝廷制度如此,皇帝只要不死,三年就选一窝。依着朕说,哪气得过来?反正不管怎么选,你总是这窝的主儿,你是个'窝窝头'。"

殿里的人都闷闷地笑了起来。窝窝头是一种类似馒头的面粉制品,但是要烘干,可以当做行路干粮。由于窝窝头很硬,也用来比喻脾气大的人,留瑕又好气又好笑:"皇上才是个大馍馍呢!"

众人这次全部大笑起来,馍馍同样是干粮的一种,摊成饼状,要吃的时候掰碎了吃,因为馍馍比较占空间,所以用来说人傻。这是中原的俗语,巴雅尔不懂,看着满屋子大笑的人,觉得有点孤单。

"那正好,朕是大馍馍、你是窝窝头,那你生的孩子起名叫'饽饽',正好一家子。"康熙逗着留瑕,又对那小女孩说,"紫祯,那你要改名叫什么?叫'猫耳朵'好不好?"

那小女孩正是十三格格紫祯,她眯起眼睛想了想,很认真地说:"那四哥可不可以叫'包子'?"

康熙等人不禁莞尔。四阿哥胤禛从小就是圆脸,长大之后,脸也没瘦下来，白白净净的，倒真有些像包子，康熙说："一家都是吃的，不知道的还以为朕养不起老婆孩子呢！"

众人说了一阵话，一个大太监走进来，他比一般的太监高出一个头，身材壮硕，若不是那公鸭嗓子，也颇有点官威。巴雅尔后来才知道，这就是康熙从小的玩伴魏珠，与乾清宫的梁九功，是康熙的哼哈二将，说话比其他人可以家常一些。魏珠一进来，十三格格原先靠着康熙坐，一看到他，连忙招手说："珠珠，你上次说的故事还剩一半！"

"唉，格格吩咐，奴才记着呢！"魏珠也赶紧应声，见康熙与留瑕无话。就把那故事一长一短地说了，又说了许多宫里或外头的笑话。康熙有时问几句，大多时候都只静静地听，左手放在条桌上，握着留瑕的右手，留瑕的那只猫不知道何时又跑出来，坐在康熙腿上，康熙空下的那只手，心不在焉地给它挠头。

巴雅尔坐在旁边，听着故事、看着众人，觉得自己好像是贴着玻璃往里看，承乾宫与宁寿宫是不同的。宁寿宫里的人，脸上都带着一抹淡淡的笑，一直都轻声细语，似乎从眉间眼底都能透出一股喜兴，但是也只是"似乎"、只是"透出"，是飘在空气上的，像香烟绕在佛像旁边，悬浮的、虚假的；但是承乾宫的快乐很实在，要笑就笑、要说就说，就像火盆中散发出的栗子香，甜的、家常的。然而，不管是宁寿宫或承乾宫，巴雅尔都不属于任何一方。

佟贵人把火盆里烤着的栗子兜了一盆，放到条桌上去，对留瑕说："姐姐，你身上有孕，又操劳六宫里的事，还是悠着点，虽说天色还早，早些休息吧！"

"我明白，外头事，你帮我多操心些。"留瑕点头。

佟贵人拉了巴雅尔，起身向留瑕与康熙一福身："奴婢们告退，皇上、娘娘早些歇息。"

十三格格依依不舍地跳下炕，也跟着行了礼："阿玛万福、额娘万福，儿臣告退。"

康熙与留瑕一颔首，佟贵人正要带十三格格离开，有个小太监端着一盅汤进来，佟贵人接过，先试了毒，端到留瑕面前，才后退几步离开。

康熙看着她们离去，欣慰地对留瑕说："佟氏这些年跟在你身边，朕看着成熟很多，从前见了朕就傻站着，现在也能帮着你做事，她不容易、你也不容易。"

"佟家妹妹在宫里也见过人情冷暖,人受挤兑能耐大,磨练是一回事,有些人越磨越坏,佟妹妹心地好,越磨越亮、越透。她帮我太多了,正想求个恩典,能不能给她晋位呢?"留瑕用调羹搅着汤,侧头问康熙,随即又一笑,眸子中游移着一点异样的光,"不过……卫贵人那边……"

卫贵人是八阿哥的母亲,出身辛者库,一步步从常在答应升到贵人,是长春宫纳兰惠妃的宫里人。卫贵人虽然有点年纪了,但是康熙对她有种说不出的怜爱,荣宠仅在留瑕与宜妃之下,又生了皇子,早应当晋位的,无奈太后因她出身低微,一向讨厌她。康熙也只能按着不升,不过心中一直惦记着想晋她为嫔。

康熙听留瑕提到卫贵人,并没有说话,眉棱一跳,抿住了嘴,一阵防备般的沉默后,他的声音中带着一丝金石之声,淡淡地说:"长春宫的事,你还是别问的好。"

留瑕无表情的脸,如偶然被空气扰动的竹帘般,不易觉察地动了一下,调羹轻刮过瓷碗的声音,冷冰冰地割得人心里难受,烛光映出她眸中闪过的水光,半晌,她才轻轻地吐出一声:"唉……"

如同紧绷的弦线被放了一头,康熙这才点了点头,既然留瑕让步,他决定给她面子,摸了摸下巴说:"嗯……给佟氏晋位也没什么不行,到底她是表妹吧!你写个保举折子,西北若是大捷,就递上来,趁着国有大庆,没有不能允的道理,汤都要让你搅凉了,还不快把药喝下去。"

"苦得很。"留瑕苦笑了一下,还是一口一口吹凉了汤,一匙一匙喝着,皱着脸说,"喝胆汁似的。"

康熙凝视着她,晕黄的灯光下,她的脸上泛着一层淡淡粉红,冒着热气的药汤在她额上沁出薄汗,看她辛苦地咽着汤药,适才因卫贵人而起的一点不悦已经释然。他升起一阵爱怜,拿起帕子给她擦了汗,又去开克食盒子,把寿膳房烘的糖糕拿出来,亲手剥了,备着让她等会儿吃。这是他少数会做的家常事,有时候,就算他有心要帮她,但是从没服侍过人的康熙,只会把事情越弄越糟,给她画眉画歪了、梳头反拔了头发。

"朕……只怕等不及你临盆了……"康熙说,无可奈何地对她苦笑,"西北的军事不能再拖,先给你透个风儿,朕可能冒雪发兵,出其不意,在冬天攻击噶尔丹。"

留瑕没有回答，她的眸光落在糖糕上，依然那样明亮温暖，却蒙着一层薄薄的水雾，她喝完了汤药，才轻声说："我会好好地把孩子生下来，外头的事，我不懂，我只知道，不能让你在前方还挂记着家里的事。"

"朕知道你会明白的……若是你不明白，就不是留瑕了……"康熙把糖糕推过去，留瑕拈起一块，轻轻地咬着，康熙叹口气，移到她身边，将她揽入怀中，"什么山盟海誓，朕不多说，你嘴里说要朕放心，朕也要你放心。朕会好好地回来，虽然你是不可能放心的，是不是？"

"谁能放心呢？可我不阻拦你去打仗，你先是皇帝、才是我的男人，你爱大清比爱我多，我不能吃大清的醋，是吗？"留瑕温顺地伏在他怀里，她低着头，把几欲夺眶的眼泪掩饰住，"这次打仗，缺不缺银子？"

康熙拉起她的手，皓腕上那轮白玉镯在灯光下发出莹莹玉辉。"说不上缺，但是朕要免掉七八省的税收，因为要征调他们的粮食，大军一动，就是金银为海、米粮成山。虽说这些省份的粮食很够打了，打仗是没问题的，不过这势必要影响国家的调度，若是黄河凌汛来得太猛，只怕赈灾银子就会吃紧了。"

"你只管免吧！"留瑕说，她抬头，坚定的目光后，是让康熙心头一暖的深情，"凌汛治河的银子，从大内出，缩减明年的用度之外，我再与佟家阿玛商议，看看能不能再筹些钱。放手去打，早些回来就是了。"

康熙痴痴地看着她，拇指按去她眼角的泪花，郑重地说："好。"

留瑕得了他的承诺，似乎安心了些，缩在他怀中，像一只受了伤的小鸟，他的心跳不曾紊乱，平稳得好似什么都不曾发生。康熙已经不在意她刚才不慎间对卫贵人露出的嫉妒，但是她不能不为康熙那淡然的警告感到一阵隐隐的刺痛。

卫贵人哪……一个姿容中上却楚楚可怜的女子，留瑕在她身上看见了自己没有的特质——柔弱、顺从却哀伤。她不像宫女升上来的妃嫔那样带着一丝奴气，她所拥有的是一种隐隐流露的悲哀与凄婉。留瑕很怕与她相遇，她不像其他人会与留瑕攀谈，只是用一种糅合了窘迫与凄凉的惶恐姿态，迅速福下身去，低低地说一句："娘娘万福。"

在其他妃嫔身上，留瑕能得到一种被尊重的感觉，她那样认真地去扮演当家的贵妃,在人们的尊重中,多少能得到一点鼓励。但是在卫贵人身上,留瑕感觉自己像是个穷凶极恶的坏主母,卫贵人的屈服,每每让留瑕不知所措,只能绷住了脸,反而更像个恶妇。

可偏偏康熙是喜欢卫贵人的,留瑕不打算问经过,她猜测他们之间必定有一个美丽的故事,一个出身低下的少女遇上年轻有为的皇帝,他是不是爱过她呢? 如果是,那份爱有多少? 她让他眷恋多年,即使有了更年轻的留瑕也不愿太过疏远,都说"少年夫妻老来伴",他们的爱,在留瑕逐渐老去的日子里,会不会成为留瑕与康熙的阻碍呢?

留瑕感觉脸上一阵阵热,似乎是他胸膛传来的温度,却不过是她自己发烫的脸颊,她拥有的只有自己……她轻轻地摩挲着他的胸膛,一种离别的忧伤盈满心头。

康熙拥着她,这些年来,她逐渐褪去了从前的飞扬骄纵,认真用一个当家主母的态度去看待这个世界。满人的主妇在家庭中拥有极高的地位,而后宫就是一个放大的家庭,却无时无刻不讲究礼法、时令。留瑕的生命被排上了日程,她照着日程走,过得越来越习惯,不再有半点出格。

承乾宫与敬事房的良好关系,帮助了留瑕在后宫的统治;她与康熙的亲密无间,加强了她的统治基础;照顾小妃子,谁也没有她那么尽心;代行皇后应行的满洲祭礼,谁也没有她那么认真道地;奉侍太后太妃,谁也没有她那么恭敬孝顺;抚养皇女,谁也没有她那么用心。整个皇宫里,除了宜妃与她宫中的人,没有人把留瑕当做敌人,当然,有一半原因是她有强硬的后台。

康熙嗅着她身上的气息,他的手在她身上摩挲,倒不是挑逗,而是习惯,这让他确切感觉她的存在,他知道她心中梗着卫贵人这根刺儿,宫中很少有人讨厌卫贵人,但是留瑕对卫贵人却倍加提防。为什么? 康熙不打算问,他宁愿她心中扎着这根刺,好提醒着她,不要逾越他心中那些不允许她碰触的界线。

康熙收起反射般迅捷的帝王心术,轻声说:"留瑕,朕昨儿又梦见你飞走了。"

"我才梦见你又不知跑谁的宫里了,害我等了又等、盼了又盼,都不见你的影子。你最讨厌,连梦里都不安生。"留瑕倚着他胸膛,嘟了嘴说。

康熙听她娇声抱怨,心头一阵暖洋洋的,他喜欢她表现出对他的在意,而不是嫉妒。他们的生活几乎时时刻刻都卡着一群旁人，说话、起居都要有君臣夫妻之份，可偏是这样的闺房戏语，只有在两个人的时候才说得出来，也就显得珍贵了。

"这不就安生了？"康熙将她搂得紧些，感觉到她身上传来的香气盈满鼻间，留瑕伸出双臂搂住他的颈子，她抬了抬头，康熙很自然地俯首下去嘬了个嘴儿，唇舌交缠间，让暖阁里的空气也热烫起来。两人良久依依不舍地分开，康熙皱着眉、哑着嘴说："你今儿的胭脂怎么是苦的？"

"我在胭脂里加了黄连，专治你。"留瑕娇嗔，康熙俯首弓身，把她压在炕上，索性把她唇上残余的胭脂也吃了个干干净净。

两人玩了一阵起来，留瑕掠了掠发鬓，心头其实欢喜甜蜜，嘴上却还要嗔怪几句。刚要说话，康熙又扑了上去笑说："又要生气？又要生气？那朕多抱几回，让你一次气个够。"

留瑕咯咯地笑出声来，听着她的笑，康熙也笑了，像两个孩子。在宫中，所有人都在笑，可是却很少笑得真心诚意，即使是亲密如他们，也很少能真正笑得开怀，两人在炕上笑得滚成一团，也不知是笑些什么，刚止住笑要说话，一开口，还是喷笑出声。

盘扣松了、发鬓乱了，夜也深了，留瑕噙着笑意起来穿了衣裳，收拾掉炕边散乱的衣衫，到床上抱了被子给康熙盖上。康熙睁开一双睡眼，见留瑕面有倦容，暗骂自己冲动，连忙抱过她来："都是朕不好，没想着你有孕呢……"

留瑕摇头，扯了被子睡好，轻声说："我也是想得紧了……"

康熙得意地笑出声来，留瑕看来是真累了，静静地伏在康熙怀中睡去。

康熙感觉一阵睡意袭来，朦胧中，透过昏黄的灯光，凝视着她的睡颜，他回想着十多年的相处，觉得她似乎是生来就要与他相配的，她是唯一与他一样有三家血统的人，也与他一样早早失去父母。她一点一点地渗进他心里，与他的心融为一体，就连欢爱，都显得那么契合愉悦。虽然他有过无数次快乐的经验，但是留瑕所带给他的，却是说不出的温婉贴心。

康熙紧偎着她，抚摸着她柔软的腹部，在他掌下，是他与留瑕的孩子，孩子是不是也睡了？康熙在留瑕唇上落下一吻，沉进深深的睡眠里；留瑕深埋在他怀中的脸，却滑下一滴无声的泪，烛光渐灭，把他们相拥的身影隐没在阴影中。

康熙再次准备发兵西征,不同于上次由亲王、郡王领军出古北口与喜峰口,由于情报显示噶尔丹躲藏于科布多的沙漠边缘,康熙调出了宁夏、陕甘等河套地带的满汉军队,由各自的提督、总兵带着,进驻西蒙古。这群提督总兵等中高阶将领,都是康熙在平三藩、攻台湾还有上次喀尔喀战争中带出来的人,有的是从小就在康熙身边当差、有的则是康熙殊恩提拔,还有些是功臣世家之后,总而言之,无一不是康熙的心腹。众王与年长阿哥虽也随驾西征,但都在康熙中军。

中军除了康熙自己的亲军外,分成八旗,各旗大营、小营各一,随驾的年长阿哥中,三阿哥领镶红旗大营、四阿哥领正红旗大营、五阿哥领正黄旗大营、七阿哥领镶黄旗大营,正白、镶白两旗大营,由上次的前锋信郡王、恪郡王管带,正蓝、镶蓝两大营,则是显亲王丹臻与康亲王杰书统军。

除了八旗大营,另有左翼的察哈尔军、古北口绿营合成一营,充作向导与斥候,还有汉军八旗火器军,两旗一营,共有四营。

然而,在这群随军的阿哥中,最露脸的莫过于大阿哥。康熙让他与索额图一起统领前锋营、汉军火器营与蒙古四旗援军,不同于弟弟们在康熙羽翼下办差,大阿哥是独立作战,也算是大将一名了。

沙盘推演已毕,康熙整装待发,今年是暖冬,雪下得不厚,他分批召见了要随军的将领,显亲王丹臻也在其中。

丹臻先见了康熙,再进宁寿宫给太后叩头请安,他带着老福晋要送给太后的礼,太后略问了几句话,赏赐东西后,丹臻就辞出来,他对跟在身后的显王府太监说:"去,把老佛爷赐的东西小心运回去。"

太监们答应一声就去了,丹臻缓缓地走在空无一人的外东路上,他不常来宁寿宫,若来,都要独自走走,每走过一个转角,总会放慢脚步,是期待什么吗?却总是落空。

丹臻听见脚下的那双厚底朝靴踏过水磨地发出的蹬音,厚重的铅云,浓浓地压在天边,跟他的心情一样沉重、郁闷。

有个脚步声接近,丹臻站住,当那人转出转角,他在心底轻喊了一声:"留瑕!"

留瑕没有带从人,这是不合规矩的,但是丹臻只是静静地站住。只见她手上拿着几份折子,眉心微拢,缓缓地走着,丹臻凝视着她,梳着一字头,横着乌木包银扁方，上面插着喜见红梅簪跟披霞莲蓬簪，额前不打刘海；她披着翻银狐领斗篷，斗篷下隐着蜜合色旗袍，走动的时候，斗篷敞开的缝隙间，看见她隆起的腹部，丹臻心头一阵怅然。

留瑕走过他身边，抬头一看，脸色瞬间变得煞白，她喃喃地说："显王爷……"

就在那瞬间，丹臻觉得她美得惊人，像一尊白瓷仕女，说不上思念，他也早已断了对留瑕的一切念头，在此刻，他不觉得心痛，只感觉到深沉的遗憾。他的脸上没有表情，他看见了她的惊慌，苍白的脸色、不安的眼神……

留瑕确实被吓到了，她已经很多年没有这样近地看到丹臻，若说这世上有谁让留瑕觉得隐隐不安，那当属丹臻，虽说两人根本连姻缘都谈不上，只是彼此都有着一点点惦念。只见他那身团龙熏貂补服挺直鲜亮，全身上下收拾得干净整洁，但是却掩不住他落寞的神情，留瑕低下了头，欠身一福，低低地说："王爷吉祥。"

"哦……"丹臻如梦初醒，他迟缓地欠身鞠躬，"贵妃娘娘……吉祥……"

能说什么呢？留瑕想说对不起，但是，对不起什么？皇帝是没有错、不会错的，作为康熙的妃子，能说对不起丹臻，因为她没嫁给他吗？

还有什么好说呢？身为一个男人、一个曾经爱过的人，丹臻懂得，懂得康熙也懂得留瑕，因为懂得，所以原谅。他无力地牵了牵嘴角，从何原谅？她根本与他没有交集，只是一场连点都还没点的鸳鸯谱，他做了跑龙套的，主角，一直都只有康熙与留瑕。

"娘娘，可曾读过《飞鹄行》[1]？虽说这不太合我的处境，却合我的心境……"丹臻淡淡地说，他看着天边，低声吟诵，"飞来双白鹄，乃从西北来……五里一反顾，六里一徘徊，吾欲衔汝去，口噤不能开；吾欲负汝去，毛羽何摧颓……乐哉新相知，忧来生别离，踌躇顾群侣，泪下不自知……"

留瑕听着他低沉的嗓音，给风吹得冰凉的脸庞，滑下热泪，丹臻没有看她，只是自顾自地说："其实……你真的不欠我什么……"

留瑕没有答话，也没有听见丹臻步履迟缓地离去，五里一反顾……六里一徘徊……如此……怎么不欠？在空荡荡的外东路上，不知站了多久，她看着天边那块沉重的云，正在缓慢地向禁城移动，路的那一头，吹来冷风阵阵，耳坠的垂饰发出清脆的撞击声。突然，似乎有人拿石子扔了她，肩上一疼，有个东西掉在地上，她低头，一小块冰在撞到地面的瞬间碎裂，留瑕心中觉得奇怪，是冰雹吗？

"邪门，冰雹不是都在夏天吗？"留瑕抬头，额角上一痛，确实是又一块冰敲在额角，她心中一惊，知道事情不对，想找个地方避开，四下一看，心中暗暗叫苦，糟糕……外东路上只有墙没有屋子……又是一声冰碎，就在她身旁，留瑕不敢再想，连忙加快脚步回承乾宫去。

为使身段婀娜而设计的花盆底在此时一点用处也没有，留瑕真希望自己穿的是普通的软鞋，她听见远处有人喊着："下冰雹了，快，护着姑娘们进去！"

冰雹越下越密，她沿着墙走，闪身避过几颗，冷不防，肩上又着了一块，她不能跑，怕自己踩滑，她已经有了四个月的身孕，因是头胎，御医嘱咐她要万事小心，脚下一拐，她连忙扶住墙才没跌倒。一咬牙，也顾不得什么贵妃脸面，去履袜行，快步回宫。此时，一连串冰雹打在身上，虽已不像之前那几颗那么大，只是些冰片，但是擦过脸上还是热辣辣的发疼。

"瑕姨！"有人扬声大喊，留瑕回头，却是四阿哥，他用袖子挡着头，向留瑕跑来，他今年已经十六岁，比留瑕还高了许多。此时，说不得什么请安礼数、男女之防，他半扶半掖地搀住留瑕，迅速地将她架回承乾宫。

承乾门里站着几个太监，此时看着四阿哥送留瑕回来，全都一拥而上，将留瑕搀回正殿。四阿哥来不及和留瑕多说什么，看着那群宫女、太监蛇蛇蝎蝎地服侍留瑕，他站在承乾门里，这时才发现，那个牵着他去上书的瑕姨已经离得太远。他失落地一笑，往正殿方向打了个千，背着手离去，他已经不是可以在她身边的年纪了。

留瑕确实受了些惊吓，她靠在软垫中间，外面的冰雹已经停了，御医迅速赶来请脉，谨慎地说："娘娘万福，目前并无大碍，只是娘娘兴许是受了惊吓，小臣需要再加重安胎的药剂。娘娘这几日尽量不要走动，观察几日才能确定孩子平安。"

"知道了，谢谢先生。"留瑕点头，让人送了御医出去，刚才那阵紧张一去，倦怠就涌了上来，但她还是叫人进来，"四爷呢？"

"回主儿的话，四爷已经辞出去了。"魏珠跪在床前，旁人拿了汤药来，他亲自试了毒，捧着托盘的宫女蹲身将汤药奉上。

留瑕接过碗,因为太烫,抓不牢,手上一滑。魏珠眼明手快,连忙接住,放回托盘里,从袖里抽出熨烫平整的帕子,擦掉几滴落在床上的汤药,连连叩头:"奴才该死,烫着了主子,奴才该死,这就给主子换碗新的,奴才该死、奴才该死。"

"行了行了,该死什么呀?我乏得很,喝了药就要休息,不用新的了。横竖没翻倒,将就着喝吧!"留瑕摆摆手,扯了扯嘴角说,"跪近些,我的手有些抖,你捧着碗,我喝。"

魏珠答应了一声,膝行上前,双手捧着碗,凑在留瑕身边,她一匙一匙地喝了药。等汤药凉了,放下调羹,一口气喝了那碗乌黑的药,咂咂嘴,眉心皱起。魏珠早已拿来了糖,留瑕含了一块,便示意要躺下,魏珠连忙扶着她:"主子缓着些,缓着些。"

留瑕躺下后,魏珠在她腰下放块软垫,给她盖上被子,又将那几块黑沉香搬来,放在帐中,安排妥当了,才退出来。

魏珠一出殿外廊下,转头便斥骂那个送药来的宫女:"没眼色的东西!揣着个热炭来,主子就是烫了块小指甲,你担待得起吗?"

"师傅,下次不敢了。"宫女连声说,但是脸上却没有半分"下次不敢了"的神色。

魏珠冷笑一声,一抬眉,叫了两个太监:"把这小蹄子拎我屋里去。"

那宫女被提进魏珠的屋子,里头几个还在调教的小太监正在给魏珠铺床叠被浆衣烫帕子,此时见这宫女进来,都探头出来看,一向笑脸迎人的魏珠面罩寒霜走进来,端坐房中,让人押着那宫女跪下。

"师傅用茶。"小太监送上茶来,魏珠"嗯"了一声。

魏珠缓缓地喝着茶,房间中,只有瓷碗盖与茶碗碰撞的声音,冷得让人从心里毛起来。却听见魏珠慢悠悠地开口:"云妞儿……不要以为你是郭络罗家亲戚就上头上脸,你师傅我打顺治年间就跟着皇上,算起来,也快四十年了。实话告诉你,擒鳌公爷也有老子一份,我是皇上亲自拣出来伺候娘娘的人。我当了一辈子底下人,主子怎么说就是怎么做,皇上把慧娘娘交给我伺候,我自然是用心巴结着,娘娘选你来承乾宫是抬举,是给郭络罗家面子,可师傅要跟你说一句掏心窝子的话,云妞儿……"

魏珠呷了口茶,诚恳和蔼地向那宫女微笑,晶亮的三角眼里,闪着警告的光,语重心长地说:"紫禁城那么大,千门万户的,前明有一万五千名公公还住不满呢!咱现在,宫女公公连嬷嬷,满打满算也不到三千,你说,要让你消失,难吗?"

宫女给最后那几句话一震,像给雷劈了似的说不出话来,过了半晌,才连连磕头,面色如土:"师傅饶命,师傅饶命……"

"咱这主子心地好,从不作践下人,从承乾宫出去的姑娘前前后后五六个了,主子指的婚、说的媒,没有差的,更没出过把好好大姑娘指给个兔子的糊涂账。你当心点办差,不要存着哪个宫哪个娘娘的心思,主子欢喜了,给你指了个前途无量的侍卫或京官,将来出去,保不定就是个诰命夫人呢!"魏珠慢悠悠地拨着茶水,给那宫女描绘了一个光明前程。

清宫的宫女最晚二十五岁就要出宫,若是家中没有许亲,各宫主子大多都会出面指婚。这些宫女由于在宫中多年,人面熟、通礼仪又兼着心慧手巧,许多中下阶的官员、侍卫都愿意娶。各宫指婚也只是顺水人情,很少真正调查过指婚对象,所以前阵子才闹出了惠妃宫里一个宫女未出宫就自缢的事。是那宫女知道自己的指婚对象后,千方打听,竟发现那人出了名的好男色,时不时地往京城里的相公堂子厮混,那宫女也是个烈性人,就寻了短见。

那宫女不吱声,磕头如捣蒜,魏珠懒懒地说:"明白道理了就好,你去吧!"

"师傅!"一个太监急急进屋,蹲了蹲身,匆忙地说,"皇上知道娘娘的事儿,但是给军务绊住走不开,派了敬事房顾老太爷来……"

"顾老师傅来了?"顾老师傅,是现下宫中身份最高、资格最老的太监,整个宫里有一半是他的徒子徒孙,另一半,也都是晚辈,管着敬事房。听见他来了,魏珠蓦然开目,丢下了茶,迅速向外跑去。

刚绕过转角,就看见敬事房总管顾问行撑着一枝拐杖,立于那两棵还没开花的梨树下。魏珠快步走来,一靠近,熟练迅速地甩下马蹄袖,打千请安,亲自搀过顾问行,赔着笑说:"师傅,您老人家怎么站在地里冒风?还是到徒儿那儿,让徒儿给您上杯好茶,磕头请安。"

"呵呵……小魏子,师傅知道你孝心,只是这梨树也几十年不见了,怪想念的……"顾问行慈祥地笑着,长叹一声,"想当年啊……董鄂娘娘待我也是好的……唉……这人……是怎么说的呢？"

榆木拐杖一橐一橐地敲着正殿前面的金砖地，一步一步地走上正殿，承乾宫的太监宫女们都偷偷地看着这位传说中的顾老太爷。顾问行年近七十，他头上虽只是涅玻璃五品顶子，但瘦高个子，花白的寿眉，从容优雅的举止，透出一种迥异于一般太监的气质，细长的手指捞着公服的下摆，全身上下没有一丝苟且随意，竟是拿起什么，都堪做宫中的楷模。

作为一个太监，顾问行确实是个异数，他不像其他太监都是来自保定、青州等穷地方，他是道地的京里人。不过，他从不在外置产，也不像有些有钱的太监那样在外头买媳妇。

顾问行对前明的掌故知之甚深，断臂的长平公主、从君而死的王承恩、末代帝后崇祯与周皇后等人，他都是见过的。在康熙小时候，他和另外两个姓张、姓林的前明太监一起负责照顾小皇帝，康熙就常问他们有关明宫里的故事。顾问行与张林二人，都是在前明内书院读过书的，张林二人在几年前相继过世，只有他还健健旺旺地继续当差。顾问行承袭了明代宦官的读书风气，一手极为漂亮的行书、隶书、楷书，满腹诗文、下笔千言，甚至有人传说，他是顺治与康熙父子的第一个师傅，只是他自己从没承认过。

顾问行一边走，一边低声地问："娘娘玉体还康泰吗？"

"是，御医说目前看来没什么大碍，只是这几天得要看看，娘娘刚睡下，师傅是不是……"

"我就在外间等吧！"顾问行微笑着说，魏珠便开了门，搀他进去，"我一个糟老头，虽说管着敬事房，其实那是皇上让我养老，有你几个师弟帮着，我去那儿，也只是抽抽烟、喝喝茶而已。没事，你也不用照看，找个座儿给我就成了。"

魏珠自然是不可能把他干晾在那里，扶着他到东明间，寻了张太师椅，又叫了几个小太监上茶、捶腿，都安排好，才再三告罪去忙别的事儿。顾问行褪下腕子上一串佛珠，低垂着眉眼，无声念着佛号，他腰间本挂着旱烟袋，但是丝毫没有要抽的意思。

那串佛珠上垂着黄色穗子，一看见就知道是皇帝所赐，是用小核桃刻着经文，虽不是什么金玉玛瑙，雕工却精细，佛珠已经被磨得光洁黝黑，可见是常念的。顾问行无声地念了一遍又一遍，佛珠转着，那些深藏在心头的回忆，也一遍转过一遍，但是低垂的眼皮盖住所有的情绪波动，古井尚有波动涟漪，他却是在地底的伏流，任有千万波涛，也没有让人知道的时候。

内寝似乎有些动静，顾问行拍了拍那个给他捶腿捶得打瞌睡的小太监："小子。"

"嗯……"小太监猛然醒神，连连叩头，"奴才走神了，老太爷恕罪。"

"唉唉……没事，别这样。"顾问行和蔼地说，微笑着说，"去问问大姑娘们，看娘娘醒了没有。"

小太监连忙去了，层层通禀，不一会儿就跑回来，打了个千儿："老太爷，主子请您过去呢！"

顾问行点头，两个小太监一左一右搀了他。他走进西暗间，挥退了小太监，在外寝颤巍巍地就要跪下，留瑕却从床上发话："快扶顾师傅起来，端个座儿到我旁边，请顾师傅坐。"

"主子，您折死老奴了。"顾问行谢了恩，拿捏着走进内寝，坐了凳子的三分之一，看着留瑕苍白疲倦的脸，他也不说那些废话，慈祥地说，"娘娘给冰雹吓着了吧？北京这地面邪，有时候冰雹说来就来，从前，还有冰雹砸坏屋瓦，掉到房里来的呢！"

留瑕松乏地一笑，宫女送上手巾把子，顾问行先接过，确定了不会烫着，才双手奉给留瑕，她接过，擦了擦手，突然一笑："师傅，你要骂我了吧？"

"呵呵……老奴有几个胆子敢骂娘娘，只是有人……"顾问行把那个"有人"拉得很长，留瑕心虚地一笑，顾问行收了她的擦手巾，让宫女拿下去，"心疼，不好自己来说，老奴横竖闲着也是闲着，就来了。"

"我知道是我不对，是我不该自己一个人乱跑。只是，每天都有人跟着，实在气闷。顾师傅，我以后不敢了。"留瑕眨了眨眼，询问地看着顾问行，顾问行却没看她，他又拿起了佛珠，单手转着，目光一飘后头，留瑕便对后面伺候的宫女说："你们都出殿去休息！"

等人都走光了，顾问行才缓缓地说："娘娘，您是不是见了显亲王爷？"

"我……"留瑕没想到消息会传得这样快，她知道在顾问行面前是说不得谎,也没有必要说谎的,她点头:"是见过了。"

"他跟您说了什么?"顾问行平静地问。

留瑕实话实说,凝视着顾问行,她的眼睛里没有一丝矫饰:"显王爷吟了一首长诗,《飞鸽行》。"

顾问行眸光一跳,低声吟颂:"五里一反顾,六里一徘徊,吾欲衔汝去,口噤不能开,是吗?"

留瑕点头,顾问行那两道寿眉轻皱,留瑕隐隐觉得不对:"怎么了?"

"显亲王要失宠了,娘娘,请您以后不要再见他,您多见他一次,显王爷就多一分凶险,皇上……"顾问行欲言又止,他忧郁地看着留瑕腿上盖着的鸳鸯被,一语双关,"我说鸳鸯是世上最有情的动物,认定了就不撒手,可是,那公鸳可没有忍受另一只公鸳靠近的雅量。"

"不过就是首诗,因此怪罪人,这是欲加之罪。"留瑕不平地说。

顾问行淡淡一笑,透亮的目光盯着留瑕,充满警告:"为文章丢掉性命的人多了,娘娘,皇上信得过您,可是,信不过显王爷。"

"这对他不公平。"留瑕因为怀着孕,这几日总觉得心神烦躁,听见这样的口气,似乎康熙会对丹臻不利,她心中十分歉疚。

"娘娘!"顾问行的拐杖猛地一顿,留瑕心头一跳,那双苍老的眼睛,如今正紧紧地盯着她,灰色的瞳人像冷冰冰的玻璃,激得她身上发冷。

"我不会再独自一人走动了,也不会再见显王爷,请顾师傅转达皇上,我心里头只有皇上,对显王爷,只是一份抱歉,旁的,什么也没有,请不要为难人家。他说了,他不认为我欠他什么……"留瑕咬着唇,强忍着不让泪水滚出来,"皇上心中广纳四海、包含九州,为什么,就容不得一个显王爷?"

"皇上游戏人间三十年才遇见您,这些年来,皇上爱您疼您,不只是在表面那些恩宠,暗地里,该做的都做了,这样的深情厚恩,娘娘,老奴斗胆说句僭越的话……"顾问行的目光锁着留瑕,他是康熙在内廷的耳目,事事都站在康熙的角度着想,他深沉地说,"谨守男女之防,本来就是您的本分事,没做到这样,您已经辜负了皇上。"

留瑕没有说话,厌恶康熙对她的钳制、愧对丹臻对她的宽容、憎恨自己对康熙的屈服。顾问行告辞了,她还坐在帐子里,感觉到心头阵阵复杂的情绪涌上,顾问行的话犹在耳边,深情厚恩……留瑕看着桌上放着那盘水果干,是康熙前些日子巡幸塞外时带回来的,只要用热水冲,将水沥干,可以蘸蜂蜜或者糖蜜吃,滋味与新鲜的水果又有不同。康熙很喜欢,但是带回来的不多,除了太后,也就只有留瑕分到。

有爱、有怨也有依恋,留瑕静静地靠在床上,她猜,顾问行此刻大约正在乾清宫禀报刚才得知的一切。康熙是知道她与丹臻见面,但是谈话内容则不可知,所以才派顾问行来。

留瑕让人把妆台上的锦盒拿来,把玩着里面的一枚鸡血石闲章,上面刻着"承乾守贞"。承乾除了是宫名,也是顺从、辅佐皇帝之意;守贞,并不是指守女子贞节,贞是易经中的四全德之一,四全德中,元亨是天命,利贞是人事,利是积极进取,贞是坚守原则、通达天理。这是康熙闲聊时说起的,留瑕觉得很有意思,就让人刻了个闲章,佩在身边。

守贞两字,在此刻显得如此讽刺,通达天理,留瑕冷笑,天理就是康熙自己一个人的道理。她恨自己的软弱,承乾宫是一个华美的笼子,康熙派遣最忠于他的魏珠来照料,也来看管,这个贵妃的位子全仗顾问行的人脉来支撑,而顾问行又直接听令于康熙……她在康熙设置的重重枷锁里,无法动弹……

留瑕恍恍惚惚地吃了饭、喝了药,却丝毫没有睡意,她拿起锦盒里压的一张诗,是康熙抄给她的,上面用蒙文录着一首听说传遍了西藏的情诗。

"……那一月转动所有的经桶,不为超度,只为触碰你的指尖;那一年磕长头在山路边,不为朝见,只为贴着你的温暖;那一世转山转水转佛塔,不为修来世,只为在途中与你相见……"[2]留瑕轻轻地念着,这个作者据说是个少年喇嘛,康熙对这样不守清规的行为非常不满,却又不得不赞赏他的才华。

留瑕却从这首诗里,读到一种似浓又淡、融合了纯真与老练的情,人生在世,一闪而过的瞬间,情,于焉而生,她长叹,分开是愁、相聚是愁,这么多的烦忧,何时,是个头呢?

注释:

　　1.《飞鹤行》:汉乐府诗,作者不明,又名《艳歌何尝行》、《白鹤》。

　　2.这首藏文诗的作者是六世达赖仓央嘉措,在五世达赖去世后,摄政封锁死讯长达十数年，并秘密寻得灵童，由于摄政与噶尔丹私谊甚笃、噶尔丹又是五世达赖的弟子，故而常假借五世达赖之名替噶尔丹斡旋。故事发生时，六世达赖已经是个十多岁的少年，并开始创作情诗，但是康熙皇帝直到第二次亲征之后才发现他的存在，故而在此只说作者是个少年喇嘛。

康熙三十五年春，承乾宫中梨花如雪，暗香浮动，留瑕静静地坐在树下晒太阳，她的肚子还不是很大，已经不踩花盆底，一双软缎绣鞋裹着有些浮肿的脚。她手上抓着一份清单，魏珠站在她身侧，垂手侍立，觑见她轻皱的眉。

"一百五十万……看来要募得多些了……"留瑕叹气，白玉镯敲在紫檀太师椅的扶手上，发出闷闷的撞击声，她不相信似的又看了清单一眼，颓然说，"能动的内币怎么就这些？六十万给皇上带去做体己，剩下一百四十万，三十万要给随军阿哥王爷们安家，一百一十万里，五万给六格格做嫁妆，另外五万要等着皇上去前线时，赏给五格格跟五额驸……再加上些零散开销，能动的剩五十万，怎么了得……"

"娘娘，依奴才浅见，皇上的体己，四十万也就够了，太多，也搬不动呀！"

"不成。"留瑕摇头，她看着清单，轻轻一弹，低声说，"谁知道这场仗会打多久呢？西蒙古是穷地方，噶尔丹带着那几万丧家犬似的兵，大约身边也不会有太多油水，就是打赢了，也没有直接能用的战利品，外藩要赏、将士要赏，还要收买情报，不能让皇上没钱花。"

魏珠一躬身，连连称是："是奴才想左了，不过娘娘，您也别烦恼，这几年，国库里攒了不少银子，那些天灾，让外头官人们操心就是了。"

留瑕无声一笑，何尝想管，但是，她怎么会让康熙在前线没钱用呢？她一抬手，魏珠连忙扶起，又回头叫了两个宫女搀扶，留瑕却说："我要去宁寿宫。"

留瑕怀着五个月的身孕，不能走太远，太后特赐了一乘肩舆，方便她往来请安。留瑕乘着肩舆，抬轿的太监十分小心，怕震动了她，平稳地来到宁寿宫，留瑕在苍震门下来，让人扶着进去。

太后在花园里，远远看见留瑕过来，连忙叫身边人去接，却是郭络罗贵人的女儿六格格，六格格一福身："娘娘吉祥。"

"格格也吉祥，好久没仔细看看，格格越来越漂亮了。"留瑕微笑着说，六格格从旁搀了她，但是，留瑕却感觉到一种敌意，从托着她肘子的那双手传来。

到了亭子，留瑕要蹲身请安，太后急急地说："快起来，怀着孩子呢！"

"不碍事的。"留瑕只得微微一福，一压下去，就觉得腰上酸得很，直不起腰，旁边几个陪着说话的命妇全都站起身，扶着她坐下。

太后紧张地看着她，焦急地问："老嫂子，怎么样？"

太后称的老嫂子，却是从喀尔喀部来的格楚勒老福晋，她曾在康熙驾前求过出兵，因时机未到未获允，后来带着所部离开草原，南下投奔康熙皇帝。康熙体谅她仓皇逃离家园，先在北京授了一处宅子，让她跟包衣们有个栖身之处，又怕她经济拮据，反正两个孙子都还小，就把她祖孙三人接进宫，老福晋给太后做伴，两个小孩入毓庆宫与皇子们同受教育。她的两个孙儿后来也都没给老福晋丢脸，长孙策棱娶了十格格，更成一代名将，受封超勇亲王，这是后话了。

老福晋对这样的安排甚感欣慰，与太后、太妃也相处得来。她是个经验老到的，看了看情形，回身说："回老佛爷的话，没什么大碍，只是娘娘的腿有些肿，撑不住。"

"阿弥陀佛，菩萨保佑。"太后双掌合十，念了佛号，对留瑕说，"都说了不要行礼，还逞强，往后在我跟前都不许你立规矩。"

"谢老佛爷体恤，只是这是本分，其他娘娘怀孕时候也立规矩的。"留瑕赔着笑，接过巴雅尔送来的茶，向她点了点头。

"你不一样嘛！"太后眯着眼睛笑说。

在太后眼中，留瑕有孕确实与别人不同。太宗朝的五宫博尔济吉特后妃只生了三个儿子，顺治朝的博尔济吉特后妃则全部无出，当年就有些幸灾乐祸的人说博尔济吉特的福运都在顺治身上用尽了，这才养不出儿子来。太后心中对这些话一直耿耿于怀，留瑕册妃后，太后盼星星、盼月亮地等了好几年，这才有了喜讯，她满心等着要抱个有蒙古血缘的孙儿，好让她出一出从前的郁气。她不禁想起太宗与海兰珠的故事，若是留瑕一举得男，不知道康熙会有什么特典加于博尔济吉特氏族呢？

思及此，太后对留瑕的期待又更高些，她不但是亲人，而且与太后的情分非比寻常。太后拉着留瑕的手说："我的贵妃娘娘，你呀！别在意那些个礼数的，那是汉人的东西，咱娘儿俩还有什么好跪好磕头的呀！你就只管把这宝贝孙孙白白胖胖地生出来，给我做个伴就成啦！"

六格格嘴角一动，留瑕正想说些话把太后的偏爱圆一圆，老福晋却笑了起来："老佛爷，娘娘肚子里这小阿哥生出来，只怕皇上就抱着不肯放了，说不准，您老人家到时候要跟皇上抢孙孙呢！"

"那是！"太后笑得眯了眼，像个有心炫耀又想显得谦虚的母亲，虽说还不知孩子是男是女，总是先叫几声小阿哥，盼着能真生出个男孩来，"这不，我要先跟贵妃预定了这小阿哥，皇帝那儿，可就不能跟我抢了。"

大学士熊赐履的夫人也在，她是湖北人，个子高壮，朝裙下却掩着双伶伶俐俐的小脚，透出一股泼辣豪爽，连珠炮似的开了口："老佛爷，其实也没什么好抢，让贵妃娘娘再生一个不就成了吗？生孩子这种事儿，有时候，想有不一定有，可有一那就有二，有二还有三呢！娘娘今年不过三十，皇上也才四十二不是？我之前也见过皇上，那份精神，比二十岁小伙子还有劲儿！生个半打也不成问题，就我们家那老不死的，前年六十，还蹦了个老生子儿出来呢！那份疼，哎哟……还说什么'君子抱孙不抱子'，整日价揣在怀里，之前要进园子陪皇上下棋，还难分难舍得像演《四郎探母》。我就拧着耳朵寒碜他，别自个儿捂在被窝里乐,有种把孩子抱进园子去,告诉皇上'老臣生了个老生子,请皇上赐名'呀！"

"结果呢？熊师傅真把孩子抱去给皇帝了？"太后听得入神,连忙追问。

"他哪儿敢呀！"熊夫人一拍膝盖,笑着说,"我那老不死的每天教太子爷要克己复礼,这下冒出个老生子儿,可不是自打嘴巴吗？"

众人哈哈大笑,留瑕也抿嘴儿笑了,只巴雅尔与六格格两个未嫁的姑娘,有些不明白地看着这群女人。太后瞄见留瑕手上拿着文件,知道她要奏事,就对众人说:"天色不早了,你们跪安吧！六格格跟巴雅尔说半个时辰蒙语才能走,去吧！"

众人答应了一声,全都退下去,留瑕看那两个女孩子结伴离去,微笑着说:"这两个孩子挺投缘的？"

太后抓了几颗杏仁给留瑕,自己也拈了一颗边啃边说:"还过得去,六格格看着有些不乐意,让她学蒙语是为她好,我虽说腻味这孩子不识抬举,不过还是要逼着她学,将来去了蒙古,才不吃亏。对了,我瞧着巴雅尔心眼挺好,举手投足间有几分像你,我寻思着再等她大些,若是她乐意、皇帝也看得上眼,倒不妨收了,你说呢？"

留瑕眸光一闪,突然觉得嘴上有些发干,不自然地扯了扯唇一笑,上牙像是给下唇黏住了,嘴角一扯,在唇上留下咬牙似的痕迹,她赔着笑说:"论身份那是没说的,她比我还强些,是达尔汗亲王的女儿,就是年龄差太多了,巴雅尔还比五爷小呢……"

"唉……"太后把"唉"字拉长了音表示不赞同,她抿嘴一笑,"刚选进来的那批秀女也跟巴雅尔差不多大,还不是有几个承幸了？"

留瑕张口欲言,一想,这也是事实,心中尽管还有些不悦,脸上却不曾表露出来,只得笑说:"到底是老佛爷圣明。"

"再等等、看看吧！巴雅尔年岁是小了些,可惜来得太晚,太子去年就册了妃,要是赶在太子定亲前来宫里,我真想把巴雅尔指给太子,多合适啊,你说是吧？"

太后对太子婚事早有意见,只是她久居宫禁,知道说话的分寸,更明白康熙是要脸面的,要是在众人面前说不赞同婚事,康熙必定感到难堪。横竖对这婚事也没什么兴趣，只觉得有些儿不相配，也懒得去争，随便康熙去决定。但是一与留瑕独处，就把这些心思一股脑儿全说了出来。

留瑕小心翼翼地赔着笑，却谨慎地观察太后的反应，一来是要准备着应对，二来是她还拿不准太后是不是要她把意思转达给康熙。

太后撇了撇嘴，啜了口茶说："太子福晋虽然说也跟皇室沾着点亲，可哪比得上科尔沁的博尔济吉特呀？只这婚事是皇帝选中的，我想他那么疼太子，断不会委屈了太子的，这才没顶着不让。只是太子福晋实在……唉……连蒙语都说不响……实在不像话，太子身边也没有个蒙古侧福晋，要这么下去，满蒙不就要疏远了吗？倒也不一定要是黄金血胤，蒙古的女孩子漂亮的多得是嘛！"

"老佛爷说的是，皇上那儿也在挂心着这事呢！就前阵子，巴林老格格回来，皇上还说起，说等战事一过，要选几个博尔济吉特的姑娘到毓庆宫，让老格格回去跟三格格商议，娘儿俩先物色着呢！"留瑕笑吟吟地说。

其实留瑕跟康熙早就知道太后对太子的婚事有点不以为然，康熙怕太后心中有疙瘩，所以早与留瑕串了供，让她见机说出来，好让太后有面子。留瑕此时说出来，显得顺理成章、十分自然。

"皇帝到底是心头挂记着满蒙根基的，这就对了！这就对了。"太后果然笑逐颜开，猛地想起留瑕似乎要禀事，又问，"你要跟我说什么事吗？"

"什么事都瞒不过老佛爷，奴婢是要跟老佛爷说一说内币的事。"留瑕将手上那份清单递过去。

内币，就是康熙的直属财产，太后迅速地看了几行，皱了眉："怎么会这么吃紧呢？这几年没听说有什么大灾，而且年年丰收呀？"

"正是这样，盛世越盛，内币就越少，国库里丰足了，皇上就用国库里收上来的银子做事，又少征内币，怕把国库掏穷。外头那些官儿的俸禄是太少了，很多人都指着国库借钱，所以国库是不能跟内币混为一谈的。

"这些年来，内币的主要开销是畅春园，皇上修园子还算节制，每年的预算都抓得紧，可园子虽说建成了，但是园子里要养人、养工匠、要定期修缮，光是维持园子里的开销，每年就是一大笔定打不饶的钱。皇上有年纪了，这些年越来越不耐热，您也知道，他不爱住宫里，听他口风，往后似乎有在畅春

园长住的打算，所以这三四年里，园子要准备着扩充，要动工，那也是一大笔开支。

"修园子的开支倒是可以缓一阵，可是这几年，阿哥格格们一个个成家立业，这就是额外的开销了。不说旁人，就是四爷，最节省的一个人，皇上赐雍和宫，可是，总不能一个空房子就要人搬过去，还要添东西、置庄子、养人。四爷一年两千五百两的俸银哪里够用？所以皇上拿体己银子给四爷，四爷再三辞谢，最后折着拿了，四爷的庄子在阿哥里最少，用度也最省，可也要前前后后二三十万出去，更别说别的阿哥了。

"还有三格格跟五格格的嫁妆，朝廷制度上的银子，是太少了，老佛爷知道，三格格生得早，是皇上最看重的，不能让格格委屈，更不能让外头看着寒酸。格格是嫁到蒙古去的，这个脸面，咱丢不起。补贴格格，这也是内币的支出，明的暗的，两个格格花了快三十万。孩子一天天长大，嫁娶大事是等不得的，再过不久还有六格格跟五阿哥、七阿哥要出去，这仨孩子里，六格格是最得皇上疼爱的、五阿哥是您养大的，还有七阿哥腿脚不便、素来比其他阿哥多一份赏赐，姐儿仨没有个百八十万，怎么办得下来？您说，这么着，怎么能不吃紧呢？"

留瑕娓娓道来，她是贵妃，只能抓紧用度，虽也知道钱的流向，却不能管康熙怎么花，因为这些都是一定要花的钱；她也不能劝康熙多征内币，这样子做，是皇家与国家抢钱，不是仁君所为。

太后听着，似乎在咀嚼着留瑕的话，她的目光落在不远处的大戏楼，戏文上的皇帝都有金山银海，爱怎么花就怎么花，可是康熙的内币，国家穷的时候穷，国家富的时候，也不富。

"家家有本难念的经，咱家这本，是莲花落……唉……"太后苦笑着说，莲花落，是乞丐讨饭时唱的歌谣，她收回目光，"可你不是来跟我哭穷的吧！"

留瑕一眨眼，她从袖里拿出一份章程，双手递上："这是我的捞钱法子，要从在京官员身上，挤出点银子给皇上。备着今年如果有灾，能从大内贴补些，又或者，打了胜仗要赏人，若有这些银子，皇上回来之后，用度也是阔阔绰绰的。"

太后半信半疑地接过，迅速看完，她猛地抬起头："你这是要做神棍啊？不成，这不成。”

“老佛爷，三年清知府，十万雪花银，何况我这不是逼着他们出，是他们自己心甘情愿拿出来才成，再说……”留瑕笑了笑，她看着太后腕上的佛珠，“这也是积功德。”

太后迟疑，她把章程又看了一次，紧皱着眉说：“方法是可行，可是……若是泄露了出去……人家要说你贪财的呀！”

“我是‘瞒下不瞒上’，这份章程，皇上已经先看过了，办这事的人，就是皇上指定的。”留瑕镇定自若，明眸中，毫无矫饰。

太后沉重地点了点头，能怎么办？没钱，就只能去找钱，太后拍了拍留瑕的手：“难为你了，怀着孩子，还要操心这些事儿，既然皇帝知道了，那你就放手去吧！只是钓大鱼得有饵，这饵，我出了，不许你跟我抢。”

留瑕应承，感激地红了眼眶，太后唤了人来，让人扶着留瑕回去。临走，太后意味深长地看了留瑕一眼，叹了口气：“孩子，这件事如果办成自然好，只是，这之后，你在旁人前可以伶俐，可在皇帝跟前，你要懂得韬光养晦了，明白？”

大军再次出发，太后、留瑕与众妃站在城楼上，翻飞的龙旗远去了，北京晴朗的天空上，几丝薄云随风游戏，与大军一同前进。留瑕把心悬在云上，牵挂，但是她的情绪很稳定，她清楚知道自己的责任、作为一个贵妃应有的担当是什么，太后拍了拍她的手，柔声说：“回去吧？”

“谨尊太后慈谕。”留瑕低声说，侧身让太后太妃先走，由两个宫女将她扶上软轿，众妃主各自乘了与自己身份相当的轿子，跟在太后的轿后迤逦而去。

留瑕、佟贵人、巴雅尔与十三格格刚在承乾宫落轿，魏珠就忙不迭地过来打了个千儿说：“主子，兰贵人那儿有些事，奴才不敢做主，特来禀您。”

“海棠怎么了？”毕竟是有点交情，留瑕关心地问。

“回主子的话，兰小主病得很重，吃药老不见好，刚才报来的消息，说很不好，已在弥留。她阿玛、哥哥，都只是旗下听差的，她娘也没有进宫的身份，现下被挡在宫外。这事原不该奴才多嘴，但是奴才想，若是兰小主有个万一，家

里头没人见一面，多冤？所以来请示，是不是放女眷进来，见兰小主一面？"魏珠一口气说完，他是个古道热肠的性子，康熙就是欣赏他这股子侠气，虽有时吃亏，但是康熙始终维护他，也才放心把留瑕交给他伺候。

留瑕点头，让人扶着进去写了张条子交给小太监去带人，她看魏珠还有话要说，就问："魏珠，你还有事吗？"

"主子圣明。"魏珠连忙颂圣，看了看外面说，"刚才奴才派去打听的人过来，说兰小主清醒时候哭着说要见您一面，还说自家命薄什么的，主子您看……"

"我去。"留瑕起身，魏珠侧身搀过，她说，"你陪我去。"

"奴才遵命。"

海棠是宜妃的宫里人，随宜妃住在西六宫之一的启祥宫，与承乾宫离得很远。留瑕由人扶上小轿，尽快往启祥宫赶去。

留瑕还没有去过启祥宫，从前跟着太后的时候，就不常往西六宫跑，跟着康熙，虽然乾清宫就在中轴线上，离东西六宫都不远不近，但是轮不到她去宣旨，也就不去。当了妃子，与其他妃嫔虽有往来，然而宜妃讨厌她，从不曾邀她去坐坐，她也不想去。

"前日不是说要立神杆吗？结果怎么样呢？"留瑕探头问旁边跟着的魏珠。

海棠是盛京人，家里头还信满人的传统宗教——萨满教，神杆在萨满教中，是一种卜问天意的最后办法，一切人力无法解决的问题，如生死、战争胜败，都可以立神杆来得到正与反的答案。而乌鸦，则被认为是神的使者。巫师祈祷之后，立起木杆，上面有个小斗，里面盛着胙肉。如果飞来的乌鸦将肉抢食光了，就表示神已表示了吉祥，若是乌鸦不吃，就是恶兆。

魏珠叹了口气，小声地说："立了神杆，奴才们遵主子的指示，用了最好的肉，但是，引来的乌鸦都只看，不吃……"

"乌鸦不吃……"留瑕皱起眉，她不言语了，能说什么呢？她是不信这个的，因为乌鸦本就是种贪吃的鸟，她原先一直以为那是满人的先祖自欺欺人，找个最爱吃的鸟当问卜的工具，这样不管怎么问都是吉兆。只是没想到，真会有乌鸦不吃的事情，除了是天意，还能说什么？

"兰小主在启祥宫……其实日子也不好过……"魏珠压低声音，有些感叹似的说，"宜小主的性子您知道，好的时候，像亲姐妹似的。但是这几年，您高升了贵妃，皇上十天里有三五天要跟您见面，宜小主盼星星盼月亮，也只能分到一两天，心头那无名火，全烧在她宫里人身上。其他的小主有娘家、有儿女，宜小主还顾忌些，兰小主……唉……这人是怎么说的呢……"

"怪不得她前些日子求着要转到德姐姐、荣姐姐那里去，她们不想招惹宜妃。她又通过敏嫔来求我，我与两位姐姐商议，谁也不想蹚启祥宫的浑水。谁知道……是这么个情形……"留瑕心中感觉有些罪恶，虽然不喜欢海棠，但是听到她这样的情形，免不了伤感，正说着话，就已经到了启祥宫，留瑕说，"不走正门，不要让宜妃知道我来，悄悄来，悄悄走也就是了。"

小轿从侧门进去，直抬到海棠住的小院外。里头一阵嬉笑，留瑕心中觉得奇怪，下了轿，看见两个宫女、两个太监正在下房里赌牌，桌子上放着几件首饰、几锭碎银跟两三串铜钱。

留瑕与魏珠对看一眼，留瑕想起自己上次遇冰雹的事，那时，整整七八天，承乾宫里没人敢大笑、敢大声说话，她略一皱眉，底下人就吓得赶上来伺候。世态炎凉如此，留瑕十分感慨。

"混账东西！"魏珠一声暴喝，那几个抬轿跟随从的小太监就进来把四个人拎出来，压在地上。魏珠眼色一使，小太监们顺手往那两个太监脸上赏了两巴掌，宫女向来不打脸，所以只反剪了双手。"睁眼看看是谁？贵妃娘娘到了，你们瘟在下房里，作死吗？"

那几个宫女、太监连连叩头求饶，留瑕静静地站在那下房门前，目光冷得像冰，她缓缓地说："知道错了吗？"

"奴才们该死，奴才吃屎长大的，没瞧见贵妃娘娘，奴才该死，奴才该死。"一个看来十分伶俐的太监首先出声，自己就打起了嘴巴。

留瑕摇头，她的声音里没有温暖："错了，看不看见我是其次，你们的错，确实该死，却是错在不该看不起人，怠慢了兰贵人。你们还有些时日可以弥补，若是继续这样玩忽职守，我会找你们算账的。"

说完，她就转身进屋去了。这房子很暗很小，虽然同样是贵人，佟贵人的小院就显得宽敞明亮许多。这房子正中的桌上没有桌巾，几碗已经臭

康熙三十五年春·

了的饭菜果品随意地放着，上面盘旋着一群果蝇。留瑕拿起手帕捂住鼻子，小太监扶着她进去内寝，魏珠抢进来张罗了一下，才勉强让她能够坐下。

海棠已经瘦成皮包骨，留瑕实在很不忍心，蜡黄的皮肤松弛地包着骨头，身上已经没有任何珠宝，就连个镯子都没有。深深凹陷的眼睛沾着一层白色的黏液，嘴唇四周有好几个小洞，有的结痂、有的还没。往昔的她，在嫔妃之中，也算是中上之姿、体态妖娆。留瑕轻叹了口气："快让人去叫御医来，要最好的。"

"格格……"海棠不知道何时睁开了眼睛，涣散的目光，在看到留瑕的时候，露出了欣慰的神情，随即，又悲伤地啜泣起来，"格格，是我犯贱，看着尹常在承幸，也没个掂量就犯贱勾引皇上。格格……您赏我一杯毒酒吧！我真不想活了……"

"那时候……不是你的错……"留瑕不知道该怎么劝，她早已不在乎当年的事了，康熙大约也已经忘了海棠。就算是放在当年，也说不上恨，只是觉得腻味，毕竟她那时候气的不是海棠，这种事儿，哪是一相情愿就成的？却没想到海棠会一直惦记着这件事。

"我是故意的……格格，原不是我去伺候洗脚，是我故意烫伤了姑姑，这才……我……"海棠摇着头，她羡慕地看着留瑕的肚子，"还是格格命贵重，既得宠，又得子。我好悔……若是当年不犯贱去勾引皇上，也许今日……也不至于如此……不过……格格，我做了一件事……原先是为己，现在看起来，兴许是能帮到您……"

"什么事？"留瑕困惑地问，但海棠只是神秘地一笑，不回答。

留瑕还要追问，只听见身后一阵脚步杂沓。两个少妇扶着一个老妇人进来，看见这小屋子里站着几个太监，又看见留瑕，就跪了下去，哆嗦着嘴，连请安的话都说不出口，还是留瑕自己开口："你们是兰贵人的家人吧？都起来。"

"谢娘娘。"她们不安地起身，也还搞不清楚留瑕是什么人，只觉得她有种沉静雍容、不可侵犯的气度。

"你安心养病，我会关照他们给你用最好的药。这几日就让你额娘住宫里，有什么需要，只管来找我。你们一家相见，也不容易，我不打扰了。"留瑕向海棠微笑，起身出去。

一出门，就看见宜妃由六格格扶着，站在外头。因为前阵子一生产完，孩子就死了，她受此打击，也瘦了许多。卧床养身之中，得知六格格给嫁到蒙古，又没什么人来看她，更是认真气出病来。今儿也不知怎么，一听见留瑕过来，就冲了出来，谁都劝不住。她恶狠狠地盯着留瑕，脸上的妆，红一块、白一块，很是狼狈。

"宜娘娘怎么来了，不是正养病吗？"留瑕淡淡地打了招呼，就要往轿子处走去。

宜妃突然要冲到留瑕跟前，魏珠连忙闪身出来拦住，却听宜妃大喝："你来这里做什么？启祥宫的事情，不要你狗拿耗子多管闲事！"

"我还懒得管。只是好歹有交情，来探个病，宜娘娘用不着这样大呼小叫，失了身份。"留瑕在宫中这些年，已经非常清楚该怎么样站住脚，她没有学着宜妃那样失态，一切敬称都还保留着。

"带着你肚子里的淫贱种子滚回去！"宜妃像疯了似的破口大骂。

此言一出，不只留瑕脸上变色，心高气傲的六格格知道姨母闯下大祸，腿一软，竟跪在留瑕面前，磕着头，又快又害怕地说："慧娘娘。我额娘她烧得糊涂了……请娘娘恕罪。"

六格格虽是郭络罗贵人所出，却与宜妃亲近，情同母女，因此都称她额娘。这次宜妃生病，也是六格格一手照顾。

"贱蹄子！"宜妃的气力大得惊人，竟甩掉了抓着她的众人，又要撞过来。魏珠与承乾宫人，眼明手快，全都挡在留瑕身前。宜妃却抓住了六格格的头发，兜脸就是一阵拳打脚踢："你跪她做什么？做什么！贱蹄子、小荡妇！你也要学她去勾引男人吗？"

宜妃很快又被人拉到旁边，但六格格身上脸上都着了几拳，她吓得直发抖，留瑕吩咐："把格格搀过来。"

六格格失魂落魄地让人搀过来，留瑕轻轻抬起她的脸，六格格小声地说："慧娘娘，我额娘不是有意的，她是烧糊涂了……"

"无意有意，天知道……"留瑕淡淡地说。六格格瑟缩了一下，这音调、这声气，多像阿玛！又听留瑕说："没伤着吧？"

六格格摇头，留瑕放开她，对旁人说："扶格格去休息，让人去拿药酒，女孩子要破了相，运势要受损。"

六格格只得去了。这边，留瑕看着近乎疯狂的宜妃，轻轻地说："宜妃娘娘病糊涂了，去，寻间空房子，给宜妃娘娘败败火。"

众人吃一吓，败火，其实就是把人关起来。郭络罗贵人此刻也赶了来，一福身说："慧娘娘，我姐姐糊涂，冒犯了您，我这就让人看着她，败火这……"

"送宜妃娘娘去败火！"留瑕的音调不高，却森冷得不容质疑，人们没有办法，只能真的把宜妃送进后殿的一个空房子里。

郭络罗贵人气得三尸暴跳，无奈自己身份低微，只能压住气，想来想去，还得拿出家世来压留瑕："慧娘娘！我姐姐是四妃之一。您虽然身份高，可我郭络罗家……"

"是镶黄旗头等大族。你父亲三官保，是盛京内务府掌关防佐领，是镶黄旗半个旗主。我虽然是冰图郡王家的，却不及你家权势在手，是吗？"留瑕的最后那两个字提高了嗓门，郭络罗贵人身子一晃，低下头去。留瑕让她想起康熙生气的时候，他从来不骂粗话，一连串平静之后，必定是致命一击。留瑕冷笑："好家世、好威风，就冲你姐姐刚才说我怀的是淫贱种子，你们姐妹就该降为常在！"

郭络罗贵人在宫中也打滚多年，还倚仗着自己的家世，她定住心神说："我姐姐一个病人，难免病得口不择言。娘娘是郡王家的格格出身，难道还计较病人的无心之语？您虽是贵妃，可也只高了姐姐一阶，凭什么关我姐姐？"

"无心之言，才最见真心。"留瑕怒极反笑，她摸着肚子，像是在安抚孩子，"不错，我是只高了一阶，但不代表你们就可以对我大呼小叫。端正上下名分，是朝纲国本，要是人人都可以只因高一阶就以下犯上，这个国家，还要不要治了？"

"我姐姐犯浑，回头自有处分，可是她正生病，要是有个万一，谁担待得起？"郭络罗贵人扭着手，脸色苍白，这是她第一次顶撞上位妃子，其实，她很害怕。

留瑕回身往轿子走去，耸了耸肩："御医等会儿就来看兰贵人的病，顺便让他也看看宜妃。我没说不让她看病用药，不过是换个房子住，要被要枕，你们只管送，只是不让她见人，怕伤了别人。若有万一，那是你们启祥宫人看顾不力,自然是你们担待,与我何干?"

　　郭络罗贵人身子一软,竟跌坐在地,她这时才发现留瑕已经在不知不觉中,成了一个极工心计的人。留瑕的话,句句都占着理,竟找不出一丝错儿,等她回过神,留瑕的轿子已经走远了。

承乾宫

康熙三十五年春

　　留瑕的轿子转到宁寿宫，与太后禀了启祥宫事。太后对于留瑕的处分没有意见，还说她处置得对，早该如此之类的。留瑕不敢有半分得意，以太后口气拟了一份命令申饬宜妃，恭请太后看了之后用印，这才退出来。

　　刚一出宫门，就看见郭络罗贵人匆匆地来了，两人一照面，郭络罗贵人脸色灰白，留瑕冷淡地点了点头，升轿而去。她什么也不怕，论身份，她是贵妃；论权限，她是暂代的六宫之主；论规矩，她已经请示过太后，谁能说她一个不字？

　　小轿晃过转角，跟在旁边的魏珠低声说："主子……奴才有些话，不知当不当说？"

　　"说吧。"留瑕扶着额头，懒懒地回答。

　　"奴才觉得，启祥宫有些怪，宜妃娘娘这症头看来也奇，她不过是产后郁闷,怎么今日看了,有些像是失心疯呢?"魏珠斟酌着说。

留瑕放在扶手上的手轻轻一动,抬起头来,眸子里闪着警觉的光:"失心疯?"

"接下来的话,奴才有些僭越了,要请主子先恕罪,奴才也是胡猜的,主子听了,当邪风乱耳就是。"魏珠十分小心谨慎,见留瑕点头,才又接下去说,"奴才疑是有人作法。听人说,产后的人最是气弱,不亚于大病一场。俗话说得好:苍蝇不叮没缝的蛋,作法这种事儿,也是要有时机的,您瞧这……"

"你是说,魇镇?"留瑕低低地讲出这个忌讳的字眼,昏暗的光线中,看见魏珠默然点头,她胃中一阵翻搅,侧过了头,用绢子掩口,腹中酸水涌上来,心头一阵阵猛跳,勉强地说,"快些……快些回宫。"

魏珠最早是跟着康熙,大婚之后伺候赫舍里皇后一阵,才又回到康熙身边。皇后怀过两次孕,太子是第二胎,魏珠对于这些怀孕的症状很了解,见留瑕神色不对,心中也吃一吓,连忙催着小太监加紧脚步,又让人去请御医。留瑕对他十分信任,没有主子的架子,他也就对留瑕格外恋恩,看着她这些年总不受孕,心头发急,这回好不容易怀到了五个月身孕,若有差错……他的手心攥着冷汗,若有万一,不仅是对不起留瑕,只怕康熙也不会饶他的。

护着留瑕回到承乾宫,御医已经等着了。诊了脉之后,是给宜妃扰得有些动气,不过还好。魏珠亲自服侍留瑕睡下,临睡前,留瑕屏退了众人,对魏珠说:"启祥宫的事,你去打听,知道是谁,告诉顾老师傅,他知道怎么做。"

"奴才遵命。"

魏珠退下了,留瑕疲倦地躺在床上,却不想睡,她在幽暗的床帐里睁着眼睛想自己的心事,眸子亮亮的,不是康熙深爱的那种慧黠,是深沉的悲伤与不得不做的无奈,其实已经猜得出来会是谁。魇镇这种事,要离得被下咒者越近越好,最好还能拿到头发或指甲,因为头发是人的精气所在,所以头发下咒据说是最伤人的。宜妃虽是个炮仗,骄傲自大,可是治宫严谨,旁人要做这些事,不容易,总是要她宫里人动手才成……

"真是造孽……"留瑕长叹,摸摸肚子,轻声问,"你想不想阿玛呢?"

隔着肚皮，她似乎触碰到孩子轻轻移动。对于这个迟来的孩子，她不像康熙或其他人那样高兴。她并不是很明白，自己为什么可以这样淡然对待，一丝愧疚蹿上，却压不住她心中的预感，她隐隐觉得，这个孩子与她的羁绊不深，或者就像佛家说的，缘浅。

留瑕看着身边空荡荡的枕被，康熙的枕头已睡得凹下一个浅浅的印子，旁边放着他的眼枕，他这些年越来越觉得视力有些差，都学着太皇太后，用菊花跟决明子缝成眼枕纾解眼睛压力。留瑕禁不住夺眶而出的泪，突然地大哭了起来。

坐夜的宫女们都给吓坏了，连忙进来说好说歹地劝了一车的话，却都不济事。佟贵人还没睡下，从贞顺斋赶来，一进内寝却吓了一跳。因旗装都一个样儿，看不出来，此时穿着湖色单衣才发现，留瑕竟瘦得怕人，太瘦，肚子就显得很大。她浓密的长发梳成油松辫子，清瘦的脸蛋衬得十分苍白憔悴。佟贵人坐到床沿，安抚着留瑕，透过昏黄的灯光，看见她脸上已经多了几分无法掩饰的沧桑。

佟贵人抱着留瑕，第一次发现让她又羡又爱又敬、当然有时也嫉妒的慧贵妃已经不像当年那般娇艳如花，心头有些感叹。皇上不会看不出来的……佟贵人心想，可是康熙对留瑕却越是依恋，找别人做那事儿都在乾清宫，到了承乾宫，就黏着留瑕，有时留瑕忙别的事，康熙还要性子……

"姐姐可是想皇上了……"佟贵人温柔地问。留瑕已经慢慢收了泪，眼睛哭得又红又肿。佟贵人拿过热手巾，给她擦了脸，"姐姐，我不是个会说话的，可是你这么个哭法，要伤身子的。"

"我知道……可是妹妹……我……"留瑕抬头看着佟贵人，明眸中含着晶莹的泪花，就连佟贵人看了，都觉得很是心疼，"我心里头刀剜似的，也不知为何如此疼痛……"

"姐姐放宽心吧……只管把孩子生下来，皇上对姐姐情深意重，定然也是爱屋及乌。"佟贵人挥退了宫女、太监，确定他们都听不到谈话，才压低了声音，"阿玛已经将请立姐姐为后的密折递上去，皇上昨儿个把折子发回来，阿玛本以为要挨碰，上面却写着'朕心亦同，已让人看过贵妃八字，似比三后[1]重些，朕早欲晋贵妃为皇贵妃，虽无皇后之名，也等同皇后，只待西北大捷、贵妃产子，再议'。姐姐，我本不该多这个嘴，可是，你实在不用再多担心什么，皇上是给三后吓怕了,怕自己命硬,这也是疼您,让人算过您的八字,这疑虑就去了。孩子生下来,姐姐就是皇……"

"噤声!"留瑕捂住佟贵人的嘴,紧张地看了外头一眼,"这不能乱说的。"

"我没乱说,姐姐,我在家做姑奶奶的时候,阿玛在外头的事儿从不瞒我。在宫里这些年,我跟着您读书,也懂了事,这才知道为什么四妃入宫这么早、也有儿子,却没一个人能做到贵妃。其中千万条道理,说到底只有一件:汉人是母以子贵,满人、蒙人,却是子凭母贵。这宫里,谁也没姐姐出身高,您这一胎若是个阿哥……"佟贵人的表情十分冷静,与她父亲佟国维有几分相像,她的话,让留瑕打了个寒战,佟贵人的眼睛里闪着奇异的光,"那么,姐姐也许就不只是皇贵妃、也不只是皇后了。"

佟贵人又说了些话,可是留瑕一句也没听进去,佟贵人退下后,她昏昏沉沉地睡了。侧了身子,蒙眬之间,却见康熙坐在床沿,正在看着她给孩子准备的绣件,留瑕惊喜地说:"皇上?"

"你想做太后吗?"康熙冷冷地说,眸子里,有道阴冷的光蹿过,"朕还没死呢!"

留瑕给他的话吓得懵了,半晌才说:"我不曾这样想……"

"你想过!"康熙唇边噙着一丝狞笑,招了招手,顾问行从后面端来一碗黑糊糊的汤,康熙凝视着她,明亮的眼睛里蒙上一层寂寞的雾,他的声音让留瑕心如刀割,"连你……也算计朕的皇位吗……"

留瑕说不出话,她想否认,她想告诉康熙,自己爱他胜过一切,却只能掉着眼泪。她以为康熙会懂,但是他的眼角滑下一串泪,冰冷的表情里,已经没有半分怜爱:"把她肚子里的'皇帝',打掉!"

留瑕挣扎着,可是那碗汤向她灌来,她听见人们喊着:"娘娘,喝吧!喝吧!"

康熙森冷的目光落在留瑕身上,她不再理会那些人,可是他那鄙夷的、伤透了心似的神情,却成了留瑕最深沉的梦魇,挥之不去……

"娘娘,四更了。"承乾宫管事的蓝嬷嬷隔着帐子轻唤。

留瑕睁开眼睛,下意识地摸了摸肚子,她猛地掀开帐子,急急地问:"皇上昨夜可回来过?"

"皇上没有回来。"蓝嬷嬷扶起留瑕,轻轻给她抚了抚背顺气,柔声说,"娘娘想皇上了吧？"

　　蓝嬷嬷是有名的"破肚总兵"蓝理的寡嫂，却与小叔剽悍的个性不同，是个塾师的女儿，知书达礼、聪明坚毅而且侠肝义胆。蓝理很敬爱这位嫂嫂，蓝理与靖海侯施琅过从甚密，而康熙需要更进一步收买蓝理忠于自己，听人提起过蓝理有个嫂嫂是乡间有名的老侠女，这次留瑕怀孕，需要多几个管事嬷嬷，就让蓝理把嫂嫂送进来伺候留瑕，以君恩与人情羁绊蓝理。加上蓝嬷嬷的女儿早已出嫁，也就把留瑕当成亲闺女看待。

　　"是啊……从前黏着，怪烦人的，现下不在身边，倒想他了。"留瑕勉强地扯了扯唇，她怎么能告诉蓝嬷嬷那个噩梦？

　　"皇上若听到了，定然开心得很。"蓝嬷嬷笑了起来。帮着留瑕洗过手脸、换衣裳、梳头，留瑕坐在妆台前，有种恍如隔世的感觉。

　　"皇上，四更了。"

　　"朕不能多睡一会儿吗？"

　　……

　　留瑕忽然轻笑起来，她记得太皇太后给了她一把戒尺，她一直就在等着什么时候能用戒尺。有一回康熙难得地赖床，她终于逮着了能用戒尺的机会，她兴冲冲地找出戒尺，对康熙说"皇上不起来，奴婢的戒尺可就要冒犯了"，康熙不信邪，用被蒙着头说"不要在那边拿戒尺吓唬朕，有种你就打打看"……

　　记忆里响起康熙的惊叫，她扯下被子，真的就往康熙屁股上打下去。康熙先是吓了一跳，之后气坏了，夺过戒尺就追着她跑："你这胆大包天的小鬼！敢打朕！你过来！朕非要把你打个屁股开花不可！"

　　"娘娘、娘娘。"蓝嬷嬷喊了几声，留瑕回过神来，镜子里的自己，早已不是当年做女官时清爽伶俐的装扮。

　　留瑕望着镜子，只见高高的一字头上簪花选翠，垂着长长的翠叶坠子；一对金凤衔红宝石耳坠，照得腮边一层淡淡的红光，修饰了太过苍白的脸色；脂粉上得也比从前厚些，胭脂也重了；过了三十的她，不能穿淡色浅色，一件秋香色织八吉祥纹斜襟琵琶扣袍子，外套着紫金地洒绣百花镶玫瑰红边坎肩。

　　看着镜中自己的贵妃装扮，留瑕不禁有些怅然若失，就这么一眨眼的时间，人，就老了十年。

两个宫女左右搀起她，往宁寿宫请安去，临走，她交代魏珠："你差人去佟家，请阿玛额娘有空进宫一趟。"

佟国维夫妻隔天就进宫请安了，佟夫人与佟贵人知道留瑕有事要找佟国维商量，母女俩避到东明间说话，只留魏珠陪着留瑕。

"今儿请阿玛来，是要跟阿玛商量一件事，前线正在打仗，我和太后思量着，是不是办个法会，给前线将士祈福，阿玛觉得怎样？"留瑕把一份折子递给魏珠，让他拿给佟国维。

佟国维有些讶异，却还是双手接了，他迅速看了。留瑕啜着茶，目光落在茶汤上，清澄碧绿的龙井反射着门外射进的阳光，映在留瑕眸中，一闪一闪。佟国维看完折子，倒没什么惊讶，欠身说："既然是娘娘与太后老佛爷的意思，老臣尽力去办就是。"

"这事儿，阿玛是不用出面的。"留瑕却抓住了他在合上折子时，那一瞬间的皱眉，用碗盖缓缓地拨着茶上的一根茶枝，"由太后做施主，我去出面。只是我在深宫，不能出去外头活动，外头诸事就拜托阿玛了。"

佟国维的眉毛一抖，脸上这才扬起一丝笑意："老臣明白。"

送走了佟氏夫妻，就看见一个小太监跑了过来，打了个千儿："禀娘娘，奴才是启祥宫人，我们宫的兰贵人殁了，请娘娘预备着后事。"

留瑕与魏珠一听最后那句话，都变了脸色。魏珠气得发抖，兜脸就赏了那小太监一巴掌："没眼色的东西，谁教你来承乾宫说这浑话！"

小太监先是一愣，后来才知道自己说的话，听起来竟是咒留瑕早死，连忙跪下磕了不计数个头："奴才该死，奴才该死，奴才从小吃屎长大的，娘娘饶命……"

正乱着，又从后头赶来敬事房的副首领太监赵守宝，是魏珠的师兄。他认得那个小太监是启祥宫人，憎恶地皱了皱眉，先跪下磕了个头："奴才，敬事房赵守宝给贵妃娘娘请安，娘娘吉祥。"

"吉祥，起来回话。"留瑕看他神色，就知道也是要来禀海棠的事，让人把那启祥宫小太监轰出去，才问，"兰贵人是怎么回事？"

"回娘娘的话，娘娘去看过后，有些起色，但只是回光返照，昨儿夜里，'急病'……"赵守宝强调了那个"急病"二字，停了停才说，"而亡，知道兰小主跟娘娘有交情,而且也是宜妃娘娘的心腹人儿,我们顾老师傅亲自去监督着送兰小主上路的。"

留瑕已经完全明白过来,赵守宝说的话乍听都没有问题,只有知情的人才知道其中有些出入。留瑕脸色惨白,思索了一下,才抖着声音说:"我知道了,你让顾师傅拟个章程来,兰贵人的后事,要多做些功德。可怜她孤零零一个人,我这里出三千两,给她家里做个奠仪吧!"

"娘娘是菩萨心肠,兰小主地下有知,定然也是欢喜的。奴才这就去转达娘娘的意思。"赵守宝又磕了个头,退出殿外,却不急着走,侧身站在廊下。

魏珠一看留瑕,她忧郁地点了点头,让人扶着往佛堂去,魏珠才走出来:"老哥,这是怎么档子事?"

赵守宝扯着魏珠走到承乾门内,空荡荡的夹道很长,有人经过一眼就能看见,而且站在中间说话,一点也不怕旁人听到,赵守宝说:"确实是魇镇,你和娘娘疑得没错。"

魏珠点了点头。在宫中,只要寻着了这种事,嫔以上的妃子要由敬事房上报处置,或降级、或关入北三所,几乎都是一辈子不见天日的;贵人以下的妃子,则看着家世如何,名门出身,比照嫔以上的办理,若是后台不硬的,就直接报个急病而亡,一了百了。魏珠寻思着问:"用的是酒还是白绫?"

"我们哥几个原先商议着要掺毒,可是御医那里拧着不肯,怕担事,夜里师傅过去劝了几句,兰小主不肯上路,就用了白绫。"赵守宝的语气很淡,把前因后果讲了个大概,却仿佛只是谈论喝茶吃饭的琐事,他对于主位们处理这类事的心思很清楚,他说,"我瞧着贵妃娘娘有些不安,你这主子大约没遇过这样的事,怀着孕的人,又最容易胡思乱想。你回去之后,多注意些,别让娘娘把这事往心里去。我们在宫里打滚这些年,这种事见多了,横竖咱注定是个没儿女的孤老头子,不怕冤魂缠身,娘娘们不一样,你要多注意。"

"那是。"魏珠躬身,赵守宝之前是慈宁宫总管,跟在太皇太后身边几十年了,处置过不知多少这类事,比他年资深,见识更广,在宫中也是有头有脸的人物。

"其他娘娘我不担心,就没见过也听过,但是你家主子是给捧在手心长大的,皇上爱、太后疼,这些个埋汰烂污的事儿,我其实也不忍心让你主子知道,只是做了贵妃,总是要知道个首尾,咱办事人也才不为难不是?"赵守宝缓缓地往外走,拍了拍魏珠的肩膀,"魏珠,你跟着贵主子好好做,要是主子生了个阿哥下来,老哥哥还要靠你提携呢!"

"老哥说哪儿的话,您才是师傅跟前第一人,敬事房除了您,谁能接师傅的位子?我也有年纪了,不想那些个有的没的,我们主子待我好,我也就认定承乾宫不走了,倒是我们主子要仰赖您的地方,那可多着呢!"魏珠微笑着,从袖里拿出一张折叠好的纸,塞到赵守宝手里:"这是主子的一点意思。"

赵守宝一摸那张纸,就知道是正宗山西范家票号的龙头银票。山西范家是头号皇商,与内务府关系良好,他们的银票鲜亮硬挺,一摸就与其他的银票不一样,而且看那银票的大小,也绝对不在五十两之下。赵守宝又拍了拍魏珠的肩:"既是贵主子的赏,就没脸子地收了,有什么要效力的,你来说一声,我一定帮着。"

赵守宝去了,魏珠连忙转回佛堂,留瑕面对着空荡荡的墙壁,前面的条桌,放着一本经,正在喃喃地诵读。

"主子,奴才问清楚了。"魏珠在她身后跪下,将问到的事情娓娓道来。

留瑕木着脸听完,什么也没说,摆了摆手就让魏珠退下。魏珠在离开之前,听见了留瑕又开始喃喃地诵读着同样的一段梵语,一遍又一遍:"南无阿弥多婆夜,哆他伽多夜,哆地夜他,阿弥利都婆毗,阿弥利哆……"

魏珠走出来,正遇见蓝嬷嬷要拿藏香进去,连忙拦住:"嬷嬷,您老也吃斋念佛,主子在念什么呢?"

蓝嬷嬷侧耳听了一阵,叹了口气说:"是《往生咒》……《往生咒》是要除业障、生净土。咒比经要更诚心,不能有杂念。我不进去了,你关照人们,除非主子叫,要不然都待在外面,别扰了主子修行。"

留瑕闭着眼,不断地重复着,咒语组成的回旋音调中,她陷入了一种怪异的虚无之中。在那似醒非醒的迷蒙中,她听见了海棠的声音,惊恐、无助而又疯狂地尖叫着:"皇上!皇上!格格!格格救我!格格!"一阵暗哑杂乱的公鸭嗓音后,又是海棠凄声厉喊:"我不该死!凭什么要我死!我不甘愿!格格、格格、贵妃娘娘!你们去找贵妃娘娘!去找娘娘!"

那尖声的呼唤变成了诅咒,诅咒着这令人窒息的紫禁城,与里面所有的人……留瑕感觉自己又好像透过海棠的眼睛往外看,持着白绫的太监面露杀机,在那些的一色藏青袍服外,顾问行冷冷地凝视着、监督着,暗灰色的瞳人放出阴凉的光,像一面放在黑暗中的玻璃镜,反射着一切不堪。转瞬间,又变成康熙高傲、冷酷的眸子,如剑一般,刺中留瑕的心。

一个月之后,佟国维以太后之名主持的法会,又有留瑕出面找了各府的福晋们帮衬,很快就办起来了。京里什么不多,闲人最多,大军出征的热闹过了,正闲着无聊,遇上这么件皇家大事,都倒腾起来,又因为捐献香油钱可以贴在与娘娘、福晋们比肩的福禄榜上,各家富户全都卯起来撒银子,须臾几日之间,就已有上百万。佟国维早已与各寺商议过,这些捐献银子都先进了内务府,再由内务府转拨各寺,其中一转手,分到各寺的银子虽然还是让各寺笑得合不拢嘴,可真正获益最大的,还是内库。

法会进行到最后一天,是功德圆满之日。留瑕在众福晋的陪同下,亲身前往,却没穿朝服,素装净扮,盘膝听法,神色之间甚是安详。一场说法结束,裕王福晋与恭王福晋左右搀起留瑕,送她到后殿休息。

“娘娘的肚子样儿看起来挺好的,该是个阿哥,五太太说呢?”裕王福晋摸了摸留瑕的肚子,笑着问恭王福晋。

恭王福晋亲手给裕王福晋与留瑕奉上了茶,温婉一笑:“阿哥那自然是个倚靠,若是格格,那大约是皇上心头一块肉,只要娘娘生的,哪有个不好的呢?”

“先谢了两位福晋金口玉言。我其实倒有些担心,御医每天来请脉,前几天突然抓不准孩子的脉了,说要看看,也不知怎么了。”留瑕的神色之间,已经退去了在外面的那种平静,显得疲倦无力。

裕王福晋坐在留瑕身边,觑着她说:“娘娘,您身子既然有恙,还是回宫去吧!横竖这儿有我跟五太太,要真有什么,还有佟国丈呢!乱不了套儿,您的身子要紧。”

“不碍事,一会儿还有最后几个仪式,差也不差那半个时辰,办完了再回去。”留瑕感激地看了裕王福晋一眼,轻轻捶着腿说,“而且,我这一向总觉得有些心神不宁,来寺庙里,倒清心。”

有人叩门进来,是敬事房的赵守宝。太监们因为无儿无女,老了大多都在寺庙里剃度，有钱的虽不至于要在庙里寄食，但也总是多做功德，以求来世或为父母祈福，所以太监们大多跟北京的各大寺庙都熟，赵守宝自然也不例外。他由顾问行选出来，这次跟着佟国维帮办法会，与留瑕才熟稔起来。他走进来，打了个千："娘娘，宜妃娘娘也来了，您看这……"

裕王福晋与恭王福晋都皱了皱眉，谁不知道宜妃一直都与留瑕不对盘？留瑕却说："请她进来吧！"

宜妃在六格格的搀扶下进来，一时间，众人都有些尴尬，却听留瑕说："我这里有些话要对宜妃说，六格格与福晋们且先到前头，我们一会儿就来。"

宜妃身子一震，因为瘦弱而显得奇大的眼睛不安地环视周围，见六格格要走，伸手想抓，又怯怯地收回手，低头看着自己的膝盖，不发一语。

安静的禅房里，留瑕端坐在炕上，用碗盖拨着茶汤。她想起宜妃当年在宁寿宫辱骂她时，那份精明泼辣，当时不懂为什么康熙会喜欢宜妃，现在看来，也是宜妃对于爱情的不肯相让，才让康熙心生怜爱吧？

"宜妃娘娘，其实我很明白，咱俩是不可能和睦相处的。"留瑕淡淡地说，她已经琢磨清楚了，"你爱皇上，我何尝不爱？你想独占他，我又何尝不想？你敢当着众人表现出来，可我，坐在这个位子上，就只能装大方、装体面，我没有半点怪你的意思，甚至有点羡慕你呀！"

宜妃的手轻轻颤抖，她在经过魇镇之后，如惊弓之鸟，连着好几天都昏迷不醒，在恍惚之间，留瑕总是出现在她梦里，下令折磨她，神志清醒之后，每天晚上，也都还是梦见留瑕冷冷的眼光。现在，只要看见留瑕就退三步，更何况留瑕那淡然的话音里，听不出情绪，更让宜妃害怕。

"你怕我，是吗？"留瑕苦笑，心病还要心药医，她叹了口气，唤人进来，"搀宜妃娘娘去前头吧！"

宜妃忙不迭地走了，赵守宝进来："娘娘，前头功德回向的仪式就要开始了，您要过去吗？"

"我觉得有些头疼，缓些，最后参拜，我再去吧！"留瑕缓缓地移向旁边的靠垫，她觉得很不舒服，腹中一阵阵发闷。

赵守宝看她这样，也不敢多说什么，外头都只是场面上的事，那些富家太太横竖谁也没见过贵妃长什么样儿，糊弄过去也就罢了，若是留瑕有个闪失……赵守宝双手合十，念了声佛，连忙调人过来伺候。

另一头，两位福晋左等右等不见留瑕出来，都觉得奇怪，跟着跪拜之余，恭王福晋偏脸问："二太太，这娘娘怎么还不来？诸天神佛都快送完了。"

"瞧着娘娘今日精神不太好，我看，还是赶紧着送她回宫。她不像咱十六岁就有孩子的，生孩子跟下蛋一样顺当，这三十岁上才得了个头胎，更要小心才是。"裕王福晋低声回答，寻了个空，又绕回后殿去，却见后殿一阵混乱，她抓住了个小太监，"怎么了，这是？"

"娘娘见喜了，说不得，咱得先把娘娘送回宫去。"说完，那小太监一溜烟地就去寻赵守宝了。

裕王福晋愣了半晌，一刻都不敢多逗留，连忙跑回前头。恭王福晋正在喝茶，见她神色异常，斟了杯茶过来："二太太这是怎么了？"

"娘娘那里……出事儿了……不，五太太你别去。"裕王福晋一把拉住要去看看的恭王福晋，咕嘟咕嘟地喝干了茶，白着脸说，"你别问我什么事，咱当做不知道，不知者不罪。我只说一句，咱这两府的性命都在皇上手里呢！"

恭王福晋不言声了，她与留瑕虽然交情好，但是，若是她们插手，却没能帮到留瑕，康熙深爱的女人在她们手里出了事，就像裕王福晋说的，两府上上下下几百口的性命都在康熙手上，要杀要剐，都是一句话而已。

又一轮跪拜开始，裕王福晋与恭王福晋放下了茶，虔诚地叩拜神佛，是替留瑕祈福、也为自己……

留瑕迅速被送回宫中，御医与接生嬷嬷早已等在承乾宫中，因为出血的状况还不严重，留瑕忍着腹中疼痛，等待御医请脉的结果。

"到底怎么回事？"留瑕咬着牙，询问御医，看见他吞吞吐吐的神色，心头火起，猛地一吼，"说！"

"是……娘娘这是……这是……"御医给她吓了一跳，斟酌着字句要说，但是他们一向有个习惯，若是无大碍自然是坦然直言，若是情况不佳，都不跟病人直言，而是告诉她的家人或长辈……

"御医你出来！"是太后的声音，众人看去，德妃扶着太后匆匆赶来，一招手，御医就连忙跑了出去，太后走到外间，"怎么了？"

"回老佛爷的话，娘娘的情况很不好，胎死不下，今儿一定要处理掉，要不,胎气郁结,反害母体。"御医愁眉苦脸地说。

"胎死不下?"太后没生过孩子,对这些症状名词完全不懂,转头去看德妃,却看见德妃脸色发白,"德妃,这是个什么症头?"

"说不得,老佛爷,还是快让御医去弄药,把孩子打下来,再晚些,只怕连大人都保不住了。"德妃很快就恢复正常,镇定地说。

"那还愣着做什么?还不快去!"太后对御医说,德妃扶着太后往东明间外头坐下,荣妃带着敏嫔也赶过来了,太后对荣妃说,"荣妃,这生孩子的事儿,我不懂,你与德妃合计合计,该怎么办吧!"

"奴婢遵旨。"荣妃与德妃同声应了,转身去张罗了。

敏嫔是十三格格的生母,这些年与留瑕有许多来往,她在东明间陪着太后,太后问:"敏嫔,胎死不下是什么?"

"回老佛爷的话,这可最是凶险的了。奴婢虽没遇过,但是生孩子那阵听嬷嬷们说过,这是说孩子已经死了,有些母体可以自己将死胎排出去,如果母体不够健康,就没有办法把孩子送出来。死胎在母体里,尸气淤结,对母体伤害最大,只能靠吃药或用针把孩子硬打下来,但是这也很危险,若是引起血崩,那就是凶多吉少了。"敏嫔一口气说完,才发现太后脸色不对,讷讷地问,"难不成,贵妃娘娘肚子里的孩子……"

"御医说,就是胎死不下……"

太后颓然坐在炕上,一句话也说不出来,心乱如麻,听着西厢里忙乱嘈杂的人声,打翻了水盆的、斥骂的、慌乱跑出去的……在那混乱的声音里,隐隐有留瑕的话音:"别乱……我还撑得住。"

西暗间慢慢静了下来,蓝嬷嬷过来东明间,眼睛红红的:"老佛爷,主子要奴才过来禀一声,御医刚才用了救母丹还有几味药,因为前头安胎药服得勤,只怕一时半刻没那么容易下来。主子说了,知道老佛爷心疼她,可她实在不能让您在这儿守着,心不安,老佛爷是不是……"

"我不走。"太后凄然,她心头莫名地一阵哀伤,哽咽着说,"就是回去宁寿宫,我也担心着。你告诉她,让她别惦记着,我就在这里给她诵经祈福,也好过在宁寿宫提心吊胆的。"

蓝嬷嬷什么也没说,只是点了点头,一蹲身退去。宫女们拿来几本留瑕常念的经文,在东明间里摆上蒲团,敏嫔与其他几个妃嫔也都跟着盘膝而坐,太后喃喃地诵读着经文。西暗间里却没有动静,银烛台上堆起高高的烛泪,太后等人累得在炕上打盹,不知过了多久,蓝嬷嬷唤醒了太后:"老佛爷……老佛爷。"

太后揉了揉眼睛,蓝嬷嬷扶起她,毕竟有年纪的人了,睡得不舒服,肩背都觉得很是酸麻:"怎么样了?"

"大人倒是平安……"蓝嬷嬷拭着眼泪,神色之间,很是不忍,"孩子可怜。"

"阿哥格格?为什么说可怜?"太后问。

"是个格格,掉下来一看,是给脐带缠死的……"

太后连忙套了鞋子就往西暗间去,进去一看,荣妃端了张凳子放在床边,德妃抱着留瑕,轻声唤着:"慧妹妹……慧妹妹……"

"留瑕……"太后过去,坐在床沿,只见留瑕的眸子里一丝神采也无,直勾勾地望着地上,长发梳成松松的辫子,几丝凌乱的发贴在额上,不哭不闹,却更令人心疼,"留瑕,你说说话呀……留瑕……"

留瑕苍白的唇上,露出一抹淡然的笑,却让太后不寒而栗,她轻轻地说:"这是,因果……报应……"

"没有的事,你不要胡思乱想,头胎本就危险,你还年轻,来日方长呀!"德妃柔声劝说,可是与荣妃对视的目光里,都写着忧虑。这样把孩子硬打下来,对留瑕的身体,伤害是超乎想象的,她已经三十岁,就算勉强再有孕,能不能平安生下孩子,也在知与未知之间。

"我……并不难过……"留瑕还是那样气若游丝地说,勉力撑起身子,德妃等人连忙扶住,她对太后说,"老佛爷,我是真的没事儿,这孩子,是我要还一条命。您别问我为什么这么想,只求您,再替我办个法会,超度这个孩子,也超度……前头刚过去的兰贵人吧!"

"好好……我一定让人把法会办得圆满,你放心、放心。"太后连声答应,虽然她觉得留瑕平静得太反常。

"这就好了……"留瑕露出凄凉而欣慰的笑,她又说,"别跟皇上说是死胎,他通医道,知道死胎比小产更伤身子,到时,定要追究旁人责任。我……是不愿再造孽了……请太后帮我圆着,就说……是我自己没注意,伤了孩子的……"

说完，她就疲倦地睡着了。众人轻手轻脚将她放好，屋子里早已收拾干净，只有那一丝挥之不去的血腥味，提醒着人们，刚才那一场生死交关的拉锯战。太后全都照着留瑕说的去做了，一封顾问行以太后语气拟的信，夹在要送去给康熙的奏折里，由快马送往蒙古。

注释：

　　1.三后：即仁孝皇后、孝昭皇后与孝懿皇后。

第二十七章

qingcheng · hongchenjinshu

蒙古

康熙三十五年夏

　　康熙知道消息,已经是将近半个月后的事情,他随即下令要顾问行把详细经过全都禀报上来,心烦意乱之下,他带着十多个侍卫,到草原上散心去了。

　　控着马缰,康熙静静望着草原尽处的霞光千里,火红的流云,宛如祈福的哈达,推挤着往天边流动,红云的末端,长风吹开千顷绿茵,像是有人踏马而来,金黄的阳光随着长风,吹到康熙马前,扬起马鬃,草波浮动,发出有如千万人齐声高呼般的声响。康熙直起身子,平莽荒野,却是一个让人不能不起雄心壮志的地方。

　　"那个谁,来唱首歌!"康熙回头,对一名刚选进侍卫的蒙古少年说。

　　那名蒙古少年憨厚地一笑,抓了抓头,用蒙语问康熙:"博格达汗,我唱《成吉思汗的两匹骏马》可以吗?"

“你唱来！”康熙点头。

少年清了清喉咙，扬声唱了起来“……像两颗珍珠，像两朵金花，像两颗流星，那是成吉思汗的两匹小青马……长大鬃似火苗，头颅像月牙，美鹿似的矫健，彩虹般的尾巴……”

一个明主与神驹的故事从少年嘹亮的嗓音里飘散出来。成吉思汗有两匹小马，围猎有功却没被主人奖赏，成吉思汗又疏忽了它们的辛劳，强行要它们继续前进。这对马兄弟心情郁闷，相约逃跑，找到一个水草肥美之地，住了三年。三年之内，成吉思汗懊恼后悔不已，而马弟弟因为不喜欢被人拘束，到了自由之地，又健康又快乐，马哥哥却思主恋恩，变得又瘦又病。马弟弟不忍心哥哥受苦，便自愿陪哥哥回到成吉思汗身边，成吉思汗看见它们回来，欣喜若狂，封马哥哥为神马，又把马弟弟放出去自由生活。八年之后，马弟弟再回到成吉思汗身边，帮助他获得许多猎物。

康熙默默地听着，这首蒙古长调音韵悠远，听起来有些吃力，但是从歌声中流露出的，是英雄与马的相知相惜。他看着天边滚动的云彩，想象着数百年前的蒙古草原，两匹小马偷偷地跑走，一匹毫不犹豫、一匹不时回眸，它们的马蹄踏在松软的黑色泥土上，分开青绿的长草……

那少年的歌已经唱完了，所有人都看着康熙，他说：“朕希望……朕死后，还能有人给朕作一首这样的歌……”

“皇上寿与天齐……”一些从宫里跟来的侍卫们连忙拍马屁，康熙挥了挥手，要他们不要再说下去。

“成吉思汗，是个有福的人啊……”康熙轻轻蹬了蹬马，随意地走着，他的声音很低，几乎只是自言自语。

“皇上？”侍卫们以为他在跟他们说话，询问地喊了一声。

“没事……朕想事情呢……你们聊自己的事，不用拘束。”

康熙的目光落在远处，什么是为君之道？他无时无刻不在思索，到底大清是什么？长什么样子？他自登基以来便不停在问，可是，始终没有答案。

江南是大清、东北是大清、蒙古是大清、满人是大清、汉人也是大清，这么多的面向、这么大的国家、这么多的人，到底什么才是确切的大清？他的消息灵通，他的耳目深入到帝国的每一个角落，可是，这些枝微末节拼凑起来的，却依然零散琐碎，难见全貌。

如果他知道大清是什么，那是不是就能清楚地了解什么是皇权？至高无上的皇权看不见、摸不着、却实实在在地在他手里，但是，皇权到底是什么？

"皇上，天凉，该加件大氅了。"侍卫们把带来的薄披风给康熙送上，他取过披上，猛然想到宫中此时该去避暑了。他惦念起自己一手打造的畅春园，是时候给太后住的地方搭上天棚防蚊了。

宫里的什么事都按着季节时令来，不到时令，就算是天气骤变，也不能随便加衣减裳，就是太后皇帝，也都要跟着既定的规则往前走，那是祖宗家法、是天地法则。康熙突然有个念头，连他都要去遵守规则，那究竟是他的意志主宰帝国的运行，还是帝国牵引着他的决策？是他驾驭帝国、还是帝国控制了他？

康熙陷入了统治的沉思，天道循环，有生有死、有兴有亡，是他刚好撞在明亡清兴的当口，成就了一番事业？还是这事业若不是他，就无法完成？他很不擅长想这些似是而非的问题，他捧着头，想得头昏眼花，便决定放弃，留待回京有空再慢慢去想。他是个太务实的人，有时候务实得很没想象力。

康熙的务实表现在他对事物的看法上，每次看见一种稀奇的作物，都要先想它能不能有益民生，如果不能，那这东西大概就准备丢在荒山野岭里随便乱长。他希望每一分良田都要达到最高的效益、最好的产量，每一个大臣也都要放到最佳位置，去发挥最大功效……除了这些直接关系统治的东西，其他都是次等角色，有想没想不怎么有大碍。

霞光慢慢地暗了，一里外的大营亮起灯火，明晃晃地伏在草原上。他想起康熙三十年，前往科尔沁会盟的往事，他也是在这样的傍晚时分回去大营，明亮的火光中，留瑕在大营前等着他……

"……成吉思汗最喜欢的是忽兰皇后……"侍卫们的讨论飘进康熙耳里。忽兰皇后，是成吉思汗最深爱的女子，随军转战各地，从无怨言。她在成吉思汗西征花剌子模时死去，成吉思汗把她葬在冰缝之下，不让任何人打扰她的安宁，永远地，保存她的美丽。

"忽兰……"康熙念着这个已经汉译的名字，眸光又投向了已经渐渐消失的红色霞光，有人说，忽兰与乌兰是一样的，只是汉译不同，都是红的意思，康熙想起留瑕，心头一阵疼痛。

怎么会是这么个结果？康熙握紧缰绳，早先是抱着戏鼠猫的心态，他要全面摧毁噶尔丹，连一丝东山再起的机会都不给，此刻，却恨不能立马赶回紫禁城。他想起玛法太宗，当年在征明的时候，也因为爱妃宸妃重病，星夜赶回盛京，为什么他不能也学着跑回留瑕身边呢？

一想起太宗与宸妃、成吉思汗与忽兰，康熙就觉得十分不祥，两段霸主与爱妃的缱绻爱恋，最后都是以死亡诀别……地平线上的霞光已经消失了，草原上一片黑暗，只有满天星斗与明月权做照明。康熙看着那一轮从东边升起的皎洁，心中犹豫不决，明月升起的方向，是他魂牵梦萦的紫禁城，万仞宫墙内，月光，是不是也照在留瑕脸上？

"留瑕呀……"康熙柔声说。前方有一座敖包，敖包就是地界，但是蒙古人相信敖包有灵，只要奉上祭品，就会保佑祈愿的人。康熙驾马驰去，一下马，众侍卫都看傻了，只跪天、地、亲的皇帝，打下了马蹄袖，单膝下跪，郑重地把一把佩刀放在敖包前，才站起身，喃喃地说："总理山河臣，爱新觉罗·玄烨，伏祈天地神灵，庇佑臣妻博尔济吉特氏……"

一队军士护着四阿哥胤禛过来，众阿哥在营中都与康熙一同用膳，却左等右等不见父亲回来。三阿哥这些日子身体不适，五阿哥不擅骑马，七阿哥腿有残疾，四阿哥只能亲自来寻。

康熙已经上了马，也不看四阿哥，径自狂奔而去，四阿哥只能与众侍卫追上去，跟随康熙已久的侍卫阿南达低声对四阿哥说："四爷与其他爷这些日子可要变着法儿讨皇上开心。"

"怎么了？"

"皇上今儿接到了内廷急报，慧娘娘小产了！"阿南达叹了口气，把声音压得更低，往那敖包看了一眼，"刚才奴才们在后头细听，似乎是为慧娘娘祈祷，您瞧，皇上把那把红毛番贡的宝刀都献了敖包做祭呢……"

五月的克鲁伦河，正是水草丰美的季节，这条从《汉书》以来就有记载的河流，平时的水量并不大，只有在夏季才略为丰沛些。长河从肯特河往南折东而去，进入呼伦湖，随着湖水汇向额尔古纳河，再与黑龙江接头。

克鲁伦河对蒙古人有重要的意义，对有心称霸的人，更具意义。这条河，正是成吉思汗毕生活动最频繁的地区，他的称汗与传说中的墓葬，都在克鲁伦河畔。

　　三百年前的一切都走远了，打马走过的成吉思汗已经无处可寻，他心爱的八骏马也杳如黄鹤，只剩下几匹听说是八骏后代的神驹，在每年祭拜成吉思汗时，被牵出来供人膜拜。这几匹马是从不上马鞍马具的，养得肥壮好看，只是没受过训练，自然上不得战场。

　　河上反射着粼粼波光，河边一溜儿生着野玉簪花，迎风摇曳。一只手擦过花瓣，轻轻摘起，淡淡的清香，为这条河所背负的历史，平添一分温柔。

　　康熙皇帝站在河边，在他身后，大军已经过了河，正在休整。在他们前方，就是噶尔丹原先的藏身之处，但是大军过河的时候，他们却丝毫没有临河而拒的阵式。康熙转着手上那朵玉簪花，淡淡地说："不懂得利用地形，据河拒战，蠢货。"

　　一个都统过来，行了个军礼："皇上，奴才来请示，何时出击？"

　　"明天，传旨下去，朕亲率中军中营，全部都轻骑简装，两日赶往克勒河，让喀尔喀的沙津亲王还有六额驸敦多布多尔济他们跟朕一起去。他们是地头蛇，打小在这河边长大的汉子，叫他们点起本部兵马，朕要追击噶尔丹。其余人等，可缓些，四日之内，到克勒河来寻朕。"康熙淡淡地吩咐。

　　噶尔丹已经逃走了，他没有想到康熙亲率的中军来得那么快，已经到了自家门口。半夜上山俯瞰，才警觉清军数量数倍于己，慌忙逃走，清军的探马去查看时，发现他们已经走了至少一天。

　　但是康熙并不急着去追，他看着自己的军队，全都是健壮男子，而噶尔丹的军中，还有妇女老弱，跑不远的。

　　次日清晨，康熙点起兵将，亲自去追噶尔丹，铁蹄如风，在王爷们的向导下，康熙很快就追上了被噶尔丹抛在身后的老弱妇孺。他们惊慌失措地站成一团，有些人拿起了刀，孩子吓得攀着母亲的脖子号啕大哭。康熙冷着脸，对土谢图亲王说："让人去问问他们，噶尔丹还有多少人马？"

　　土谢图亲王答应一声，招手要人去问。喀尔喀与噶尔丹所属的准噶尔部在多年的征战中，早已杀成了世仇。几个喀尔喀军士问话时候，自然也没什么好口气，准噶尔人也不回答，只是拿着刀，冷冷地看着他们。

　　康熙眼看问不出结果，努了努嘴，叫过敦多布多尔济："女婿，拿些金银把话骗出来。"

　　敦多布多尔济很年轻，才二十出头，也是博尔济吉特氏子弟，高大俊美，却很伶俐。他从怀里掏出几个金瓜子，上前去，对一个老准噶尔人笑眯眯地一躬身："老大爷，我们这是要去会合的军队，向您问件事，两边都在打仗，您这是怎么了？怎么走得那么匆忙？您的牛羊呢？"

准噶尔老人见他如此有礼，气度非凡，忖度着说："逃难，哪顾得上这些？"

"逃难？您这么大岁数，还逃什么难？"敦多布多尔济故作惊讶，还亲自搀了老人家到旁边，招手要人拿水来，敬了一碗水。

康熙微笑，对沙津说："你们家这个小王爷，是个人精。"

"那是，他从小就是个温柔性子，没有脾气。科尔沁本家的格格有时候来我们这里玩，都喜欢他作陪，又斯文又有耐心，人也漂亮，当然，还是要靠皇上多多提携了。"沙津赔着笑说。

康熙传令让军队就地休息，给敦多布多尔济时间慢慢问话。他看着原野上散乱的箱笼物事，里头还有些金银珠宝，又问沙津："你觉得，噶尔丹为什么走得那么匆忙？"

"小臣猜想，他已经走到穷途末路了。"沙津整理了思绪，谨慎地说，"这些金银财宝虽然贵重，但是比起兵马就不值钱了，又重，是拖累。这些老弱妇孺自然更不值一文，不过噶尔丹这样做，却是断了自己东山再起的路。这些人，都干系着一个家族，把他们弃而不顾，往后拿什么来号召百姓？把这些钱财丢下，往后拿什么去收买情报、拿什么赏人？所以小臣说，他已经是穷途末路。"

"你说得甚好。"康熙点头，对这位看来木讷的蒙古王公又有了另一番看法，"看不出你这三大五粗的蒙古汉子，还有这么伶俐的心思。"

"小臣从前也不懂，只是看到这番景象，就想到当年我们喀尔喀七旗南迁投靠皇上的时候。汉人有句话说'风水轮流转'，现在他们准噶尔人也到这个地步了……"沙津看着那些手足无措的准噶尔人，有些怜悯，更多是感慨，轻轻一叹。他的一个小女儿就是在战乱中失散，再也找不回来了。

康熙没有言声，却看敦多布多尔济跑回来，扣着他的马辔："皇上，他们的人数比我们想的还少，只有两万，而且有些还只是小孩子，一半由噶尔丹本人带，一半是他的妻子阿努娘子带，分成两路逃了。"

"好，快追！"康熙一挥手，要众人上马，绝尘而去。

大军追到拖纳阿林，抚远大将军费扬古的先锋已经在那里等着康熙，噶尔丹已经跑远了，但是都在费扬古的军力范围之内，很快就能进行决战。康熙因为军队存粮不足,辎重都在后方,不能再往前,于是分拨粮草,将部分军队交与内大臣马思喀,命其继续追击噶尔丹,自己则准备班师。

当夜,康熙驻跸于拖纳阿林,远处有一个战俘营,关押着投降的额鲁特人、准噶尔人。马思喀进帐来,打了个千,康熙正在写信给太后,抬头问:"怎么了?"

"回皇上的话,战俘营里挑了几个容貌看得过去的女孩子,微臣们想,皇上辛劳了这么些时日,是不是……"马思喀咽下了后面的话,脸上带着一抹男人之间的善意微笑。

康熙哪有什么不明白?他这次亲征早就憋得慌,前些日子,战局瞬息万变,顾不上这些,现在战况大好,不免也就心痒痒的,还要端着皇帝的架子,轻声咳了咳,挥了挥手:"嗯……"

"微臣明白。"

马思喀退出去,康熙又低头去写信给太后,他喝了口水,静下心,恭敬地写着:"……此行臣统大兵深入,贼望风遁逃,全师凯旋者,诚大庆幸。至蒙古之性情、地方之水草、兵法之宜守、宜战、宜招徕、宜遣使、宜焚燎,及断其道路、防御堵截、难易机宜,目所洞悉、身所经历咸已知之,自兹以后、亦甚易易矣。"

把墨又在砚里磨了几圈,康熙伸出左手,用笔管点着自己的指节,掐算时日,才又援笔写道:"……臣于六月初十日内可至京师。臣此行乃国家福祉;上天眷佑,为此不胜欣喜倦切,具奏以闻。"

吹干了信纸,用端楷写好信封,亲手封缄,这才呼出一口大气,要回家了!他看着桌上另一封已经拆开的信,是顾问行的报告,用一丝不苟的楷书写着留瑕的状况。她的身子没什么大碍,另外还附上脉案跟药单,康熙轻轻敲着那张脉案,闭起眼睛,脸上的表情,爱怜万分,似乎他的手指,是按在留瑕的皓腕上……

一阵杂沓的脚步声让他睁开眼睛,马上恢复成众人熟悉的康熙皇帝。他静静地看着马思喀领着五六个蒙古少女过来,都换过了衣服,瑟缩着不敢上前,也看不清楚面貌,一走进来,就腿软跪了下去。

一样是蒙古姑娘,怎么就没有留瑕那份敏慧爽利呢?当年在布库场召见她时,她可没发抖过呀!康熙想到这里,原本的欲念消了大半,叹了口气,摆了摆手说:"你们几个,许过人家的、有心上人的,自己站起来,朕放你们回去。"

这群女孩子们,犹豫地看了马思喀一眼。康熙说:"不用看他,没人愿意自己的女人还想着别人,朕也一样。甘愿伺候朕的留下,想走的就走,朕说话算数。"

一个看起来很伶俐的娇小女孩首先回过神,磕了个头:"奴婢不敢诓博格达汗,奴婢心里头有人,生也跟着他,死也跟着他。"

说完,就站起身来,康熙点点头:"好样的,马思喀,一会儿赏她二十两银子。小姑娘,这二十两银子,算是朕给你的贺礼,拿去打个头面,跟你的情哥哥好好过日子吧!"

"奴婢谢博格达汗赏。"

女孩子又磕了个头,其他人见状,纷纷起身,到最后,只有一个女孩还跪在地上,康熙问:"你呢?不想回家吗?"

"奴婢的家人早给噶尔丹杀了,一百多口人只剩奴婢一个,奴婢无处可去,甘愿伺候博格达汗。"那个女孩子清楚地说。

康熙想起留瑕,很多年前,留瑕出宫彻夜不归,回来之后,康熙问她是不是想走,但是留瑕却说"奴婢离了乾清宫,还有哪里可去呢",思及此,康熙对这个女孩生起一种怜爱:"抬起头来。"

那女孩子抬起脸,又低下头去,马思喀得意地看见康熙的惊讶,这个女孩,可是他从将近万人中挑出来的,如果放在北京,那自然不算什么,可是在这里,那可真是个宝了。他欠身回奏:"皇上,这姑娘虽不是个格格,可也身份不凡,她母亲也姓博尔济吉特,说起来,是慧娘娘的族人呢!"

康熙凝视着她,那张脸,虽与留瑕只有六分相像,对康熙来说,却已经够了。她那低垂粉颈的模样,与留瑕最是神似,虽没有留瑕那种从骨子里透出来的江南水灵之气,却多了几分憨直淳朴。康熙深深地望着她,思绪飘回了在古北口的初遇,那抹长河落日般的凄艳,已经很久没在留瑕脸上见过了⋯⋯

那个女孩子低着头,她感觉到康熙的目光直勾勾地落在她身上,即使是豪气的蒙古姑娘,对这种事也多少不安,她的脸羞得通红。而马思喀看康熙没有排斥的意思,正要带着那群女孩退下,康熙却叫回了他:"把这个女孩子安顿下去。"

"皇上不要她陪寝吗?"

"不了,她与贵妃太像。贵妃小产,心绪最不好的时候,朕若又带了一个妃嫔回去,平白让贵妃伤心而已。"康熙温柔地看了那女孩子一眼,低头看见留瑕的脉案,"路上让她给朕捶捶腿、揉揉脚就可以,回宫之后,让她伺候贵妃吧!"

马思喀与女孩们都退下去了,康熙强压住自己的欲望,叫人进来收拾了东西,早早地上床睡觉。军务已经不再挂心,辗转反侧,却都是留瑕。朦胧的梦境中,留瑕走进帐中,站在布幕边,他一个箭步冲上前去,紧紧地吻住了她,将她拦腰抱起,不理会她的挣扎,将她按在床上,热切地吻着,有种少年时代才有的盲目激情蹿起,迷惑了早已过了不惑之年的康熙。

梦里的他相思难耐,梦外的康熙急促地喘着气,良久,才沉沉睡去。不知过了多久,他突然惊醒,奈何楚王梦醒,巫山已远,康熙怅然地望着自己空空的双臂,枕被之间没有留瑕的气息,他披衣起身,裹着大氅,走进帐外的晨雾之中,希望看见留瑕打马奔来。但是什么也没有,露水沾衣,竟感微凉。

康熙惆怅地倚着帐门,低声说:"是耶?非耶?为何姗姗来迟、匆匆离去?"

清晨的拖纳阿林,各个大营有种安静的骚动,人们早已起身着装,低声地交谈。金顶大帐前,四个阿哥站在帐门边,垂手而立,五更时分,里头传来康熙的声音:"都进来吧!"

四个阿哥答应一声,走进帐去,整齐划一地打下马蹄袖:"儿臣恭请阿玛圣安。"

"起来吧!老三,外头天气怎么样?"康熙正让人伺候着穿上明黄皮甲,随口询问。

三阿哥出列,欠身说:"回阿玛的话,今儿云多,正好适合行军。"

康熙正要说话,一个侍卫跑进来,打了个千,兴奋地说:"皇上鸿福齐天,外头出现五色祥云了!"

"是吗?"康熙挥开旁人,自己扣了扣子,便出帐去看。

大营里的人都跑出来了,只见正东方升起一团团五彩斑斓的云,烘托着金黄的日轮,放射着柔和却又灿烂的云光,宛如千万匹骏马,从太阳里奔上天际,彩云满天,炫目的光芒照亮了草原。康熙没有听见旁人呼喊"天降祥瑞,吾皇万岁"的声音,祥云极端的绚烂美丽背后,是一片普照天下的白,无法以肉眼直视,却无法忽略的美,宁静而空灵,世间的一切在阳光下都显得渺小。康熙说不出心头的震撼,待到云光散去,他胸中突然有种亟欲归去的感觉,天下纷扰,有喜有悲,却远不及承乾宫里清静悠远。

"梁园虽好,非久居之乡……"康熙猛地想起这句话,他也喜欢草原的辽阔无际,然而,他发现自己却还是个道道地地的京里人。再也等不及,他用最快的速度命人收拾东西,翻身上马,凝视着东方,他思慕不已地对四阿哥说:"走,回家。"

　　康熙上给太后的信，用快马加急送进宫中，所有人都精神一振，顾问行更是一闻讯就叫赵守宝出宫报与在畅春园休养的留瑕知道，赵守宝带着几个人，快马加鞭奔往畅春园，到园子里，已经入夜了。

　　留瑕正由十三格格陪着，在水榭里乘凉，水榭的灯，用了极薄的青纱灯罩，将人照得模糊。重重纱帘，只看得见影影绰绰有人，纱帘内，十三格格清亮的童音吟唱着："银烛秋光……冷画屏，轻罗小扇扑流萤，天阶……夜色……凉如水……卧看牵牛织女星。"

　　"这首唱得不错，天阶夜色，气应该再长些，凉如水的弯弯不要那么多，改掉就很完美了。"留瑕轻声地说，顺手把什么东西推过去，"休息一会儿，吃点西瓜。"

　　"谢谢额娘。"十三格格已经九岁了，因为是在园子里，换下旗装，也学着汉人三绺梳头、两截穿衣,一身宁绸苏绣的鹅黄衫裙,衬得这小小人儿有如水仙花一般灵透。拿了片西瓜,就钻出纱帘要抓规矩玩。这不规矩的规矩,最怕机灵古怪的十三格格,它原本好端端地窝在帘外算计着要抓笼里的金丝雀,一见十三格格来,炸起了毛满世界乱跑。

赵守宝来到水榭,笑嘻嘻地打了个千儿:"主子吉祥,格格吉祥。"

十三格格一看到他,不等留瑕说话,连忙问:"是不是有我阿玛的消息?阿玛要回来了吗?"

"格格一猜就着。"赵守宝笑得眼睛都眯成了两弯月牙,讨好地说,"皇上的信到了,说六月初十之前,肯定回得来。奴才特来给主子、格格报喜呢!"

"太好啰!阿玛要回家了!"十三格格喜得在水榭里跑了一圈,又跑出去绕着湖边跑边笑,一众宫女、太监也跟着露出了欢喜的神色。

赵守宝脸上挂着笑,眼光却盯着帘内留瑕无动于衷的背影,听见她的声音淡淡地说:"知道了,让人收拾收拾,我明天就回宫。"

"是。"赵守宝有些讶异于她的平静。

"你们带着格格回去休息吧!我静一会儿。"

众人退出去,留瑕隐在水榭的纱帘下,静静地看着天上那弯新月。看着这些走在假山、柳边、花间的宫女们,衣香鬓影、笑语嫣然,都随着徐徐清风吹到她面前。纱灯一盏盏地灭了,水榭里很暗,朦胧月色下,留瑕轻轻呼出一口大气。小产之后,她就很不喜欢在亮处,独自在黑暗中,很多人会觉得害怕,但是她觉得在黑暗里才能呼吸,才能拥有一种不被窥视的自由。

在水榭外,魏珠领着两个小宫女默默地坐在台阶上,他默默地抽着旱烟,呆着脸想事。

小产是三月的事,现在已是五月底,留瑕小产后,各宫妃嫔其实都可怜她,原本怕她会像宜妃那样疯狂,但是没有。她显得异常平静,这两个多月,该做的事还是去做,妃嫔们也都愿意来陪她,看起来没什么差别,只有魏珠这些贴身伺候的人才知道,留瑕变了。

赵守宝又回来,他向魏珠招了招手,两人走到离水榭有些距离的地方,赵守宝问:"你家主子怎么了?皇上回来可是好事,怎么,你主子一点都不欢喜?"

"我也纳闷着呢……我们主子这一向总是淡淡的、懒懒的，连镜子也不照……其实不算没照，梳妆时还是坐在妆台前，但是只任由梳头的摆弄，眼睛里空洞洞的，怎么说呢……"魏珠想了想，皱着眉说，"也不像宜妃那样一看就知道不对，只是有点儿……嗯……"

"没劲？"赵守宝猜测着问。

魏珠点点头，又摇头，龇着牙说："说不全，看着做什么都意意思思的，可说话又清醒。我有几次都熬着没睡给主子坐夜，也没听她哭，也不像一些没了孩子的小主那样怨天尤人，静得有些可怕。"

"是嘛……"赵守宝搓着手。

两人一时之间都不知道说什么好，只能一起看着泛着涟漪的湖面，默默无言，良久，赵守宝才艰难地冒出话来："皇上回来……应该就会好些了吧……"

"但愿如此……"魏珠点着头说，看见留瑕走出来，向赵守宝点了点头，连忙赶上去，"主子，天也晚了，咱回太朴轩去吧？"

留瑕没有点头，只是面无表情地走着，经过赵守宝身边。他感觉两道幽魂一般空寂的目光扫到身上，像冰水似的激起手臂上的鸡皮疙瘩，说不上为什么，但是他就是清楚知道留瑕根本没有看见他，她走得很慢，像是散步，脚步却虚浮，如在梦里。

两个太监、两个宫女亦步亦趋地跟着留瑕，她的住处是湖边的太朴轩，她却绕过大半个湖，踩上一条羊肠小径。魏珠轻轻地叹了口气，回头对两个宫女说："你们绕去东边，让他们开门给主子进去。"

两个宫女抄小路跑着去了，赵守宝低声问："主子这是怎么了？这么晚了。"

"已经连着几天都这样了，我偷着请御医诊过，说是夜游。御医说，主子会这个样儿，一是血虚、神魂不宁，二是肝郁、郁闷愤怒，三是阴虚、情志不调。总归一句话，都是因那未出世的格格而起的……"魏珠突然走上几步，扶了留瑕一把，又让她自己走，"御医说，心病怎么医都有限，总归是要自己想开才是。"

"那主子是要去哪儿？太朴轩已经过啦？"赵守宝看着前方几个小太监打开一扇门，让留瑕通过，赵守宝讶异地说，"清溪书屋？"

"是清溪书屋，主子嘴上不说，可就连梦里，都想着皇上……要不，来皇上起居的地方做什么？"魏珠深深地叹了口气，也跟着进了清溪书屋，刚才那两个宫女已经在正院里点起灯火，打开门，留瑕带着一脸做梦似的神情走进去。魏珠示意宫女盯着，自己又坐在台阶边，看着天上繁星发呆。

赵守宝倚在门边，留瑕在康熙的书案前站了一下，又拉开他的椅子坐下，起身之后，站在炕边愣愣地看，时而走到窗边，又走回炕旁，有时走进内寝，坐在康熙的床上，也不躺下，只是坐坐站站，拿起东西又放下，没有片刻安静，像一缕吵闹却又不扰人的游魂。赵守宝都看得累了，坐在门槛上打盹。

直到四更时分，自鸣钟轻轻响起，赵守宝疲倦地睁开眼睛，却看见留瑕走进内寝，低声地对着空无一人的床说："皇上，四更了。"

不久，大军凯旋，太子带着一众皇子王公与在京大臣出北京城郊五里跪迎御驾。在前几天，最为隆重的大驾卤簿就已经陆续运到城郊二十里外，准备与康熙会合。皇帝卤簿分成大驾、法驾、銮驾与骑驾四种，各依场合不同行之，最隆重的就是大驾，祭天等国家大典才能启用。

此次康熙凯旋，太子与群臣原先拟的是銮驾，一送到康熙那里，就被痛斥一番，驳了回来。康熙原先也没什么意见，他不是很在乎这些场面上的事，况且用的等级高，累的是端坐不能动的他。但是明珠却有不同的看法，他说："名与器，不可执与人，端正上下名分是国本，皇上可以命令从简，但是臣下不能代皇上决定从权，这是人臣本分。"

康熙听进去了，于是申斥了礼部，要他们再拟。其实，骂的是礼部，扫的却是太子的脸。

北京城里万人空巷，都挤着看热闹，靠着凯旋路线的商家住户纷纷设香案果品，制造出箪食壶浆以迎王师的景象。只见前导乐之后，是一排排的骑兵与整齐的畅音阁御乐，鼓吹号角、笙管笛箫不绝于耳，远远地，就听见畅音阁供奉们大声地唱着《壮军容》。

> "壮军容，威四方。砺戈矛，森甲仗。剖文犀，七属烂如银；带鲛函，璀璨难名状。者的是，金城保障，有纯钩巨阙，和盘郢鱼肠。更有湛卢紫电，承影含光。又豪曹似水，素质如霜，赛莫邪干将……"

歌声之间，四十面五色金龙小旗、两面翠华旗、金鼓旗、门旗、日月旗……五云五雷八风甘雨玄武朱雀青龙白虎……等不计其数的旗，看得人眼花缭乱，又有五色龙纛四十支，龙头旛、豹头旛、五色九龙团伞、单龙团扇、双龙团扇……九龙黄盖、紫盖等百姓们想都不曾想过的东西，一件一件地过去，人们一开始还睁大了眼睛看，但是看过了几样后，就懒懒散散地不想看了。

"皇上，皇上来了！"总要有个见过世面的耆老跪在地上轻声提醒，人们才会在那一群服色鲜亮、精神抖擞的官员通过之后，注意到那乘高一丈一尺一寸、上面封着金圆顶，四边垂着镂金云彩的玉辇，云龙盘绕四柱，朱帘之内，一尺三寸的云龙宝座置于正中，康熙皇帝端坐于上，玉辇之下，三十六名御前侍卫持刀驾马护卫，目不斜视，也不容许任何人靠近玉辇一步。

人们被这样的皇室气派给震慑住了，盲从地跟着旁人高呼："万岁万岁万万岁！"

万众齐声，康熙满意地看着他生长的城市，从百里不见人烟的草原乍入京师繁华之地，众侍卫与初次从征的军士多少都有些不习惯，却听前方的畅音阁又换了歌，是《皇都无外》。

> "皇都无外，更日月光辉，一统车书，祥麟在薮凤来仪。贡筐篚，玳瑁文犀，闻说青云千吕。岛屿平夷，是中土圣主当阳，喜辇下，还将八景题……"

万岁之声依然震天价地喊着，康熙望着前方，朱红的午门巍然而立，多少百姓敬畏地看着它、多少举子渴慕地看着它、又有多少官员沉重地看着它，而康熙看着它，脸上泛起满意的笑容，像看待一只忠心的老犬。玉辇辘辘驶进午门，太和殿便出现在康熙眼前，汉白玉砌的九层梯台高高耸立，那是九州万方亿兆生民的仰望。康熙下了玉辇，一步一步地踏上去，是登天之梯，站在顶端，康熙感觉自己从地下回到了天上，这种情境，他一点都不陌生，只是有点怅然若失。

下半晌的宁寿宫里，太后、留瑕与众妃主都穿着正式朝服，妃嫔们大多精心打扮了一番，用水粉胭脂香露把自个儿弄得香喷喷的。太后太妃与留瑕在内寝休息，其他妃嫔则三三两两地在殿里殿外聊天。

荣妃与德妃没怎么打扮，跟往常没两样，两人一碰面，都笑了，荣妃说："德妹妹怎么没打扮呢？"

"荣姐姐不也没打扮吗？"德妃难得地露出一个狡黠的微笑，两人同时用手绢掩口轻笑起来。

"妹妹们笑什么呢？"人未到，声先到，纳兰惠妃虽然穿着与荣德二妃一样的朝服，但是朝珠与手上的戒指都明显贵重许多，妆容完美地绘在脸上，一派雍容华贵，倒真有几分母仪天下的架势。她与二妃见礼后，故作赞叹地说："还是你们好，素妆净扮别有风韵，哪像我，老喽！"

荣妃只小了惠妃几个月，两人同时入宫，哪能听不出惠妃抬高身价的意思？便笑着说："惠姐姐说哪儿话？举目所及，谁比得上姐姐一分雍容庄重？哪里就显老了呢？"

"那是，惠姐姐手上这猫眼，瞧着很纯，想必价值不菲。"德妃心中暗笑，嘴上也还是凑着趣说。

惠妃骄傲得脸上放光，却还要谦逊着："其实不值几个，但这是我们大福晋的孝心，我这做婆母的，总不好拂了媳妇的意不是？"

德妃一听就知道这是有意炫耀大阿哥的显贵，她也是生有子嗣的，自然不屑奉承，只是应酬地笑了笑；荣妃却有心杀杀惠妃的威风，故意看着其他的妃子说："我说大伙儿今儿是怎么了这是？一个个打扮得花里胡哨，翻倒了珠宝盒似的，金的银的全往身上戴，叮咚响。惠姐姐，你瞧那边那个，一会儿咱去碰她一下，只怕要响个半天呢！"

德妃忍住笑，别过了脸假装咳嗽掩盖过去，偷觑惠妃，脸上没了笑容，却还装着热络："皇上要回来，自然是要盛装相迎，这是礼节不是？"

"得了哟！我的惠娘娘，咱也进宫快三十年了，这里头的首尾，旁人不懂，咱几个老姐妹还不明白？大伙是眼巴巴地盯着皇上回来，雨露均沾，要不，就这一身重死人的朝服，还不盛吗？"荣妃笑着看了惠妃一眼，有意无意地瞄了瞄她的那些珠宝。

德妃含笑看着殿外，不说话；惠妃的嘴稍稍抽动了一下，堆出一脸假笑："这也是实情……只是这礼最……"

"咳！"荣妃在空中摆了摆手，像拍了谁一下，故作漫不经心地说，"我说胭脂水粉，珠宝首饰，千扮万扮，哪及得上皇上喜欢的那股子灵巧？贵妃娘娘刚才进去时候我见过了，也不怎么打扮，可人家南边来的，就跟咱不同。一笑，就像花开了，一哭，就是我们女人也心疼，怎么怪皇上爱她呢？"

德妃听着两人互相攻讦，觉得挺有趣，她是个谨慎人，不多招惹是非，可也不喜欢惠妃那自以为是的口吻，就帮腔说："上回那桩事儿，我们四爷在军中给我写信，说皇上心疼得了不得，还亲自去拜敖包，把那把红毛番贡的佩刀，哦，就是皇上最喜欢的那把，镶着红宝石的，拿去做了祭品呢！"

"是这话！所以我说怎么扮都没用，皇上回来，一定要与贵妃娘娘说些体己话。她也可怜，去争这个宠，不但是争不过，还平白落了个欺负人的名声呢！"荣妃皮笑肉不笑地说，又转脸去跟别人说话了。

惠妃又气又恨，正想说话，就看见留瑕走出来，一身贵妃朝服，比往日略重的妆是为了勉强掩盖住苍白的脸色，手上只一颗小小的珍珠，其余就没什么朝服定例之外的东西。一出来看见惠妃，留瑕说："惠姐姐来了？今儿好漂亮。"

"娘娘万福。"惠妃福了福，低头看见手上那颗猫眼石，真恨不得拔起来掼到一旁。留瑕跟她说了几句话，就又回殿内去了，惠妃望着她憔悴许多的身影，倒真的心中一软，竟硬不起心肠也寻不出由头恨她。叹了口气，心中空落落的，若有所失。

康熙带着太子等一众阿哥过来，小太监早已一路飞报，众妃主乱了一阵，按照昭穆次序站好。留瑕先站出来，接着是太后太妃，端坐在正殿上，等着康熙等人来磕头请安。

一阵脚步杂沓，由远而近，康熙三步并作两步进殿，一甩马蹄袖，领着阿哥们一起跪了下去，齐声说："儿子恭请太后圣安。""孙儿恭请皇祖母圣安。"

"都起来。"太后拭着泪，欣慰地看着这群儿孙，又将手一让，"给太妃请安。"

康熙起身，阿哥们还跪着，康熙打了个千，却不下跪，用家常的口吻说："玄烨给皇姨请安了。"

"皇上，皇姨跟你母后，每天都在数着日子等你回来呢！"淑惠太妃清楚自己的身份,因此也不敢像太后那样直称"皇帝",执庶妾之礼,也称康熙为皇上。

"有劳皇姨惦念,玄烨也很是想念母后跟您呢!"康熙温馨地说,却不是用"儿子"自称,只是"玄烨"。当他转过头来对阿哥们说话,则是严父的口吻:"还不给太妃请安。"

"孙儿恭请皇太妃慈安。"众阿哥磕头行礼如仪,太妃则没有再谦辞。

太后吩咐人给皇帝看座,坐定后,留瑕等一众妃嫔站到康熙身前,整齐地蹲下身去:"奴婢恭请皇上圣安。"

康熙让她们都起来,由于留瑕站得最近,几乎就站在康熙身边,可是却连一眼都没看他。太后与太妃都注意到了,太后微笑说:"贵妃刚从畅春园回来,身子还弱,不立规矩吧!来人,给贵妃看座儿。"

留瑕蹲身谢了,搬座的小太监受到太妃的眼神指示,把座位搬到康熙旁边,留瑕略一迟疑,还是欠身坐下。

太后问了好些话,康熙都一一回答。殿里人多,就连康熙与留瑕也坐得有些挤,留瑕的朝裙又宽,她低眉敛目,却时不时地觉得有东西蹭着小腿,低头仔细看,却是康熙。他把脚藏在留瑕的朝裙底下,有事没事就碰她几下,留瑕偷偷移开脚,正好太后转头去问三阿哥话,足踝上却被他钩回原位,侧头,康熙似笑非笑地看着外头,一副没事人的样子。

请过了安,康熙带着阿哥们离去,他还有事情要处理,众妃主就散去了。留瑕在回宫的路上沉默不语,瞥见巴雅尔与佟贵人跟在身后,她此时才注意到,巴雅尔也与其他妃嫔一样打扮得十分美丽。十八岁的巴雅尔脸上泛着红晕,正在与佟贵人解释刚才康熙说过的草原风物,眸子闪闪发亮,留瑕有什么不明白?心头却越发地郁闷沉重起来。

一到承乾宫,留瑕刚换下朝服,就要梳头太监给她卸妆。太监迟疑地说:"主子,一会儿如果皇上来了……"

留瑕疲倦地一笑,示意他快点把妆卸掉,梳开长发,梳子上却一连缠了好几根头发。留瑕透过镜子,看见太监故作镇定地把掉了的头发弄掉,其实她很清楚,头发掉得多,是气血亏损的征兆。留瑕自己要过了梳子,抓着头发,随便地梳着。

过了约莫小半个时辰,天色暗下来,是要用膳的时间了,留瑕懒得梳髻,任长发披散，随便地用了一小碗饭跟几碟素菜，就又坐到妆台前，梳着头发，望着镜子出神。

一阵脚步声传来，是巴雅尔，她也卸去了朝服，一身淡金色缎面洒绣蝴蝶旗袍，留瑕只觉眼前一亮，勉强地微笑着说："妹妹这一身好清爽，我从前也最喜欢这些淡色了。"

巴雅尔虽然娇小，但是穿起旗装有种小女孩似的天真可爱。她抱着一个大包袱，里面是给康熙做的一件湖色长袍，早先是留瑕裁好了料子要自己做的，但是巴雅尔说想学着做针线，就拿了去。留瑕看着她站在跟前，俏生生的有如百灵鸟般活泼，粉嫩红润的脸庞、朝气蓬勃的明眸，她说了什么，一句都没听进去，只恍恍惚惚觉得很羡慕，多么年轻……

突然，什么声音都没有了，但是留瑕浑然不觉，她的思绪不知道落到什么地方，直到听到巴雅尔清脆的声音中带着喜悦喊："皇上吉祥。"

留瑕身子轻轻一晃，坐在椅子上，缓慢地侧过头，看着西暗间的雕花折门边，仿佛不认识，左手抓着的长发松开，如飞瀑般披落，挡住了她苍白的脸庞。

康熙背着手立于门槛外，换了件早已不穿的米白色长衫，银色腰带上系着明黄荷包。他这些年胖了点，衣服显得有些小了，可还是从前留瑕给他做的那件。他静静地望着门内的她，眸光中游走着温柔的光，还是那样炽热，他专注地凝视着留瑕轻轻发抖的右手，直到那把黄杨木梳子落地……

一阵沙沙的脚步声穿越半个房间，留瑕的心跳得让自己都觉得乱，是谁的手，拨开长发？留瑕瑟缩了一下，偏过头去，想阻拦那太过明亮的视线，那只手轻轻抚着她的脸庞，粗糙的拇指擦去一滴凝在眼睫尖的泪，一双手臂，将她牢牢地从旁箍住；谁的唇，吹出轻细的气息，落在耳边？留瑕没有说话，西厢很静，只有衣料轻轻摩擦的声音……

突然，巴雅尔打破了这片宁静："皇上，这是您的衣裳。"

留瑕的身体僵了一下，惨然一笑，正想挣脱康熙的怀抱，却被拥得更紧，康熙夹着她，当着巴雅尔、当着所有的太监宫女，把内寝的折门用力关上。

脱离了所有人的窥视，留瑕的眸子在幽暗的内寝里显得明亮许多，她愣愣地看着康熙把门关起来、看着他走近,她猛然想起之前的梦境,康熙那鄙夷、伤心而又悲愤的目光闪过她眼前,下意识地往后一退,避开了康熙的手,像是被什么东西螫了一下。康熙的手停在半空,他错愕地注视着避在一隅的留瑕,原先乌黑柔亮的长发看起来没有光泽,素白中衣穿在她身上,像纸人般单薄,似乎一推就倒,腕上那环白玉镯像个手铐,沉重地落到手边,好像轻轻一碰,就会撞碎她的骨头。

留瑕怯怯地看了他一眼,那一眼,让康熙觉得自己像只大老虎,正在欺负一只无辜的小鹿。她几度张口欲言,话到嘴边,又咽了下去,康熙的心,也跟着提高又放下。他想问,却怕问得不对惹她伤心,也是有口难言。

留瑕静静地站在床前,一手攀着帐钩,她没有哭,眸光里澄净无波,这些日子以来紧紧压抑着的痛苦怨恨,因有太多的顾忌,不敢哭。以为在康熙回来之后,她就有了可以痛快哭一场的理由,但是在看见他的时候,突然慌得不知如何是好,纷乱的思绪撞进心底,乱得让她手足无措。

留瑕思忖再三,处在这个位置,各方人马都在盯着她,不知道什么时候,一个行差踏错,就会落入万劫不复之境。吸了口气,顿时觉得天地悠悠,无处可容身,万念俱灰,不如归去,她强压住颤抖的声音:"我好想逃。"

声音那样轻,听在康熙耳里却如雷贯耳,他退了半步,腿撞到内寝的小妆台边,顺势往后一坐,不敢相信地看着留瑕,想提气说话,胸口却郁闷地发不出声音。奇怪的是,他不觉得生气,只觉得一种被抛弃似的悲哀,他看着这再熟悉不过的内寝,不过一箭之地,却是七年夫妻恩爱,十三年的相知相惜,一起涌上心头。手心发凉,眼睛却发热,感觉脸上有物淌过,心知是泪,却连抬手去擦都提不起劲,只能任泪水落下,湿了留瑕亲手做的米白衫子。

一坐一站,像是隔着一条宽阔的河,再也看不清楚对方的面目,只看得见对方与自己一样心灰意冷的目光,在黑暗中,渐渐地暗淡下去。

"你真的……忍心丢下朕……"康熙轻轻动了一下,试着站起身来,一开口的确定句子变成询问,"吗?"

留瑕不语。

康熙快步走近,留瑕没有再避开,康熙见她没有抗拒,心中一松,压抑已久的情欲如凌汛爆发，冲破厚厚的冰层，缓慢地推挤着，直到排开她的犹豫。矜持、羞赧，已经被他搓揉得丝毫不剩，留瑕叹了口气，闭上眼："罢了，都由你吧……"

康熙闻言，停下了动作，他轻抚着她紧闭的眼，留瑕感觉到他的手轻柔地游移着，她紧紧地依偎着康熙，她想念他的臂膀、也需要他的爱抚，册妃以来，从不曾与他分离这么久，也许是太寂寞了……

天色已经全暗了，西暗间里燃起几盏烛火，昏黄的光，透过折门上夹的白色窗纱，照到床前、洒在留瑕雪白的藕臂上、落在康熙赤裸的背上。几番云雨，康熙紧拥着留瑕，她的长发散在他臂上，轻吻着凝脂般的香肩，她给他累坏了，鼻息均匀，早已睡熟。

小别胜新婚，康熙突然发觉自己从不知道什么是新婚宴尔。大婚时，他跟皇后都还是孩子，懵懵懂懂地完事，也不觉得什么。就是留瑕初封妃时，也只觉得心愿得遂，因为他们已经太熟识了。

隔着这么长的时间、这么多的事，回头再看留瑕，康熙不忍睡去。枕着她的肩，算来已有半年不曾燕好，她变了，变得有些让他不认识，可也因此，带来一种奇异的甜蜜、眷恋，这大约就是新婚的感觉吧？

康熙闭上眼睛，想象着今晚天边的星斗，那弯寂寞的新月，像她微蹙的眉。他的手爬到她胸前握住，留瑕"嗯"了一声，转过身子，星眸如醉，无语却依依，康熙吻了她，低声说："朕不久还要去塞外，你跟着去散散心，好吗？"

"我想回江南……"留瑕难得地任性起来，她又叹了口气，"记得去苏州的事吗？"

"朕没忘，你再等等，朕处理了西北的事，匀出时间，就带你回江南、回你的挽霞斋，我们去扬州听戏、苏州听评弹、杭州吃船菜、钱塘观潮……你想去的，朕都带你去。"康熙也难得地纵容，此刻，他只想讨好她，须臾不敢忘的国家大事，在床笫之间、在留瑕眸中，全都暂时丢到一旁了，"不许你叹气，叹一口气，老三岁。"

留瑕轻笑，眸中迷雾，暂时沉了下去，笑靥如二月春风剪开满湖烟雨，透出了新生的芽尖、久违的天真。

承乾宫

康熙三十五年夏

　　留瑕在康熙回来之后，再也没有犯过夜游症，脸色渐渐地红润起来，精神也抖擞许多。康熙把更多时间放在她身上，恨不得每晚都来承乾宫才好，种种浓情蜜意，竟比从前更胜几分。

　　后宫表现得十分平静，即使人人都至少半年不曾一幸，但是对于康熙这半个月来的专宠，至少在表面，都不曾表现出不满。然而，紫禁城里成千上万的眼睛都在盯着，外朝更是密切地注意，就连还在蒙古善后的索额图，每天早上，也都要先看了家人送来的朝中消息，才去做事。

　　佟国维静静地坐在家里书房，就着天光，重新誊写奏请立后的折子，一是趁着现在国有大庆。二是趁着留瑕最是受宠，利用康熙的偏爱，好将她扶正，就算不能扶正，至少也要晋位皇贵妃。三是佟国维已经发现康熙对于明珠、索额图都不信任了，连带着，他们两人背后的大阿哥与太子，也显得不稳。

佟贵人也静静地坐在自己房里，巴雅尔在她对面，欲言又止。佟贵人端着一杯茶，优雅地喝着，她在等巴雅尔发话。

"佟姐姐，我……我今儿来……"巴雅尔吸了一口气，似乎鼓起了极大的勇气，"我想跟慧姐姐一样，做博格达汗的妃子。"

一口气说完，巴雅尔就紧张地看着佟贵人，而她却只是拨着茶上的茶叶，吹了吹，又喝了几口，才慢悠悠地说："这我没什么意见。"

"真的？谢谢姐姐。"巴雅尔开心地绽出一个灿烂的微笑。

"不过……"佟贵人拉长了话音，淡淡地笑了笑，"这不是我能做主的事儿，你的身份特殊，总要娘娘、皇上、太后与你家人同意了才是。"

巴雅尔低头，沉思了一会儿，小声地说："姐姐，我知道你的难处，我家人是不会说什么的。博格达汗之前选的几个秀女都比我小得多，太后大约也不会有意见。但我知道慧姐姐不待见我，可我是真的想嫁给博格达汗，没有其他的心思，我今儿来，就是求姐姐把这话转给慧姐姐而已。"

佟贵人还在拨着茶，她不置可否地笑了笑："道乏了，我这几日不知怎么，背上酸得很。"

说着，就扣着茶碗，缓缓起身。巴雅尔见状，知道是要送客了，委委屈屈地起身告辞。佟贵人透过炕边那一小片玻璃窗，望着她离去，冷笑一声："才几岁大，就要拐自个儿堂姐的男人，真奇了。"

当晚，留瑕就从佟贵人处得知了巴雅尔的话，佟贵人一字不漏地转述了，便眈着留瑕："姐姐，您怎么看？"

"我去问问太后跟皇上，他们要都愿意，我没意见。"留瑕低着头，勉强地扯了扯唇，"妹妹，咱姐儿俩一家人不说两家子话，说真格的，我不愿意巴雅尔搅和进来。这事若是允了，旁人要说我培植私人，不受宠也还罢了，若是受宠，我们是哑巴吃黄连，谁都不可怜我们的。"

"那就压着吧？横竖除了我们，也没人知道。"佟贵人压低了声音，眸子里闪着算计的光。

留瑕摇头，拍了拍她的手："哪里压得住？还有太后呢！我这里压着，保不定就报到太后那里，太后向来不赞成专宠，再说，博尔济吉特妃多几个，说到底都是太后的人，只要巴雅尔愿意，哪有个不肯的呢？"

"她还有家人？达尔汗王爷那里难道不发话？"佟贵人思量着说，又突然想起什么，"还有皇上呢？"

留瑕还是摇头，她坐在妆台边，一手无聊地拉开抽屉，又送回去，里头收着几串科尔沁本家送的璎珞多宝串："巴雅尔跟他们亲得多，有这么个亲近的娘娘，本家还巴不得呢！绝没有阻挡的道理，至于皇上……"

"妹有意，还得郎有情，一个巴掌拍不响。"佟贵人摇着一把青纱团扇，镇定地对留瑕说，"姐姐干脆从皇上这边吹点风，皇上若是不要，太后也不能强押着皇上进洞房不是？"

"当然，我若是顶着不肯，皇上在这个当儿，也不会把巴雅尔放眼里的。只是，他不是那种安分的男人，吃着碗里，看着锅里，越是跟他拧着不给，他越有兴趣。巴雅尔小我十多岁，现在看着当然还青涩，可是再过一阵子，就像我当初那样，给紫禁城磨得成熟了，难保皇上不会动心。"留瑕把玩着桌上的一个小小玉瓶，微笑，像是凝在唇边，"我心里头很清楚，再过几年，我就拴不住他了。"

佟贵人却不这么看，她安慰着说："姐姐，我说你把皇上看得浅了，从前我也跟你一样想法，可这回，我看皇上比从前依恋更深，你该对皇上有点信心才是。"

"我在他身边十三年了，这是老太太故意惯着他，知道他不会因色误国，也就放开了叫他纳妃，今天宠这个、明天爱那个，好叫谁都别自信、谁都别进他心里。他对我确实不一般，可说到底，也只是多了几分，妹妹，这不是爱，是习惯。他习惯有我，可是一旦没有，也不过是难受几天。皇上小时候跟着嬷嬷学会抽旱烟，后来听说抽烟不好，说不抽就不抽，我就是他现在抽的烟。"留瑕的话语很淡，全然不像一个宠妃会说的话，她的眸中有种绝望，却坦然，一种看到末路的从容。

两人沉默了一阵，却听外头一递一声传进来，佟贵人说："姐姐，圣驾到了。"

留瑕点头，随手拿了根簪子把刚梳过的头发盘起来，与佟贵人走到东次间外。康熙一走进来，两人就蹲身一福："皇上吉祥。"

"起来吧！"康熙说，迅速托住了留瑕的肘弯，把她扶起来，体贴地说，"今天都吃了什么？还受用吗？"

"就是一些清淡的东西，都克化得动。"留瑕回答。

佟贵人知趣，又一福身："皇上万福、娘娘万福，奴婢告退了。"

"哦……"康熙应了一声，等到佟贵人要出去，才突然说，"你帮着贵妃这么些年，不容易，你的皇妃册文已经拟好了，下个月就会下来。明儿，叫六宫都太监带你去看看新宫吧！"

佟贵人怔了怔，才反应过来自己是由贵人超升为妃了，连忙叩头谢恩。留瑕向她贺喜，康熙又与她说了几句，就要她退下。回身来看，留瑕似笑不笑地站在东厢的一张圆桌边，晕黄的烛光中，赭生双颊，康熙看得痴了，轻轻扯过她来，俯身亲了亲："笑什么呢？"

"哪里是笑，我在生气。"留瑕瞪了他一眼，唇边还是笑盈盈的，"把佟家妹妹拐去做主位，叫我寻谁说话去？"

"自然是寻朕说话。"康熙赖皮地笑了，装出一脸算计的奸险样，"朕把她送去别的宫做主位，这承乾宫就你跟朕，闹翻天也不觉羞，不挺好？"

留瑕打了他不安分的手，扭身过去不说话，康熙逗着她，两人唧唧哝哝说了一大缸子情话、疯话，拌嘴、挑对方语病，打打闹闹玩了一阵。恍然之间，宛如当年在乾清宫时，两人就寝之前，说起宫里的好笑事情，康熙给她的话逗得一乐，笑得在床上打滚。

忽然，留瑕抓住康熙的手腕，康熙一怔，笑着刚说了一句："怎么……"

留瑕就突然地吻了上去，又伸手去扯他衣襟，康熙给她吓了一跳，可是她是真的压在他身上。康熙感觉她的唇那样温存、火热地落在他身上，不自在地动了动，后来就慢慢放松了些。夫妻这么些年，留瑕在床笫间一向温柔羞怯，从不曾这样热情，也没有人敢这样跟他玩，颇有一番刺激。

完事之后，留瑕伏在他身上轻喘着，康熙真觉得醉了，慵懒地看着她卧在他身边，伸手拉过薄被盖在两人身上，声音也变得低沉魅惑："你是怎么了？像只母豹似的，就这么扑上来，可把朕吓坏了。"

留瑕羞红着脸，不发一语，睫毛轻扇，她听见康熙的呼吸渐渐平稳，低了下去，已经睡熟了。留瑕撑起身子，就着昏暗的烛光，静静地凝视着熟睡的康熙，他的手腕上给留瑕掐了道红，想起方才，留瑕觉得自己体内似乎真像康熙说的，栖息着一只豹。这些日子以来，她逐渐无法控制欲望的升高，只要康熙在身边，她就想抓住他、紧紧地抱着他，不要他离开。

轻巧地溜下床，留瑕稍稍洗了身子，冰冷的水擦在皮肤上，激起手臂上的鸡皮疙瘩，她又迅速地溜回床上，紧拥着康熙温热的身体，揉了揉自己的脸。她现在一丝笑也挤不出来了，刚才的愉悦已经荡然无存，她不想离开康熙，但是与康熙贴得越近，心中那种空落落、却又沉甸甸的感觉，就更增几分。

　　留瑕想到巴雅尔，她皱着眉，闭上眼睛就是巴雅尔欢快娇美的笑颜，一咬牙，留瑕把康熙抱得更紧，康熙轻轻地"嗯"了一声，把手移到留瑕背上，迷迷糊糊地睁开一只眼睛："留瑕，别搂那么紧，朕觉得热。"

　　留瑕松开，康熙又睡着了。她坐起身，将薄被拉到胸前，抱膝坐在康熙身边，愣愣地看着他。他已经四十多岁，不是当年在古北口见面时，那个白皙俊秀的青年男子。这次出征，晒得黝黑结实，唇上蓄须，透出一种中年男人的成熟优雅。是因为这样，巴雅尔才喜欢他吗？才这样不顾脸面地亲口要求嫁给他吗？

　　康熙熟睡的身形，在眼泪里模糊了，她没来由地一阵沮丧，若是放在从前，她一定极力忍住，可是此时，她只是移开了一些，捂着嘴，轻轻地抽泣。很快康熙就惊醒了，他一摸旁边，没碰到留瑕，连忙坐起身来，看见她在内床泪眼汪汪地啜泣着。他不喜欢看人哭，一哭就让他觉得心情烦躁，可是，当留瑕抬起脸，看着一串串泪从她眼里滚出来，康熙就心疼得不得了，一丝气也没有，连忙抱过她又哄又亲："不哭……不哭不哭……嗯？朕在你身边……留瑕……"

　　留瑕抽抽搭搭地收了泪，康熙亲自去拿了手巾，给她擦眼泪："睡得好好的，怎么哭了？谁给你气受？嗯？"

　　"没有……我只是突然觉得……"留瑕缩在康熙怀里，小声地说，"我跟巴雅尔、跟那些小秀女比起来，老了……"

　　"谁没有老？朕还比你大十二岁呢！"康熙也不生气，只觉得她傻得让人怜惜，亲着她的额头说，"巴雅尔也好、小秀女也好，朕有没有她们都不挂心，可是只有你是朕先爱才娶的，你跟她们不一样，不要多心。"

　　康熙好说歹说劝了一车话，留瑕才渐渐地睡着了，她握着康熙的手，好像怕一松手，他就会不见似的。康熙担忧地看着她，他敏感地意识到，留瑕对他的依恋与日俱增，是不是宠坏了她？康熙想抽开手，一动念，又放弃。在她身边的感觉是如此契合亲密，他知道总是要有几天离开她，可是留瑕变得这样脆弱，怎么放得下心？

"朕不在的时候，你受了多大刺激呀？"康熙在心里问，可是他知道自己不会问出口，抱住她，康熙深深地叹了一口气。

康熙在回京之后，对太子监国，表示嘉许，而去年太子立妃就表示已算真正成人，康熙在私下与臣子闲聊时，甚至暗示自己有意思提早传位给太子。索额图得知此事，简直乐翻了天，若不是端着个相臣架子，真恨不得来一嗓子。

等人都退了，索额图一边收拾着机密文件，一边捏着嗓子，学着正旦声调，自己一人哼哼唧唧着《大保国》[1] 里的段子："文站东、武站西，朝贺哀家，哭一声老皇爷晏了龙驾，撇下了小皇儿难立邦家，太师爷奏一本进宝年下，各国的众王子朝贺中华……"

前面有晏驾的不祥之语，还压着声音，后面可就亮起声来："将江山付太师权且代驾，候幼主成了龙原归邦家，写合同金殿上玉玺来打……"

一曲唱罢，满意地捻了捻胡须，索额图知道康熙对他多有防备，若是康熙退位做了太上皇，太子主政，索额图一是头号辅臣、二是头号皇亲，荣华富贵不说，最主要是能多恩荫子孙做官、布置私人。索额图的如意算盘越打越开心，一处理完蒙古的事情之后，就兼程赶回北京，人逢喜事精神爽，丝毫不觉疲惫。

一到京师，康熙就召见了他，两人说了一阵话，索额图见到康熙神色有些疲累，就深深地叩了个头："皇上，您要保重身子，老臣这才几天不见您，您就憔悴了许多，皇上的身子，是咱大清的国本啊……"

说着，就擦眼睛，康熙淡淡一笑："没什么，只是这几日没睡好，你刚回来，朕放你三天假，回家休息、喝喝接风酒，再来当差吧！"

索额图退出去，康熙就忙不迭往后一靠，叫了按摩处的太监来揉肩。太子进来回事，见他大白天就腰酸背痛，也吓了一跳，连忙过去，亲自给他捶腿："阿玛，要不要传个太医来给您请脉？"

"不用……左边些，轻点，阿玛的老骨头禁不起你这牛劲。"康熙闭着眼睛，一边听太子回事，一边下指示，听他这几件户部管账的事办得不错，心中略感欣慰："这些事办得好，果然立妃之后，人也稳重不少了……"

"阿玛是圣明天子,儿臣才智平庸,只能尽力巴结着差事,盼着勤能补拙,及得上阿玛一分,就是儿臣的福气了。"太子恭敬地回答,康熙一笑,拍了拍他的手,又闭目不语。

太子凝视着父亲,突然想起小时候也有一回,康熙坐在炕上,靠在大迎枕边养神,留瑕带着他跟四阿哥进来,轻轻一推四阿哥,四阿哥就噔噔地跑上去,扑在康熙怀里。康熙对他一招手,他也跑上去,父子三人玩成一团。留瑕赶忙把条桌撤到一边,怕撞到,四阿哥与太子一人一边,坐在康熙腿上,留瑕含笑看着他们,康熙忽然很认真地对她说:"怎么样?喜欢吗?我们也来生一个?"

"不正经!"留瑕红了脸,康熙抱着四阿哥跟太子,看着留瑕脸红的窘迫样子直笑,留瑕一跺脚,"还说是皇上呢!说这些疯话,真气死人。"

"哦?原来是不喜欢阿哥,还是你要个格格?"康熙还逗她,又转脸问太子,"胤礽,你想不想要个妹妹?"

"我要!"太子当时还不知道是康熙在逗留瑕,认真地回答。

留瑕脸上的红晕都红到耳根了,瞪了太子一眼:"小没良心,跟着皇上乱闹。"

"怎么?不乐意跟朕生个孩子?"康熙笑嘻嘻地说。

"当然,别说一个,半个都不生!"留瑕一捂脸,扭身踩着花盆底跑了。

太子想起这件往事,轻笑出声,康熙睁眼:"笑什么呢?"

"想起瑕姨从前做女官时候的事了。"太子一长一短把往事说了,又笑着说,"其实后来想起来也觉得好笑,孩子哪有生半个的?"

康熙也笑了,又长长地叹了口气,眸子里闪着温馨的光:"那时候好,你们哥儿俩跟在朕身边,父子仨都归留瑕管,说说笑笑,也不避那些有的没的,倒真像一家人。你们俩大了,不方便一趟趟进后宫,你们是留瑕带大的,她是你半个亲娘,朕也不疑心什么,只是外头人多口杂,传出些没影的事,难听;老四越大,性子越冷,去年下了一趟江南,见识了地方,朕看着他对国政颇有见地,不过个性也变得有些乖戾;留瑕也是,前些日子小产,一直不开心,朕回来一个多月,唉……"

康熙突然住了口,用个叹气带过,在刚才那一瞬间他把太子当成了个男人,所以才说出留瑕的事,又猛然发现跟太子说这些闺房中事甚是不妥,他不动声色，只摇了摇头。

太子犹豫了一下，才斟酌着说："瑕姨也可怜，太后让瑕姨去畅春园休养，是儿臣送她去的，那时候，憔悴得让儿臣都认不出来了。也遣太医轮班去照顾，太医回来，儿臣问起瑕姨的病，说得了夜游症，每天晚上都到清溪书屋去，在阿玛的屋里走来走去，儿臣听了，实在想哭……"

"夜游症……"康熙眸中惊讶的光闪了闪，又暗淡下去，思量再三，还是决定说出来，"朕也心疼她……可是她晚上总是哭，舍不得凶她，任她哭，又怕她伤身子，朕实在没办法……本不该跟你说这些个，只是你跟她熟，说不定能有什么办法帮着劝一劝。"

"儿臣有个想头，阿玛若不怪罪，儿臣想说出来，给阿玛参考。"

康熙抬了抬手，有些讶异地说："说，说出来。"

"立瑕姨为后。"太子胸有成竹地说。

康熙不解地看着他，一手抠着黄绫袱面的迎枕："为什么突然提起立后的事？"

"瑕姨与阿玛的事，儿子都看在眼里，其实阿玛当年册瑕姨的时候，儿子跟老四都是高兴的。她现下因为没了格格，整日郁郁寡欢，儿臣前些日子与石氏(太子福晋)谈起，她说'不知是不是怕失宠'，儿子当场就照脸啐她，女人家头发长见识短呗！"太子笑了笑，又正容说，"可是细思下来，只怕还有些道理。若是将瑕姨扶正了，也就安了她的心，再说，德容言功，瑕姨拿起什么都是后宫第一，所缺者，只有子嗣而已。儿臣是太子，额娘又去得早，若是阿玛要将瑕姨扶正，儿臣愿拜瑕姨为母，省得旁人说三道四，不知阿玛觉得如何？"

太子一口气说完，条理清晰，康熙深以为然，正要应允，话一到嘴边，又机警地在舌尖打了个滚，咽下去："你这建议不错，朕与太后商议之后，再来定夺，你去户部办差吧！明日中午与朕一同用膳。"

太子退出去，康熙透过窗子，看着他走出乾清宫，眸子里有种防备的光，他叫来大太监梁九功："太子与索额图刚才见过面了吗？"

"回皇上的话，太子在乾清门前与索额图说了几句话才进来的。"

"你去敬事房找顾问行，要他去查查看，索额图与承乾宫往来如何？送了多少东西？还有，太子福晋石氏跟后宫的来往，也查清楚，明天中午之前给朕回话。"康熙斩钉截铁地交代，梁九功把他的话复诵了一次，见康熙点头才退出来，康熙颓然倒回枕边，幽幽地说，"留瑕，不要连你……也盯着皇后的位子……朕……是个不祥之身……只怕不能立后……也不愿伤你啊……"

注释：

1.《大保国》：民间野史，故事讲述明穆宗隆庆皇帝驾崩，李后抱幼主万历帝临朝听政。后父李良觊觎非分，窥窃神器，言诱李后命己摄政。李后允之。廷臣无敢直谏者，唯兵部杨波、中山王裔孙徐延昭二人，知李良心怀不臣，其意叵测，同入宫面后，交章极谏。李后不悟，徐延昭、杨波争愈力而后愈执拗。李良因之气焰亦益盛。徐延昭愤极，遂出太祖御赐铜锤，将李良痛击。《大保国》后续故事是《二进宫》，讲徐延昭、杨波二次入宫，陈古来外戚弄权之祸，李后悔悟，收回成命。

畅春园

康熙三十五年夏

　　皇室又前往畅春园避暑，留瑕还住在太朴轩里，她这会儿正蹲在后院天井中，亲手修剪着院子里的桂花。这是她的一点小小消遣，天井地面都铺着砖，平整如镜，留瑕在后院养了一溜盆花，闲着没事的时候，就来照料。

　　当然，大多时候是交给太监们去打点的，只是在这个与自家一模一样的院子里修剪花枝，让留瑕想起幼年在南京的往事。南京的家里，种着四季不同的花，种花莳草是留瑕之父阿郁锡的兴趣。他办完了公事，回家一换下公服，就要去看看他的花，那个辰光，是家里张罗晚饭的时候，阿郁锡指着花草，一株株教留瑕认，留瑕听过，转头又都忘光，但是他只是微笑，又从头教起。

　　"留瑕，这是指甲草，去，去拿块白矾来，阿爸给你染指甲。"

　　"阿爸，指甲红红的，好像流血，不好看……"

留瑕抬起手,看着自己至今依然无色的指甲,握着花剪,噙着一抹寂寞的盈盈浅笑。每次平视着这些花草,总让她感觉不孤单,她越来越想念南京的家,虽与千门万户的紫禁城相比,小得太多,但是有种小门小户的充实。身为正一品的将军,又是科尔沁台吉,在南京就是个土皇帝,可是阿郁锡就愿意住在鸡鸣寺附近的小巷里,在南京,巷弄邻里暗自都说留瑕的家是"蒙古王府"。

就这么一家三口、管家夫妻、两个丫鬟跟厨娘,开饭时就在正厅开两桌,主人一桌、下人一桌,说说笑笑也不拘礼,不像在宫里,另外还要跑到宫中其他殿去吃。空落落的大房子里,一个人吃着一桌子满满的菜,却越显空虚。

很久不曾想起南京,一想起,总觉得好像是上一辈子的事。少女时代对父母的莫名怨恨,隔着十多年回头看,也觉得可笑。有了男人才明白,原来自己心中一直都有父母的影子,她希望能有那样一夫一妻的平凡生活,像这样盛暑的时候,晚上都在院子里乘凉,听着外面卖晚香玉、茉莉花串的吆喝声在青石小巷中回绕。

买卖讲究吆喝,南京话不像宁波话那样爽脆泼辣,随便哪句话都伶俐;也不像苏州话那样柔媚小意,起头就像拨弦调音,要唱起来似的;南京话平稳中带着一丝潇洒,吆喝起来,那个味儿就是不同。

"晚香玉……茉莉花……小大姐瞧瞧我的花儿,买卖好说,看看不用钱……"

夜再深些,就有小贩敲着梆子、挑着担子经过,担头的锅碗瓢盆撞击着,发出打小锣似的轻响,一阵甜丝丝的味道飘进墙内,小贩的声音也跟着翻过院墙:"小小姐、小小姐,糖心莲藕您最爱、八宝莲子您喜欢,老头儿挑山挑水,熬一碗甜粥哄您快快长大哦!"

这段吆喝是冲着留瑕来的,每到此时,家里就有好一场拉锯战。留瑕眼巴巴地看着父亲,阿郁锡起身,要开侧门出去给她买甜粥,留瑕的母亲西林觉罗夫人却总是说:"别买太多,留瑕馋着呢!捧不了两只碗,一大海碗甜粥倒吃得干净。吃太多甜的,回头牙疼!"

"就这一个女儿,将来长大了是人家的,想吃想喝在人家家里都得克扣着,不趁着现在多宠着些,往后心疼,那才叫后悔呢!"阿郁锡抱起留瑕,一手从袖里摸出碎银子,"走喽!去吃甜粥喽!"

　　结果每次都买得太多，总要把丫鬟们叫来一起吃才不浪费。上回南巡时候，留瑕特别等在侧门，也在同一个时候，看见粥担挑了过来，但是担主早已不是那个矮胖和蔼的老头，吆喝声也不再专属于她。那小贩是个三十出头的男人，看见大半夜的，沉寂已久的"蒙古王府"冒出一个美人，还以为是狐仙，说了一大通大仙饶命之类的话。留瑕无奈地笑了笑，把碎银子放在担头，递过一只海碗："莲子粥一碗，莲藕搁上头，还要白果跟红枣。"

　　在小贩敬畏的目光中，留瑕捧着碗回到院子，看起来没什么不同，吃起来，却觉得不是从前的味道。她在宫里也吃过很多种甜粥，自己也试着在小厨房里熬过粥，就是再也找不回小时候的那股甜香。

　　"额娘……额娘……"十三格格的手在留瑕眼前晃了晃，她回过神来，十三格格穿着一身浅蓝色的旗袍，"额娘，我跟胤祥去四哥府里玩，好不好？"

　　十三阿哥胤祥站在过道，见留瑕看他，走了过来，漂亮地行了半礼："娘娘吉祥。"

　　"十三爷吉安。"留瑕一点头，微笑着问，"怎么突然想到去四爷那儿？跟敏嫔娘娘还有阿玛说过了吗？"

　　"阿玛今日看过我们的功课后，说让七岁以上阿哥可以寻个年长阿哥的府住两天，出园子去见见世面。紫祯刚才在外头玩弹弓，听说这件事，就央我带她一起去，四哥答应了，只是这事还要跟娘娘禀一声才好去问阿玛。"胤祥看起来兴冲冲的，那张与十三格格一模一样的鹅蛋脸上，闪着一双很像康熙的大眼睛。留瑕含笑点了点头，两个孩子欢呼了一声，十三格格就扯着胤祥去求康熙了。

　　留瑕站起身，觉得有些晕眩，旁人连忙扶住，留瑕虚弱地笑着说："没事，起身太快，你们去准备着格格的行囊，还有，把我抽屉里的珊瑚多宝串挑两条放在锦盒里给格格带去，算是格格给四福晋的见面礼。四爷信佛，把哲布尊丹巴活佛送的那尊镏金佛像收盒子里。另外，把箱底压的那几匹云锦，百子图、鸳鸯的也收盒子，给格格带去，就说是我给四爷、四福晋的一点心意。"

　　张罗好了礼物，留瑕回到太朴轩暖阁，就看见巴雅尔站在里面，一见她进来，就蹲身一福："姐姐吉祥。"

　　"吉祥，到那头坐吧！"留瑕淡淡吩咐了一声，走到西阁去。这里的格局跟宫中正好相反，东阁是她卧房，收着珠宝锦缎，等下宫女们要开箱子拿东西，不好让人看见。倒不是疑心，这是京里人的规矩，当着客人开箱子，是主人轻慢、炫耀，主人开箱子不主动避开，又是客人不知礼数了。

巴雅尔坐下，留瑕看着她额上沁汗，就吩咐人："取几个甜碗子来。"

甜碗子是甜品点心的意思，春夏秋冬各有不同。两个宫女将四枚青花瓷碗送上，一揭碗盖，是葡萄胡桃跟杏仁豆腐，都用冰镇过的。杏仁豆腐是不必说了，润肺最好；葡萄胡桃，是把青胡桃砸碎了，剥去里面的皮，配上浸蜜的葡萄干，最后浇上葡萄汁，最是补肾。

留瑕将手一让，自己拿起同色的青花瓷调羹，挖起杏仁豆腐尝了一口，咽下去之后，又相着要吃葡萄干，嘴上淡淡地说："怎么了？脸上阴了天了。"

"姐姐……我今儿听太后宫里人说，今早叫起的时候，太后说起七爷的婚事，成嫔娘娘希望我嫁给七爷，太妃也有意把我指给七爷，是真的吗？"巴雅尔却不碰甜品，紧张地问。

留瑕舀起一匙葡萄干，送入口中，耸了耸肩："七爷有哪儿不好吗？"

"七爷他！"巴雅尔恼怒地直起身子，又把气咽下，"七爷……腿不灵便……"

七爷，就是七阿哥胤祐，他是成嫔戴佳氏所生，一生下来，就腿有残疾，也因此，康熙在诸子中，特别爱护他。除了太子，就属赏赐给七阿哥的东西最多，七阿哥写得一手好字，在康熙诸子中，与三阿哥并称书法第一，现下刚过十六岁。

留瑕搅着甜品，不咸不淡地说："七爷是皇子，又不指望他出去放马射猎养家，他的腿也只是稍微不方便，慢慢走都还不妨。前些日子，皇上西征还带着他去呢！七爷相貌好、人品好，举止优雅，也没听说跟自己房里的宫女有什么暧昧，成嫔也是有身份有头脸的小主，又只小你一岁，再说，人家是阿哥中的文状元，你嫌弃他腿不灵便，七爷还不一定乐意娶你呢！"

"我……我是科尔沁的格格，他哪里不愿意？是我丑？还是嫌我读书读得不够？他凭什么嫌弃我？"巴雅尔睁大了眼睛，愤愤不平地说。

"哟？既然不乐意嫁，问这么多做什么？"留瑕笑出声来，巴雅尔才知道上了她的当，又羞又恼，气得揪着帕子，想发怒，又不敢，只听留瑕淡淡地说，"用不着紧张，太后只是看着其他爷都成家了，看着七爷孤零零一个，不忍心罢了。明年七爷就要出去开府,指婚的事,总要等七爷开了府才能定,姑娘,别操心。"

巴雅尔连东西都没动一口,就讪讪地走了,留瑕看着她的背影,其实一直想问,为什么就这么认死扣要嫁给康熙?哪一个阿哥不好?哪一个年轻王爷不好呢?留瑕百思不得其解,只能默默地吃着自己的甜品,又对伺候的宫女说:"格格的甜碗子都没动,撤下去,你们吃了吧!"

留瑕默默地捧着自己的碗,有一口没一口地吃着,今天早上,是她故意说起胤佑婚事的。这是她与佟贵人想了半天才想出来的,因为佟贵人与成嫔交好,便想一石二鸟,除了巴雅尔、又抬高成嫔的身份。

说实在的,留瑕是真的觉得胤佑好,虽说腿脚不便,可是也不是个肩不能挑、手不能提的纨绔子弟。身板高挑,温文儒雅,从不跟兄弟们争长论短,总是勤恳踏实地做学问、淡泊名利。留瑕是知道康熙的,他讨厌儿子们好出风头、不知收敛,也讨厌游手好闲、不学无术,像胤佑这样有才有德,越是淡泊,康熙才越是看重。做了胤佑的福晋,哪里不比做个小妃子强?

思及此,留瑕突然一愣,哑然失笑了,她想起康熙二十八年,在南京,那老御医对她说的话:"……显亲王我见过的,家产殷实、人品敦厚,很不错呀!"

想到显亲王,留瑕歉疚地看着窗外,远方,飞过了一群披着白羽毛的鸟,耳边响起丹臻的声音:"飞来双白鹄,乃从西北来……五里一反顾,六里一徘徊……乐哉新相知,忧来生别离,踯躅顾群侣,泪下不自知……"

如果当年嫁给了显亲王,今日或许能真的拥有一个男人,当然,她还是会老。但是,她是宗人府造册、皇帝钦定的显王福晋,再多的年轻女孩也不能动摇她的地位。就算丹臻流连于花丛,也许等他老了,会想起她的好,会想起"少年夫妻老来伴"这句话来。

如果当年遵从康熙的意思,嫁给沐蓉瑛,又会如何呢?即使他可能只是把她当成纳兰洁的影子,但是,日久也会生情吧?他可能慢慢将纳兰洁遗忘,真正变成属于她的男人。泛舟五湖,该有多么自在?他不像丹臻与康熙,早已有儿女,依稀记得在闲谈之中,他说他只想过一夫一妻的生活,那么她就会有一个跟她父母一样的小小家庭。夏日,坐在她幼年坐过的花园中,吃着她幼年吃过的甜粥,平平淡淡,却也怡然自得。

人生充满了如果,通往不同的结局,无法看见的命运把她推到了康熙身边、爱上他、被他所爱，人们羡慕她的受宠、她的贵妃地位、她的出身、她的外表……但是，她也羡慕别人。

她其实最羡慕的是裕亲王夫妻。裕亲王年轻时总是太忙，忙得没时间想娶妾的事，夫妻之间也常拌嘴吵架，可是，等到裕亲王赋闲之后，潜心佛学，就怜惜起妻子从前的寂寞，也没有娶妾。两夫妻想去哪里就去哪里，今天泰山、明天江南，裕王福晋有时觉得自己胖了、老了，裕亲王说："正好，我也不瘦不年轻了。"

留瑕越想越是难过，明知人间充满遗憾，有得则有失，没有人完全圆满，可是，总会希望上天多偏怜自己、总会想起无数个错失的"如果"。她放下碗，苦笑了，如果当年嫁给显亲王、如果嫁给沐容瑛……也许，今日的她，也会羡慕坐在贵妃位子上的人吧？

七岁以上还没出阁建府的阿哥们放了假，纷纷挤到大阿哥、三阿哥、四阿哥、五阿哥四个年长阿哥的府上去，剩下的都是些还不到上书年纪的小阿哥，全都回到自己母亲的住处去。

把阿哥们送出去，还有一部分原因是因为明日是七月七日，宫人们乞巧的节日。各宫嫔妃、宫女、公主都在准备着拜织女的果品、针线等物，这是个女孩子的节日，原先虽然也都过，但是院子里住着阿哥，多少要避点嫌疑。院门下了钥，就只能在自己院内过，顶多就是邻近的几个院子，商议着偷偷开了小门，让宫女找小姐妹们去。

今年，由太后出面，召了众家妃嫔、公主，在园子里摆乞巧宴，众人听了都十分开心。仁宪太后是在一个早晨向众人宣布的，她笑着说："七夕，谁都不准睡，全都要乞足了织女的巧才能回去。"

"母后既然有兴致，儿子也来陪陪？"康熙坐在一旁，凑着趣说，"乞个巧，看儿子能不能聪明些？"

仁宪太后抿着嘴，笑着瞪了康熙一眼："皇帝说什么呢？在旁边看就好，咱母子俩，也好说说话。各宫主位跟小主们，可要用心装扮着，别让织女笑大清后宫佳丽没她漂亮。"

"皇上是大清最聪明的人了，要再乞了巧，拿起针线绣了一手好活计，还叫我们这群大小娘儿们活不活啦？"淑惠太妃笑眯了眼睛，慈爱地看着康熙。

众妃主都笑了，太后摇着一柄团扇："你们都准备去吧！什么要紧的都先放一边，让宫里的姑娘们去晒水，玩水穿针。外头爷们的状元是皇上点的，水穿针的女状元是我点的，各宫状元一出来，就来我这儿领赏。明儿夜里都到湖上去，小阿哥们都送到太子那儿，让他们二嫂(太子福晋)照顾着，咱一群老小女人，痛乐一番。"

"母后忘了儿子。"康熙含笑说。

"皇帝要来可以，可不许皇帝揣着个心事，还要给大伙儿说笑话，这是女人的节日，皇帝得矮一截。"太后故意端起指使人的架势，康熙诺诺称是，装出一副赔小心的样子，逗太后开心。

众人一散出去，开锁猴儿似的，全都卯足了劲要在乞巧宴上露脸。眼看着七夕即将来临，大伙儿都把私房首饰藏得严实，就怕让人知道自己要穿什么、戴什么，赶着调制胭脂水粉，就等着七夕当天好好表现。

在这个时候，又有一番暗中角力，有头脸的宫女们，差不多都认几个膳房、茶水房的小太监做弟弟，七夕的准备，都要小太监们帮衬着。上百个宫女，人人都要小太监帮忙，谁的人缘好、脸面大，一看就知道了。

膳房与茶水房的小太监们也都乐意效力，他们自幼净身，一进宫，很多人就跟家里断了音讯，又眼看着往后没儿没女，都愿意给大宫女们献殷勤、跑跑腿。宫女们要踢毽子，得要鸭子尾椎尖的硬毛，宰鸭时候，让鸭子吓得竖起毛，拔下来的硬毛才挺直，这都要小太监去磕头求厨子，拔了毛，放在帕子里小心地揣着，交给宫女去做毽子，好让宫女愿意给他们喊一声姐姐。有的年纪小，一喊姐姐，眼泪就噙在眼眶里打转。

七夕的一项大事是晒水，在洗得干净的深斗碗里盛上清水，放在屋檐下晒，把水晒出一层薄薄的面，才能晚上乞巧时，在水面放针不沉。这晒水是功夫，既不能让风沙脏了水、也不能让雨水落到碗里，小太监们要用鼻子去试试看水晒成了没，要让鼻尖碰到水面觉得凉，又不能湿了鼻子，往往要花半天到一天才能晒成。

妃主们的宫女大多是旗下人，虽说满洲、汉军与蒙古八旗都有义务备选，但是太皇太后从前在这上头钻了个空，选自然是照选，只是妃主与康熙贴身的宫女，基本上不让汉军女子沾边。因为这些位置的宫女比较能学到女红、梳妆与仪态，出宫之前，如果能得主子喜欢，出路也好，因此特别提拔满蒙两族。

　　未嫁的姑娘们总是满怀心事，康熙的年纪差不多都能做她们的父亲，所以一般的宫女对他倒没什么期待，倒是阿哥们受到的瞩目多些。不过大部分的女孩子还是盼着出宫、盼着嫁人，可又怕出宫之后嫁得不好，乞巧时候，能跟织女许许愿，也求织女保佑主子们眼睛不花，别把她们指错了人，因此，自然是花了十二万分的心思来准备。

　　七夕当天，留瑕静静地看着宫女们忙进忙出，她坐在太朴轩的西阁里，外头刚下过一阵微微细雨，又出了太阳，给雨水洗过的空气里有种干净的味道，阳光透进硬纱糊的窗内，把太朴轩内外都照得敞亮。

　　"主子，您穿什么好？奴婢们给您先打点起来。"

　　"还有两个时辰才开宴呢！忙你们的去吧！今儿不是你主子露脸的日子。"留瑕纵容地笑了笑，支走了宫女，起身往东阁内的小佛堂去了。

　　盘坐在蒲团上，她转着佛珠，留瑕从来不念佛号，心不诚，念得再多，也只是嘴皮子功夫，心诚，不用念也能上达天听。一百零八颗珠子，一颗是一个回忆，佛珠转在手里、碾在心底，她不断地想起过去、没有康熙的过去，在江南几个名城中游历的幼年如同记忆里的南京月圆，隔着二十年，记忆也让时光镀上一层朦胧的月晕。

　　没有康熙的过去，即使初次离开父母的保护，在战火中逃窜，留瑕从没落过一滴泪。进宫之后，尽管身份尴尬、前途茫茫，横竖已无父母，倒让她觉得自己没有掉泪的本钱，反而更振作起精神给太后做宫伴。

　　渐渐地，退了江南闺秀的扭捏、磨去了满蒙姑奶奶的任性，成了一个满蒙汉三家的奇异混合。康熙是深宫里唯一的男人，其实与留瑕也并不是不曾见过，只是当时的她，杂在一群如花似玉的妃嫔中，像株小草似的，一点都不起眼。少女时候的留瑕纤细瘦弱，家底虽然殷实，逃难时给她塞的银票也多，但是她知道这些银票很可能要花一辈子，也就算得清楚，脂粉头面能省就省，养成了素妆的习惯，也从素洁中慢慢学会怎么用高雅压过华丽。

　　一直以为自己很暗淡，直到某一天，一个福晋来朝拜太后，见到了她，一迭连声地夸她出落得这样水灵，大咧咧地就要留瑕给她做儿媳妇。那时，留瑕才猛然惊觉，自己的容貌是会引人注目的，那颗被紫禁城琢得透亮的心，也曾算过是否要靠这样的容貌去吸引康熙。考虑再三，还是放弃，眼看着宫里的明争暗斗,她选择袖手旁观。

什么都不求、什么都不在乎,留瑕在那时读了许多书消磨时间,从书中学会宁静淡泊,于是把什么都想得很开,红尘浊世,既然逃不开、随波逐流、听天由命也就是了。直到康熙如兄如父的宠溺,让她做回了小时候的留瑕,他放纵她的骄横、她的任性,让她在他的世界里做个横行无忌的齐天大圣,而他是如来佛,任她翻滚纵横也逃不出他的手心,于是有了欲、有了念想,也就变得软弱。

"无欲则刚啊……"留瑕放下了佛珠,说起了道家的话,无欲无求,所以不受人情牵绊,无所畏惧。镏金的香炉映出她的脸,她看见自己的忧郁、烦恼,最主要是软弱,因为她有所欲、有所求。

若说身是菩提树,心就是菩提叶,缓缓地飘落,被风吹起又落下,春天花开,东风卷起树叶满天飞舞,像生了翅膀,那么快乐。以为可以自由碰触蔚蓝的天,但是只要风一停,就马上掉到满地的残花春泥中,给马蹄踏过、给人踩过,渐渐地烂了、和入泥了。冬天一到,叶子掉光了,菩提树也在寒风中瑟瑟发抖,风吹断树枝、吹折树干,树也就这么死去。

"哀莫大于心死,大约就是这个意思吧!"留瑕对香炉上的倒影说,看见倒影苦涩地扯了扯唇,笑,也像哭。

外头的女孩子们正在追着规矩,规矩长成了大猫,仗着是皇帝养的,越来越不规矩,宫里人都喊它是"猫王爷"。又跟康熙学了个风流成性,处处去找其他妃嫔的猫儿谈情说爱,能绕过大半个紫禁城到西六宫去蹦出好几窝小猫。它还是个认路的天才,白天跑到别人宫里去找母猫玩,却管保不误承乾宫或乾清宫的晚饭。

规矩机灵得很,它冬天会偷溜到留瑕被窝里,常常被康熙翻身时候压得喵喵叫;还会躲在炕上条桌下,趁宫女转身的时候,偷吃桌上刚剥好的果仁;或者趴在康熙或留瑕腿上,伸爪去拨他们的手讨东西吃;规矩不爱洗澡,闻着宫女们的发辫有香味,会嫉妒去咬她们的头发。

"规矩!规矩!你这不规矩的小坏蛋,快过来……"宫女们轻声地唤着,一阵铃铛声又蹿过太朴轩门前,是规矩跑到另外一头去了。

铃铛响了过去、又响了回来,由远到近、由近到远,像唱大鼓的"唱不完的才子佳人、道不尽的儿女情长,客人您且细听……",临到末了还要再说一次类似的话"才子佳人说不尽,儿女情长道不完,故事未结,日已西斜,哎……客人您且听……"

唱过来又唱过去，百般柔情缱绻、荡气回肠，不过也就是两句"道不尽、说不完"就全打发了。

规矩喵喵地叫了起来，似乎很是欢喜。留瑕放下佛珠，香炉上的倒影低垂着眉，一回头，那瞬间的容颜如阳光穿透朝霞，直射进康熙郁沉沉的双眸。规矩在他怀里安分地贴着，尾巴扫着康熙身上的宁绸袍子，发出极轻的刷刷声，也只有这个声音。

隔着十多尺的距离相望着，东阁与正房相连的镂花月洞门似乎嵌上了玻璃，看得见对方，却谁都没有再往前一步，像是两缕幽魂在阴阳交界处偶然遇见。一个要还阳、一个要赴阴，同时站到交界线的时刻，可以如情人般拥抱，然而在那瞬间之后，就再也不会相见。

规矩的铃铛又响了起来，它在康熙怀里扭着，那清脆的铃铛声音，如同道士的招魂铃，牵引着、催促着，慢慢地站到那条交界线，规矩"砰"的一声落地，踩在康熙的靴子上，它在康熙腿边绕了半圈，尾巴却勾着留瑕的腿。

有人走进来，略有些尴尬地说："太后请贵妃娘娘过去一趟。"

康熙一语不发，松开了留瑕，看着她走进内寝换了衣衫，向他一福，就随来人去了。康熙静静地看着她的背影，突然发现，这是他第一次在这样独处的时候，没有与留瑕说上任何一句话。

七夕当晚，在水榭上摆了点心宴，都用鲜花素果装设，没半点油荤，细巧精致的糕点有的放在冰上、有的用水碟漂着，又好看又好吃。水榭的灯换上了青纸灯罩，将人照得清楚却又柔和，还能在水榭里映出清凉的感觉。撤去了布幔，让空间宽敞些，外头搭了天棚防蚊，康熙与仁宪太后在众人簇拥下过来，都觉得十分舒爽。众人一入座，水榭上开来几艘平底船，上面用荷花装饰着，畅音阁的供奉太监、歌女装扮成水族和凌波仙子，唱着江南曲调，更添雅致。

"贵妃在外头给你们张罗乞巧的东西，还要绕去看看小阿哥们，会晚些过来，咱不等她了。"仁宪太后微笑，举起甜酒，"来，今日乞巧，我老太太先干一杯。"

说罢，一仰而尽，康熙与众人也跟着干了，他咂了咂嘴，这酒很淡，有桂花的香气，是给女孩子喝着玩的，对男人，就跟喝水没什么两样。

放下酒杯，旁边的太监就问："老佛爷给皇上备了玉泉酿，请示，是否换上？"

"嗯。"康熙点头，心中略感纳闷，太后平日请客，没这么多心思，身为晚辈，他也不多说什么，怎么今日如此细心？酒入白玉杯中，他闻了一闻，是三煞的玉泉酿，更是诧异。玉泉酿是用西山玉泉水酿的，是宫酒的顶级品，又按醇度分一到五煞，他总觉得一二煞无味、四五煞太呛，三煞适中，怎么那么刚好？就给三煞玉泉酿？

众人行了一阵酒令，公主们年纪还轻，一群群说体己话，妃子们巧笑倩兮、美目盼兮，都看到康熙身上来，他也从善如流，起身沿桌劝酒，显得随和。不一会儿，月上柳梢，太后就放妃主去乞巧，众人各自寻了伴，很快就走远了，水榭中就只剩下康熙与太后两人。

"年轻真好……"太后与太妃含笑看着一群群在柳边花荫下乞巧的女子们，都那么虔诚地将线头穿过一根根针。太后等人说了一会儿话，又对康熙说："我老太太一动就想睡，本来还想跟她们玩一玩的，不成了，皇帝留一留，替我做个主人吧？"

康熙还来不及答应，太后就哈欠连连，扶着宫女走了，水榭里只留了康熙一人。太后带走了所有的宫女、太监，他突然也觉得不想走，因为这水榭里很静，青纱灯渐渐熄了，乞巧的妃主们看水榭里没了灯光，猜想帝后母子都走了，也纷纷离去。康熙轻轻晃着白玉杯，啜着玉泉酿，心里有种说不出的恬静安详，久违的感觉，就像……就像从前留瑕在身边的时候，即使不说话，也很满足。

他听见脚步声，很轻，缓缓地踏上水榭梯台，一闪身，康熙藏到屏风后，他猜想是哪个妃嫔，要是撞见，又有一番纠缠。屏风后面摆着个凉榻，康熙轻手轻脚地坐上去，屏风后的隔间是个八角形的格局，专门拿来睡午觉或者晚上乘凉的。

那人在水榭里逛了一圈，好像在找什么东西，之后，一个极轻的嗓音落入康熙耳中，说的是科尔沁口音的蒙古语："找到了，在这里。"

"留瑕！"康熙喊了一声，迅速地绕出来抱住，软玉温香一入怀中，他就知道不对。夏夜微风卷着月光透进水榭，吹开栏杆边的青纱帘，月光洒在那人脸上，却是巴雅尔。她手上抓着太后的披肩，披肩的另一端垂在宝座上，似乎是刚刚才拾起来。

"博格达汗……"巴雅尔低低地咕哝了一声。

康熙有点错愕地看着她，她个子娇小，除此之外，那身打扮，与留瑕根本一模一样，这是怎么回事？她的耳坠、发簪都是留瑕常戴的，扮作留瑕，要做什么？

"太后……让奴婢来拿她的披肩……"巴雅尔轻声地说，含羞带怯地眨着眼睛看他一眼，又垂下头去，那神情，也与留瑕年轻时候很像，但也仅只"像"。

康熙点了点头，此时才发现自己竟然还抱着她，慌忙松开，就要转身回到屏风后去。一移身，瞄见栏外树下有两个人站着，看那装束就知道一个是太后，他仔细看去，皱了皱眉，心里暗叫不妙，跟在太后身边的，正是留瑕。从那个位置，水榭里做了什么都一清二楚。

巴雅尔没有走，她说了些什么，康熙一句话也没听见，只是专注地盯着树下。有几个太监过来，扶走了太后，而留瑕还站在原地，隔着二十多尺的湖面，与康熙对望着。康熙其实根本看不清楚她的脸，但是，他却看得见她含着泪的苦笑，甚至，也看见了她咬出血丝的唇。巴雅尔一走近，树下就什么人都没有了，只见柳丝如幕，像有人经过似的，轻轻摇曳……

留瑕望着天，或许是下午已经把雨都下光了，七夕的夜空很晴朗，满天星斗间，银河如同真实的河流，蒙蒙的星光像是水烟，漫进留瑕眸中，将那双深邃的眼瞳掩上一层水雾。她恍惚地回到太朴轩，承乾宫总管魏珠心焦地等在轩外必经的道上，看她过来，连忙过来，由于近身下人礼可稍免，他要搀留瑕，她摆了摆手示意不用，于是魏珠就垂手跟在旁边。

"魏珠……"

"奴才在。"一听留瑕出声，魏珠不易觉察地挑了挑眉，却把身子弯得更低。

"你说……人家郭络罗贵人跟宜妃，姐妹同在宫里，怎么就从没听说过什么使绊子的事……"留瑕冷冷地、失落地笑了笑，恢复了原本那恍惚的神色后，又突然嗤笑一声，"不知我是今生凉德，还是前世造孽，就这么多人下死劲，不给我一天安生日子过，就连自家人，也往我嘴里塞辣椒……"

魏珠不能应，也不能劝，留瑕虽然好像在跟他说话，但这种话是不能往外传的,听了也只当没听,只能跟着留瑕慢慢走。又听她浅浅地笑了一声:"……从前把我当成心肝似的,现下来了个新的,我就不值钱了?天上夫妻团圆,可我连坐在自己男人身边都不成……还要笑着把她扮成我的样子……怎么?我生了个死胎,就沾上了死胎的气,碰都碰不得吗?"

他们正穿过一小片竹林,竹枝让晚风拂过,宛如鬼影,而留瑕的话音里充满了魏珠从没听过的怨恨。那样的语调、那样的冷酷像是有个冤魂附在留瑕身上说的,一点都不像她。太监宫女都迷信,魏珠听着更是觉得头皮发麻,他猛地想起兰贵人海棠来,海棠也是生了死胎后备受冷落……一想到这里,魏珠根本不敢往留瑕的脸看一眼,就怕看见的是海棠被勒死时七窍流血的脸孔。

过了竹林,只见太朴轩中点着亮闪闪的灯,魏珠才呼了口气出来。只听有人轻轻地拍了一声,上下十多个宫女、太监互相一递眼色,悄没声地把该准备的都放好。留瑕一踩过黑洞洞的门槛,魏珠只听见一声极轻的叹息,再站出来时,留瑕的脸色已恢复平常。宫女们上来服侍她卸了头面首饰,她坐在妆台前,微笑着对最亲近的一个大宫女说:"容子,今儿可玩得尽兴?"

"奴婢们仗了主子脸面,茶水房的都来帮忙,各宫小姐妹们好不容易一道儿玩耍,奴婢们也都求了织女保佑主子青春永驻。今儿下午出了太阳,晒水穿针,就咱们宫里得了个红日穿针的好兆头呢!晚上乞巧赛穿针的时候,也是咱的小岚得了状元。"容子自然不知道留瑕刚才不开心,只拣着凑趣的事讲,手上也没停。留瑕洗了脸,另一个大宫女小岚早已调了粉霜过来,容子接过,给留瑕匀上:"主子,这是南京沐大太太前儿给您捎来的水粉。"

沐大太太,就是沐蓉瑛的妻子纳兰氏。几年前,他母亲沐老太太写信请留瑕做媒,娶了纳兰家的一个女孩,正是纳兰洁的幼妹,夫妻感情似乎不坏。后来,沐老爷去世,沐蓉瑛就成了当家主事的"老爷",妻子也升为"大太太",沐家又靠着曹寅的介绍,与内务府接触,成为皇商,专司为宫廷采办货物。留瑕是当家的贵妃,内务府也看在她的面上,对沐家生意特别照顾些。

沐家是汉军旗人,纳兰氏又是正宗的旗下人,旗下人对于嫁出去的姑娘很是敬重,沐家简直将留瑕当做了自家的姑太太。纳兰氏更是谦恭有加,偶尔进宫来,连平辈的"姑太太"都不敢称,总是恭敬地称呼留瑕为"姥爷",这又是高看了留瑕,自居于晚辈身份。故而,留瑕对纳兰氏印象很好,捎东西回去,总不忘她一份。

"还是江南的粉好,沐家的人应当还没离京,你告诉魏珠一声,把造办处今春送的头面挑些,再配些礼物,捎给沐大太太,做个心念吧!"留瑕淡淡地吩咐,容子答应了一声,越过留瑕头顶,与旁边的小岚交换一个不安的眼神。留瑕凝视着镜子,窥见了她们的神色,一抹极淡的笑掠过,她缓缓起身,俯身捞起蹲在脚边的规矩:"规矩,睡觉了。"

留瑕把它放在床上,宫女们过来帮留瑕洗了脚。规矩又爬起来喵了一声,蹭进留瑕怀里,两只已经剪掉指甲的爪子,轻轻地一收一放,推着留瑕的胸部,大大的猫眼舒服地眯着,发出呼噜呼噜的声音。容子笑着说:"规矩真是越来越不规矩了,要给皇上看到,准得把它的猫爪打断。"

留瑕无声一笑,洗过了脚,人还没睡,规矩已经睡死了,连留瑕把它放在康熙枕边,它也只是模糊地咕噜一声就倒头睡了。帐子放下,留瑕轻轻地摸着规矩短短的毛,一边想着自己的心事,今晚是真的太累了,她委屈得想哭,可是又一滴眼泪都出不来,睁着眼睛,却睡不着。

留瑕起身,床下坐夜的容子连忙起身:"主子,有什么吩咐吗?"

"没什么,睡不着……"留瑕趿着软鞋,在房里逛了一圈,"不用把其他人叫起来,你挑亮灯,把我还没做完的绣图拿来吧!"

容子本想劝她不要晚上刺绣,伤眼,但看她心事重重,也不好多说,便把西厢里放着的那块长一尺的绣绷子连架子拿过来。上面是还没绣完的一堆字,她面无表情地绣着,容子挑亮了灯,小心地问:"主子,您绣什么呢?"

"《璇玑图》……"留瑕轻声地说,容子应了一声,可她只粗通文字,也真的不知道这些文字组成的方图有什么意思,只能看着留瑕一字字地绣着。绣到一半,要换色线,留瑕翻拣着绣篮,似乎没有找着喜欢的颜色,不留神,给剪子扎了手,食指随即沁出血来。容子连忙要寻药给她敷上,她摇了摇头:"没事,你去给我兑杯热茶来。"

容子只得应声去了,留瑕看着手指上的血从伤口满出来,落到《璇玑图》上,沾在正中的"心"字上。前秦的苏蕙凭着这幅《璇玑图》,使丈夫窦滔离了爱妾,重新回到身边,可是她就算绣成了《璇玑图》,康熙不是窦滔,她也不像苏蕙是正妻,拿什么名分要他守着她?

留瑕先是愣愣地看,接着,突然抓起那把剪子,一咬唇,停在腕前,她的手在发抖,晕眩得想吐,剪子一歪,戳破了沾血的"心"。留瑕握着剪子,心中一阵似悲似苦的恨涌上来,拔起剪子,狠狠地在《璇玑图》上划了几道,给绷子绷得紧紧的绸布,一戳就破,不一会儿,《璇玑图》就变成了几片挂在绷子上的碎布。

留瑕抛开剪子,心中丝毫不觉畅快,却终于能哭出声来。

容子听见了声音,连忙要进来,却看见留瑕伏在绷子上痛哭,一吐舌头,又退了出去,让人寻总管来劝。

另一个大宫女小岚听了容子的话,睡眼惺忪地到了魏珠住处,一个小太监看见是她,笑嘻嘻地说:"岚姑姑,寻师傅吗?他老人家给皇上身边的梁师傅叫去了。"

宫女们都拜人面广、好帮忙的大太监做干阿玛,小岚正是康熙跟前红人梁九功的干女儿,便对那小太监说:"你去我干阿玛那儿寻师傅,说主子心绪不好,睡不沉,正要问师傅寻息香。"

这是大宫女们跟总管的暗号,是表示这边出了不好解决的事。小太监不知道,只听了话,又拉了另一个小太监,往清溪书屋去。

两人到了清溪书屋,找了当值的说了要来寻师傅,正巧梁九功走出来,小太监便上去请了个安:"梁老爷子,岚姑姑正要寻师傅,不知道……"

"寻他什么事?"梁九功直着眼问,一般是不好问别的宫里事,小太监缩了一下,梁九功说,"我那干闺女这是怎么了?屁大的事就寻来这里?"

"回老爷子话,岚姑姑说,主子心绪不好,睡不沉,要问师傅寻息香。"小太监只好把宫女的话转述一遍。

梁九功脸色一正,对那小太监说:"你们在这里等。"

说完,自己就闪身进去了,他自然是知道这些话的,知道太朴轩有事,便站在廊下,听着清溪书屋里的动静。其实,不是他找,是康熙要问话,此时,听康熙的声音说:"梁九功,你进来。"

"是。"梁九功连忙走进,垂手站在旁边听宣,承乾宫总管魏珠跪在康熙旁边,正在给他捶腿,条桌上放着一小坛酒。康熙脸上泛着浅浅酡红,握着的杯子也空了,康熙晃了晃杯子,梁九功连忙上前拿起酒坛,要给他斟上。提起酒坛，却觉得一轻，已经喝了一半，一闻味儿，却是贵州贡上的茅台，最是烈性，他一抱酒坛，扑通跪下："皇上，您不能再喝了。"

"叫你倒！"康熙斩钉截铁地说，口齿还清晰，眼睛里却朦胧，已是醉了，"今儿是七夕，朕要痛乐一番！"

梁九功紧张地想了一下，迅速有了主意："皇上，这酒烈性，喝得多了，明儿说不出话，您要喝也成，奴才给您张罗着玉泉酿，不伤喉咙。"

"什么玉泉酿！朕恨玉泉酿！"康熙突然暴怒起来，把那只宋代的越窑青瓷杯掼到地上。瓷杯应声而碎，一块碎片溅起，在梁九功的手指上划了一个口子。康熙笑了起来，声音却悲凉："朕恨玉泉酿，喝起来就像喝眼泪，哈哈……赶明儿，朕要把玉泉山的泉眼堵起来，一滴水也不让出山，一滴水也不让酿酒，哈哈……"

梁九功与魏珠低着头，两个人都是人精，一听就知道是为留瑕，心里不痛快，因为康熙总说："慧妃的眼泪像玉泉水那么清"，所以，玉泉酿就是她的泪，喝起来，自然就和喝眼泪是一样的。梁九功本想劝康熙过去太朴轩，此时，也打消了念头，康熙一去，作为一个皇帝、一个男人，康熙不能在留瑕面前一诉心中郁垒，不愿意给她难受，泪眼对泪眼，伤心对伤心，两个人比赛痛苦，徒增愁绪而已。

正思量着，又听康熙在说醉话，梁九功心中难过，康熙除了无可避免的大宴，几乎滴酒不沾，也不借酒浇愁，不快乐就去找快乐的事，只在有舒心的国事才小酌，从不超过三杯。此番喝了半坛，心头积了多少说不出的怨恨，可想而知。

"……把朕当成椅子……谁来了谁坐，只要是女的都塞到朕身边……也不问朕想不想、要不要……十四岁时这样！都四十岁了还这样……嗝……"康熙打了个酒嗝，颓败地倒在榻上，悲伤地望着今晚的满天繁星，"今儿天上不哭，地上哭，朕要把喜鹊通通射下来……虚荣的东西……只顾着自己在天上露脸……要真这么好心，怎么不每天飞上去给搭桥？偏拣着今天？混账……名字带着喜，却眼瞧着人家夫妻分离……谁喜得起来……"

魏珠抬了抬眼，他是通蒙文的，巴雅尔这个名字，在蒙语里正是"喜"的意思，敢情是借酒装疯，数落巴雅尔？他不敢猜，也决心不能把这话往外传，要传到了太后耳里，又有好一番折腾。他听得康熙的声音渐渐低下

去，便大起胆子，与梁九功一人一边，把康熙搬到床上去，安顿好了，方才出去。

梁九功吩咐了几个小太监进去伺候，自己亲自送魏珠出去："怎么了这是？"

"我们主子委屈，千防万防，家贼难防。"魏珠愤愤不平地说，他压低了声音，"那个蒙古本家来的格格，竟是个小浪蹄子，跑到太后那里，说想给皇上做妃子。太后昨日找我们主子去，议着要给那格格名分，主子说了，得要皇上答应，那格格竟一掀帘子出来，问我们主子为什么不愿意她进宫，还说什么'只想着跟姐姐一同伺候博格达汗'。太后大约想着本家多几个也不打紧，就逼着我们主子去问皇上。皇上说了不要，那格格又闹起来说是我们主子拦着，真气死人不偿命。"

"这么个忘恩负义的蹄子，怎么会听她的？"梁九功说，他是个极精细的人，硬是把太后两字隐去，不让人抓到他说太后的坏话。

魏珠义愤填膺，他跟梁九功都是练家子，打小跟着康熙练布库，十分高壮，攒着拳，像是要把谁拧死："谁知道，那格格不知跟太后商议了什么，太后今日下午找我们主子去，要我们主子把常穿的首饰衣裳拿给格格，还说皇上要不要，晚上试一试就知道了。主子没奈何，还得亲手把那格格装扮得跟自己一样，我们主子多伶俐个人，挨了这窝心炮，话也说不利索，只能问那格格'你到底为什么要嫁皇上'？"

"那格格说什么？"梁九功是第一次听说有这样的事，宫里的这些妃嫔，虽也有性如烈火的，可从没听说有哪个未嫁姑娘给自己姐姐难看的。

"她说'博格达汗是天下第一的英雄，我只嫁给英雄'。"魏珠说完，与梁九功同时一叹气，又说，"当下心头那份苦，就是我一个下人都不忍心，我们主子却还是好声好气，'皇上不是英雄，他只是个人'。"

"我们看着皇上是圣明天子，五百年才一见的圣君，皇上却常说自己是孤家寡人，不愿意我们多说好听话。说皇上只是人，这句话，倒足见贵主子是皇上的知心呀！"梁九功深深地叹了口气，开了门，等魏珠走远了，才拖着疲倦的步子回去休息。

魏珠带着两个小太监走在通往太朴轩的路上，今日下午的事情一直在心中萦绕不去。他陪着留瑕去太后那里，太后端坐在榻上，正与巴雅尔亲昵地说着话,见留瑕进来,先支走了巴雅尔,才说:"留瑕,今儿咱捉弄捉弄皇帝,好不好?"

"太后说好,留瑕努力巴结着就是。"留瑕蹲身一福。

"那好,你让人把你常用的首饰衣服拿来,等会儿我去赴宴,你就在这儿,把巴雅尔扮得跟你一样,我让人给信号,你们俩过来,咱看看皇帝认不认得出来。"

太后微笑着说,眸子里却闪着警告的光,留瑕的脸色猛地变白,颤着声跪了下去:"太后,巴雅尔进宫的事,我从没挡着不让,您若不放心我,直接问皇上就是,何必这样戏弄皇上?他恼起来,就是巴雅尔进了宫,也没有好脸色的。"

"皇帝要不要巴雅尔,今晚试了就知道,你别多心,我也是为你着想,你虽然没有孩子,但我瞧着已经是稳稳当当的六宫之主,那是尽量不要专房的好;前些日子你心绪不佳,皇帝陪着你是应该的,可宫中这么多嫔妃,谁都眼巴巴地盼着。你既然已是贵妃,也许不久就要升皇贵妃,心胸也要大些才是。你也是过三十的人了,不能像从前那样撒娇,要学着劝皇帝多亲近其他人,这对你好、对其他人也好……"

太后拿起黄瓷龙纹茶碗呷了一口,看着低头不语的留瑕,叹了一口气:"你不要想得太多,我这不是帮你吗?执掌六宫,要的是人家敬你、爱你、怕你却又离不开你。做了皇贵妃,就得要公平,至于皇帝的宠爱,还是分些给旁人才好。巴雅尔年轻,虽然不像你那么懂得皇帝,可是比其他人活泼、相貌也好,跟你从前的样子很像。我前些日子让御医给她诊脉,身体健康,看来是个宜男相。你们是姐妹,她的儿子就是你的儿子,就算得宠,还有个先来后到,你是姐姐,又是主位,绝抢不了你的锋头,再说,在宫里多个帮手,有好无坏,嗯?"

太后说完,也不等留瑕回答,摇着扇子,起身梳妆去了。留瑕跪着,魏珠看不清她的表情,她用手绢擦了擦脸,起身命魏珠去取东西,亲手把那些康熙亲自挑的送给她的东西,都簪在巴雅尔头上。魏珠捧着首饰盘,侍立在侧,真是恨不得一个窝心脚踢过去把巴雅尔踹死,只听着留瑕开口:"你到底为什么要嫁皇上?"

"因为博格达汗是天下第一的英雄,我只嫁给英雄。"巴雅尔毫不犹豫地说，她转过头，那双细长的凤眼里，流露着固执与崇拜，坚定地看着留瑕，"姐姐，我曾经很想做你，我想跟你一样。当我进宫后，我发现我不是你，我学不来你的温柔体贴，你是一个水一样的女子，你是博格达汗的孛儿帖。可是，我也发现了我自己，我比你年轻，我可以带给博格达汗更大的雄心壮志。这世界上，还有好多还没征服完的地方，我要陪着他去打仗、陪着他去征服这个世界，我不在意名分，但是我要陪在他身边，我要鼓励他，做他的忽兰。"

孛儿帖是成吉思汗的元配皇后，虽有许多后妃争宠，可是成吉思汗始终最敬重她，但是忽兰却是成吉思汗最心爱的。众后妃都留在蒙古本部，唯有忽兰伴随成吉思汗千里西征，最后死在征途，冰缝之下埋葬的，是一颗火一样炽热的女人心。

魏珠知道这事，心中觉得巴雅尔根本是异想天开，看着巴雅尔又转过头去对着镜子，他的嘴唇紧抿着，忍着不要口出恶言，但是他心里暗骂："贱蹄子，做忽兰？你也配吗？"

但是留瑕丝毫不以为忤，她眸子里掠过一丝悲伤，却温言说："皇上不是成吉思汗、不是什么天下第一的英雄，他就是他、只是个普通人。"

"博格达汗是英雄，大英雄。"巴雅尔固执地说，嘟起了嘴。

"他只是人，一个男人。"留瑕用一样淡然的语调说。

巴雅尔猛地转过头，郑重地说："博格达汗是大英雄！"

留瑕无奈地笑了笑，但是在魏珠看来，却十分可怜。巴雅尔眨了眨眼，不解地看着留瑕。

魏珠叹了口气，太朴轩已经在望，走进去问了情况，留瑕已经睡下，是蓝嬷嬷起身把她哄睡了，蓝嬷嬷对魏珠说："师傅，我看主子刚才的样子，竟有些像前头有孕的时候，明日，还是让御医来瞧瞧吧？"

"不会吧？主子才刚……怎么就又有了呢？"魏珠有点讶异。

蓝嬷嬷摇着头，低声说："难说，主子这个月的月信，已经过了好几天了……"

　　一个下午，太子躺在凉榻上，用一柄打磨平整的芭蕉扇轻轻地拍着腿。太子福晋石氏过来，给他奉上几碗甜品，太子耷拉着眼皮睨一眼，冷冷地说："我向来讨厌薏米粥，淡里呱叽的，有什么好吃，还有杏仁，那味儿恶心，都撤。"

　　太子福晋无可奈何，只能撤了东西，自己也起身要走，太子却伸手一带，把她整个人拉了过来："谁叫你跟着撤了？"

　　"我……不打扰太子爷想事儿……"太子福晋嗫嚅着想下地。

　　"想什么事儿？你怎么知道我想什么事儿？"

　　太子俊秀的脸上，一双风流的眼睛含笑，伸手就探进她怀里。太子福晋嫁给太子只一年多，从小家教严，总觉得光天白日不好搂搂抱抱，看了后面迅速退去的宫女一眼，更是臊得满脸通红，只咬着唇，不敢出声，又不敢去推太子，只半推半就地任他胡搅蛮缠。太子手上不停，脸上却没有半丝表情，木着脸完了事,径自束好了衣衫,也不多温存,便起身往他处办事见人。

太子福晋原先有些又羞又喜,见他这样不当回事,便觉得委屈,默默穿好了衣服,坐在妆台前愣愣地发呆,却见大宫女小岚进来:"二福晋,我们主子请您过去,是大福晋、三福晋、四福晋来了,说要给您行个礼呢!"

"哦……"太子福晋应了一声,扯了帕子就要走,刚起身又坐下,是觉得下身有些酸软无力,她勉强地笑了笑,"我补些粉,一会儿就过去。"

小岚走了,她一看镜子,才发现自己发鬓散乱,胭脂也给太子弄花了,连忙唤了人来,修饰了一番才往太朴轩去。一进去,只见西阁里,三个福晋、十三格格与留瑕热热闹闹地坐着,太子福晋先向留瑕福了一福:"额娘吉祥。"

留瑕含笑点头,才轮着三位福晋跟十三格格给太子福晋行礼。四福晋才新婚不到一年,四阿哥就先下江南、后随驾西征,夫妻聚少离多,刚回来,四福晋就传出有喜,此时正红着脸听嫂嫂们取笑。

大福晋走到四福晋身边,搂着她的肩膀,拨着她身上的金三事儿,亲昵地说:"怪道四爷一个侧福晋也没有,不喝酒、不听戏、不逛大街,一回了府,我们爷怎么拽都不出来,原来是新婚宴尔,家里搁着个玉人儿,忙着呢!"

"大嫂嘴坏……"三福晋接口,她与大福晋是牌搭子,熟透了的,一递眼色,"不过,爷们哪有不眼花嘴馋的?我猜,是四妹妹胭脂虎啸,把人见人敬的四爷给吼住了?"

太子福晋微笑,摇着扇子说:"三妹妹别说人,你跟三爷才是恩爱夫妻呢!"

"我们?二嫂说哪儿的话?我们爷看书比看我多得多了,就连到了我屋里也看书,说什么这叫'书中自有颜如玉',敢情嫌我不漂亮是怎么着?姑奶奶我也不是好惹的,我就说呀,'胤祉!你别打量着姑奶奶好性儿,要恼起来,我把你一屋子书都烧个干净!你信不信'?"三福晋装作气呼呼地说。

众人笑了,十三格格却转了转漂亮的眼睛,抿着嘴说:"三嫂骗人,我那天去三哥府里,还听三哥搂着三嫂喊'心肝'呢!"

一阵哄堂大笑,三福晋红着脸,她是个小孩性子,跟人小鬼大的十三格格有的是话聊,笑着啐了一口:"烂舌根的,枉费我心疼你,给我出丑。赶明儿长大了,让你三哥给寻个黑瞎子(即黑熊)似的、毛茸茸的额驸给你,也让他蹭着你喊'心肝'。"

"才不要黑瞎子呢！三哥偏心三嫂，那我不给三哥做主，我找四哥去，他最疼我，会给我找个跟六姐夫一样漂亮的人！"十三格格扮了个鬼脸，三福晋也回了她一个鬼脸，掌不住地也笑了。

十三格格坐在大福晋腿上，大福晋抱着她说："小鬼头儿，你又知道六姑爷好看了？"

"我在四哥那里见过的，六姐夫是我见过最漂亮的人，还抓野兔子给我。他说，在喀尔喀，野兔子满地都是，姐夫还说要带我去喀尔喀玩呢！"十三格格很认真地说，见大家都笑，好像是怕她们不相信似的，从衣服里掏出一个护身佛，跑到留瑕身边说，"姐夫还送了我这个，额娘你看嘛！"

留瑕把那个护身佛托在手里，镏金的小小盒子跟里面的佛像看起来已经很旧了，用一个杏黄的锦袋装着，盒子里装着一个一样看来很旧的绳结，是活佛们亲手打的祝福，只有贵族才能拥有，十分珍贵。绳结末端结着一块黄布，上面用蒙文写着"敦多布多尔济，吉祥如意"，留瑕抬眼，郑重地对十三格格说："这真是你姐夫解下来给你的？"

"是啊！"

"不是你硬跟人家拿的吧？"留瑕问。

十三格格嘟着嘴巴，抢回了那个护身佛，生气地说："才没有呢！是姐夫自己要给我的。"

说完，好像受了冤枉似的，蹭到四福晋身边去，四福晋打圆场说："额娘，是真的，紫祯没打诳。那日六姑爷来府里找四爷遛马，四爷带着几个小爷先出去了，紫祯也不知怎么，跟六姑爷说起了蒙语，又知道紫祯跟着您，六姑爷算是您的晚辈，一来二往的，也就算是自家人了。姑爷很是开心，隔日就来接紫祯去府里见见老福晋、老王爷，又带她去逛了大栅栏，亲自把她送回来的时候，六姑爷就当着我跟四爷，把这护身佛送给紫祯，说这是哲布尊丹巴老活佛给他的，他现在已经长大了，用不着了，送给紫祯，愿她平安长大的。"

"额娘是坏人，一点都不相信我！"十三格格委屈地说了一声，又跑到三福晋那里，抱着三福晋。

"哎哟……真生气了……"留瑕没奈何，亲身过去扯了她来，哄着说，"这护身佛是顶顶重要的东西，额娘也是怕里头是不是有人家什么纪念，再说了，你姐夫一个大男人贴身戴的东西，你一个小姑娘接着戴，也不害臊？"

紫祯已有八九岁大，一开始还愣愣地听，一听后面的话，轻轻"嗯"了一声，就捂着脸跑走了，太子福晋笑了起来："小鬼头儿会害臊了？"

"不过六姑爷真的挺喜欢紫祯的，在雍和宫跟她说了一下午的话，也不知道哪来这么多话好说，大约就是投缘吧？"四福晋微微一笑，眸子里闪着温馨的光。

三福晋喝了口茶，也跟着说："听说六姑爷是出名的美男子，又是额娘的族人，可能也长得像，要不，紫祯不会那么喜欢的。我们爷跟四爷带着她回园子，听我们爷说，她在阿玛面前夸了六姑爷一车的话呢！"

"还好紫祯是个孩子，没那么多忌讳，若是跟六格格年纪相当，六格格傲得很，要让她知道姑爷把护身佛送了紫祯，不定吃起飞醋来呢！"大福晋拿起手绢，擦着额上的汗。

太子福晋祖上虽是满人，徙居辽东多年，早与汉人没什么两样，身份也是汉军，却不懂得蒙人对藏传佛教的信仰，不解地问："不过是个小佛盒，有什么要紧？"

"二福晋有所不知，满人主要信的是萨满，不一定重这个。但是在蒙古，这护身佛是打一出生就戴着的，里头都有喇嘛们祝福过的东西，尤其六姑爷这佛盒是哲布尊丹巴老活佛加持过的，老爷子是我们博尔济吉特的老长辈，这东西就更是珍贵。佛盒虽不一定贵重，但是毕竟是跟着自己长大的，一般都跟着到死。把这护身佛给人，若不是割头换颈的生死兄弟，就是非卿不娶的心爱姑娘。大福晋说得不错，还好紫祯小着，若是个大姑娘，也不由得六格格不吃醋了。"留瑕无力地笑了笑，紫祯嚷着要嫁个跟姐夫一样的男人，若是六格格听见了，该怎么想呢？

福晋们又说了一阵话，就散去了，留瑕到东阁去，看见条桌上放着那个佛盒，紫祯把那个绳结拿出来，正在翻着看绳结怎么打的，见她进来，心虚地赶快把东西收了起来。留瑕坐到她身边，摸着她的头说："好啦！姑娘，既然是姐夫的心意，就收起来得了，只是，千万别再跟人说你姐夫对你好，尤其别说把护身佛送你，知道吗？"

紫祯松了口气，把佛盒又拿出来，却问："为什么不能说？"

"因为……"留瑕想了一想，又问，"为什么那么喜欢你姐夫？他真的很好看吗？"

"好看!"紫祯毫不犹豫地说,小脸上有着崇拜的神色,留瑕突然想到巴雅尔,心头一阵难过。紫祯心无城府,开心地说:"姐夫很温柔,他带我去王府,我跟他说我不会骑马,所以他都骑得慢慢的,陪我说话、给我买糖葫芦、泥人儿跟好多东西,糖葫芦脏了他的衣服,他也不会生气,说再换一件就好了,不像胤祥会凶我。姐夫也不像胤祥臭臭的,他身上的味道,很像皇妈妈(太后)拜佛时候的香,很好闻。额娘,你说我可不可以跟六姐姐换一换,我以后嫁给姐夫好不好?"

留瑕煞白了脸,巴雅尔的脸在她眼前与紫祯的脸重叠了,她颤声说:"你……就不怕你姐姐难过吗……"

"哦……可是……姐姐不一定喜欢姐夫啊!"紫祯努力地想了一下,又抬起脸,很认真地说,"巴雅尔姨姨认识姐夫,也认识姐姐。我上次去皇妈妈那边听姐姐跟姨姨说蒙古话,姐姐问起姐夫,姨姨说,姐夫是个很好很温柔的人、没脾气,抓了小兔子小羊都不杀,说怕它们的额娘没了孩子不能活;但是六姐姐喜欢的是大英雄、大豪杰,不喜欢姐夫那样的人,说那是软骨头。可是,我不觉得温柔的人不好,阿玛对额娘就很温柔,我想跟额娘一样,嫁一个不会骂我也不会打我的人。"

留瑕看着她,想说什么,却又一句也说不出口,紫祯那单纯的心怎么会明白,皇家的婚姻,永远是国家利益在前。夫妻和美,是好命捡到的;夫妻失和,更是家常便饭。谕令已出,虽然还没成亲,敦多布多尔济与六格格除非一人死亡,是不可能分开的。但是她又怎么能告诉紫祯,将来会选到一个怎样的额驸,也是国家利益的问题,半点由不得她。

紫祯也看着留瑕,不懂她为什么用那种悲伤的眼光看着那个佛盒,脚步声响,紫祯抬起头,跳下炕,扑向来人:"阿玛!"

康熙抱起紫祯亲了一口,看也不看就把她放下,他三步并作两步,上前抓住了留瑕的手:"留瑕,宁寿宫那边已经下了命令,命六宫都太监腾房子让她进宫了。"

留瑕神色凄苦,摇了摇头,什么都没有说,只是踏了一步,依偎在康熙怀中,康熙环抱着她。紫祯被宫女们带出去,回头看了一眼。

康熙微微地俯着头,贴在留瑕鬓边,忧郁地看着窗外,留瑕蹙着眉,檀口微张,似乎是叹息。她那白皙的手,紧紧地揪着康熙那件石青近于墨黑色的补服，黄昏的光从白纱窗外透进来，将康熙与留瑕的影子投射在地上，合成一体，似乎永远不会分开。就这样一直停留在紫祯的记忆中，往后的岁月里，想起留瑕与康熙，第一个涌进记忆里的，依然是那一眼的景象。

不知道他们拥抱了多久，时间凝滞着，那个以他们为中心的世界似乎遗忘了他们，阳光一寸一寸地退去，把他们推进一个十分恍惚的地方。夏日的夜一向吵闹，但是太朴轩里有种太庙似的安静、死寂，他们站在天与地之间，上不去、下不来，太朴轩、畅春园、北京城与大清国一环环地排在他们身外，像侍卫、也像探子，祖宗们那看不见的眼睛从上方亮晶晶地瞅着、天下人那无所不在的耳朵静静地埋伏在他们脚下，他们被那种无形的沉重封住了，比时间、比空气还要胶室，像一对落进蜂蜜里的蝴蝶，翅膀依然那样鲜艳，却永远在琥珀色的汁液里，表演着最痛苦的那一幕。

康熙的手伸进留瑕的宽袖里，紧紧地握着那只变得细瘦的手臂，留瑕感觉到了他的手轻轻地爬着她的皮肤，他的手很冰，她的手臂也很凉。留瑕想起了七夕那个下午的想象，两缕亡魂，在阴与阳的交界拥抱着，谁都不敢动，怕一动，扯醒了鬼卒，逼着他们永远分开。

黑暗里，不用眼睛去看，心头却比明镜还清楚，那千丝万缕的情愁，指向了一个"断"字。留瑕已经无法承受太后、巴雅尔等人施加的压力，也无法去控制自己对康熙日益增加的独占欲，她爱他爱得入骨入心，要把他推到别人怀里，就像在自己心上狠狠划上一刀。

终于明白自己没有认命，六年来学会的宽容不嫉妒，全都是自欺欺人，伏在康熙怀中，留瑕无声地流着泪。她听见他的心跳，与她的心跳一致，隔院有人弹起了蒙古三弦，不用想也知道是谁，在远处不停地轮转着。十三年的岁月伴着那拨子的速度，也在心头滚了一圈。

留瑕记起的是第一次的拥抱，在太皇太后的梓宫旁边，那一夜迷梦，吹长了情丝，而这长在宫中的情，在她心中成了密密麻麻的荆棘，不动不痛，一试图挣扎，就把心戳得千疮百孔，鲜血淋漓。

康熙则想起了首次西征的时候，她的笑靥在帐中显得那么弥足珍贵，她要的是彩凤双飞。但是他们中间夹杂了太多人太多事，把两颗原本应该相连的心分得遥远。他认为她可以承受的，但是没想到，她已经被伤得那样脆弱了。

　　"你不要难过了……别的人朕不好说，但是她，朕决不碰她一根手指，好不好？"康熙的声音，在黑暗中那样嘶哑地在留瑕耳边说，"不要为她计较，这么多年，我们都过来了……朕三十岁才认识你，可人生苦短……朕不一定能有下一个三十年，也不会再有一个你……"

　　留瑕沉默无语，两个人都低下了头，像是哀悼那已经永远回不来的时光。留瑕的手臂还握在康熙手里，她的身子也还倚在他怀里，却那样陌生，人生已经过去了。可是康熙还要作最后的努力，他深深地吸了一口气："别走，留瑕，别走……这么多年，图的不就是现在吗……"

　　现在……留瑕眼眶一热，现在……她拥有的是他最多的爱，也许现在，是他最没有保留的一刻……一股温热从心头直冲上来，却在口中被硬咽了下去，呛得胸口咳血一般疼痛。她想起从前由旁人处受过的所有委屈，都比不上他一句无心的挑剔令她耿耿于怀。她咬了咬下唇，才能哽咽地说："承乾宫里再也容不下一个你、一个我了，我为你忍、你为我忍，忍来忍去，我们什么话都不敢跟对方说，爬得越高，我们就越孤独。我怕不知什么时候，就要变成一个我不知道的人，皇上……你走不了，只有我走，才能把这一切保留，我们，才没有白活。"

　　康熙没有答应，也没有拒绝，只低吼了一声，像一只受了重伤的猛虎，伏在留瑕颈间，却又像只渴望着温暖的小兽。留瑕抱着他，三弦的声音停下来，远处传来的是永宁寺的钟声，暮沉沉地砸下来，把他们的一切封住，像戏里能把作怪妖精镇住的紫金钵，打开之后一看，也许只是只千年金簪、只是个百年钿盒。留瑕眨了眨眼，读过了那么多诗文，在此刻只记得两句，她轻声地说："但教心似金钿坚，天上人间会相见。"

　　把一切寄托在天上人间，这是大权在握的君王也无能为力的事情，整个人都被掏空了，康熙的身子颓然落在留瑕怀中，他低声说："天长地久有时尽……"

　　"可我没有恨……我只希望我们之间，不是谎言、不是梦……"

　　康熙直起身子，紧紧地拥住留瑕，他郑重地说："一个人一辈子，不一定能有几回真心，但是朕对你，绝不是假！"

　　"我知道。"留瑕的声音又轻又细，最后那个"道"，只有出的气，没有入的气,像一个叹息。

"你不知道……"

康熙原是苦涩地笑着,笑声突然遏在空气中,他放开了留瑕,点亮了烛火,留瑕猝不及防,于是,她的不信任、她的绝望全部收入康熙眼中。他的脸皱紧,像是受了委屈的孩子要哭,留瑕最见不得他这种痛苦的表情,原本想决裂的意志动摇了,她很自然地向他伸出手。在他身后,是明亮的烛光,留瑕顿时觉得,双臂像扑向火焰的蝶翼,她闭上眼睛,手没有收回。

也许,这样发自于母性的爱情,是要牺牲自己的。

然而,康熙只是站直了身子,拒绝再往前一步,即使他心中明镜也似,这电光火石般的一瞬,十多年的情分,正在他的凝立中流逝。他是个极其懂得把握时机、甚至创造时机的人,但是,他只是选择了站在原地,在那明亮的光线下,他的表情显得冷酷而无情。

"你从来就不知道……你从来就不相信朕对你是真心……你以为朕贪的是你的美貌、你的身子,可朕不是……你不懂……你不知道……你认为朕只是纵欲……所以你怕色衰爱弛,是不是?"

"是。"是,也不是……留瑕心中塞满了说不清道不明的情绪,全部涌到胸口,堵住了更多的解释。

"所以……你也不懂朕……连你……都不懂……留瑕,连你……也不懂啊……"

康熙大笑起来,他的手端住箭袖,眸光冷冽如冰,胸中澎湃的情思也冰冷了,他是自私的、自傲的,不容许别人的拒绝,即使是留瑕。如果要断,那也是从他说出口,他告诉自己,原来这些年来的知心也是自欺欺人,连她,都不懂得他……

康熙感觉自己的心像一片碎纸,被扯得粉碎,升起的却是无可压抑的恨和怨,恨她不争、怨她退缩,但是声音已经如常,他淡淡地开口。

"你以为你抛弃的不过是一个爱你的男人,所以把这些年的情分随手抛了?你还是不是黄金血胤?你还姓不姓博尔济吉特!你打败过宜妃、惠妃还有数不尽的妃嫔,为了一个莫名其妙的女人,你就这样丢盔弃甲、落荒而逃! 留瑕!"康熙的话音原先还强压着平静,越到后面,气得连声音都发抖,嗓音干哑得像是哭了好几天,"你怎么就这么无用!你怎么就不去跟她争一争!斗一斗!

你知道朕会帮你的！留瑕！"

康熙紧绷的表情终于崩溃，他猛地发出一声闷吼，背转身去，扫掉了几上所有的东西，顺手抄起一个砚台，砸碎了墙角的大玻璃镜。一声巨响后，晶亮的玻璃碎了一地，他在无数个碎片中看见自己从眼角无声滑下的一滴泪。

康熙非常明白自己这样的举动不符合一个皇帝、一个男人的身份，一哭二闹是女人的权利，晓得自己太蠢，可是他没有办法能告诉留瑕，他是如何花了十余年，才终于把心打开，准备着要接受着她进入，可是她为了一个无关紧要的人，对他敞开的心扉视而不见。

留瑕没有看见康熙背转的身子在轻轻地抽搐，闭上眼睛，她终于明白，也许不只是她不懂康熙，康熙也是不懂她的。怎么争？怎么斗？她确实怕了，她怕的是巴雅尔身上那个隐隐约约的少女留瑕，她怕的是从前的自己，那个骄横任性却敢说敢为、敢哭敢笑的留瑕，人，最大的敌人永远是自己，又有谁能打得过自己？

她张口欲言，她想告诉康熙："我不是为了一个巴雅尔痛苦，我痛苦的是每天被束缚在贵妃这个位置上，我痛苦的是我越来越不是自己，眼见着一天天老去，我害怕失去你，我更害怕我会做出什么蠢事来留住你、甚至伤害你……"

但是留瑕没有说话，她静默无语，即便她眼明心亮，知道只要在康熙面前坦白这样的恐惧，他会更加怜惜她的。她也是个懂得时机的人，在皇宫中，不懂时机的人只有被牺牲的份儿，不过，留瑕选择了沉默。她也晓得自己太蠢，多沉默一秒，她与康熙的距离就多远几分，她甚至不明白自己为什么要挑战他的权威，她一向选择顺从。

留瑕垂首含泪的模样，在阴影中显得那样柔弱，却又无比倔犟。康熙被她的倔犟惹恼了，他戟指冷然警告："留瑕，你抛弃的是一个皇帝，可朕不杀你，朕会放你走。不过，朕永远不会告诉你，为什么只对你依恋难舍，朕要你花一辈子去猜、去想。你会永远记得你抛弃的不是个普通男人，是一个皇帝！"

于是他走了，他需要去找一找自己的心，拼起来，这样才能继续活下去。而留瑕站在外寝，静静地望着他离开的方向，是没有泪了，心却一下子胀了开来，挤在胸腔里，梗得她痛苦地呕吐起来。人们抢进来服侍，留瑕任由他们摆弄，躺在床帐里，外面已经替她熄了灯，只留了远处的一盏，她兀自张着眼睛，看着黑洞洞的帐顶，搁在长枕上的脚悬空，碰不着地，她觉得自己也像被悬在半空中。多少恨，已是昨夜梦魂中，犹记花月春风时，她摸着自己的脸，眷恋地，她要记得自己曾经的美丽、曾经的坚强。

她伤了他，伤了自己，她知道自己是自作自受、甚至是自以为潇洒……黑暗中，她眼前闪过无数的回忆。

如果回忆有声音，应当是像蛇鳞擦地那样的沙沙声，听在耳里、磨在心头。前方摇曳的烛光中，那些美好的、甜蜜的、忧伤的、猜疑的时光，像数条鳞上闪着幽幽光芒的蛇，只露出森森的白牙，它们那样满足地离去了，带着满腹被咬死的爱情，绕过她脚边，缓缓地爬入了户外的黑暗中，再也找不到了……

留瑕侧过脸，她终于能闭上眼睛，也许她就是那些蛇，是她亲口咬死了爱，在爱还不到千疮百孔的时候，她吞下了完好的爱，从此，爱就不再是康熙与她共有，而是她独自享有的，她咀嚼着腹中爱情的尸体，感觉到一种久违的自在，却痛苦。

巴雅尔的贵人册文很快就拟好了，太后心中有鬼，知道自己在这事上对不住留瑕，就想把巴雅尔放到其他妃子那里去做宫里人。但是，所有人都知道了她是踩着自己姐姐做的贵人，妃子们虽不一定与留瑕过心，然而这种事，还是让人觉得巴雅尔不是个正经人，没有人愿意收她，到最后，太后还是找来了留瑕。

"留瑕啊……我是要跟你谈谈，巴雅尔的事。"太后端着一碗茶，慢慢地啜着，"我知道你心里不痛快，可这是没办法的事，满蒙两家是大清的根基，只有你一人在皇帝身边，本家总觉得不安，巴雅尔是草原上来的，跟漠南、漠西都认识，收她进来，也是给蒙古吃颗定心丸，死心塌地给皇帝效力，至于受不受宠，那是她自己的造化了，是吧？"

"奴婢没什么好不痛快的，其实，今日是要来讨太后一个恩典。"留瑕沉静地端坐着，她今天比平常朴素许多，清水脸子，只淡淡地搽上一层粉，显得有些苍白。

太后不自然地一笑，敢情是要讲价了？她淡淡地说："那你就说吧！"

"求太后恩准，让奴婢往奉安殿守陵，带发修行。"留瑕缓慢而清晰地说。

太后大惊，她定了定心神，戏谑着说："这是怎么了？跟皇帝拌嘴了？"

留瑕起身侧立，整敛衣裳，直直地跪了下去："回太后的话，是奴婢德薄才浅，这个贵妃的位子，实在是一刻也待不下去了，甘愿出宫守陵，请太后另选贤德掌管六宫。"

"不成！"太后断然拒绝，她皱紧了眉，紧紧地扣着茶碗，耐着性子说，"你不要因为巴雅尔的事情上心，皇帝那么疼你，听说外边也已经有人递折子请立你为皇后，太子也说了，若有人说你没有子嗣，他愿意拜你为母，留瑕，你且宽心，我绝没有不喜欢你的意思。"

"太后深恩，奴婢点滴在心。"留瑕磕了个头，恭敬地说，"奴婢不是为了巴雅尔的事情拿乔，是奴婢实在心力交瘁，再也没有办法担当起贵妃的责任，皇上也答……"

"不用说了！"太后起身，冷冷地看了她一眼，用蒙语清晰而沉痛地说，"你真让我失望！"

说完，太后叫了人进来："贵妃累了，送贵妃回去太朴轩。"

留瑕默默地叩了头，起身出去，她知道太后这关没那么简单过的，静静地走在畅春园弯弯曲曲的青石道上，进宫时候容易，出宫，就像走这曲折的小道，不容易。她的人生突然多了一个要全心投入的目标，但是，就算达到了出宫的目的，她也不觉得会让人生因此而快乐，她知道自己毕竟还放不下康熙的。奉安殿在离京三日路程的马兰峪，来往就要六天，国事繁忙，康熙一年只能有三四次去谒陵，离开宫里的煎熬，却又满载思念之苦，留瑕不由得长叹一声，进退维谷，何去何从？

石道的那一头，走来了太子，他似乎刚从淡宁居下来，后头跟着两个小太监，看来心情很好，迈着四方步，嘴里还哼着戏，看见是留瑕，连忙打了个千，笑眯眯地说："瑕姨吉祥。"

"太子爷吉祥。"

留瑕虽然脸上含笑，却不如往常那样热络，太子抬头，看见她眸中有一抹复杂的神色。他脸上没了笑，像做错事的孩子，半低着头，他低声说："户部还有人要回事，瑕姨，我先告辞了。"

说完，快步地走了，走得那样匆忙，直到绕过假山的转角，才停下来喘气。刚才，他感觉到留瑕的目光像无声的咒语、无形的飞箭那样紧跟在背后，直勾勾地扎进太子心中。

留瑕刚刚的眼神,让他觉得有种做贼的心虚,他扶着太湖石粗糙的表面,感觉自己的心跳十分紊乱。以为自己可以像父亲那样,完美地说出与心思相反的话,把自己的私下作为都掩盖住,当了太子这些年,也慢慢学会了口是心非。但是,在留瑕的那个眼神里,他听见脸上那个虚情假意的面具崩裂的声音。

如果留瑕对他冷嘲热讽、毫不理睬或者厌恶愤恨,他是可以应对的,她却只是那样静静地看着他,那双眸子告诉他,她并不恨他,只是痛心。太子没有见过母亲,但是他想,如果他也这样对待仁孝皇后,皇后应该也会用留瑕那样的眼神看他吧?

"太子爷,您没事吧?"小太监们气喘吁吁地跑来,太子摇头,加紧脚步逃离。

留瑕听着他的脚步声渐渐远去,失落地凝视着天,实在不懂,为什么连自己亲手带大的太子,都要暗算她?

她昨日在收拾东西时,发现自己那本记录着官员往来礼品的簿子被动过,她知道定然是魏珠动的,找了他来:"为什么要动那本礼簿?"

"回主子的话,皇上想知道索府给您送了多少礼物。"魏珠是个爽快人,能说的就说,不能说的,一句话也不透露,一叩头又说,"主子宽心,是有人在皇上面前力保您为皇后,皇上疑心那人有诈,查清了之后,对您已无疑虑。"

"是索老亲?"

"不是,是谁,奴才不能说,但是给主子透个醒,跟您、跟索老亲都很熟,不过皇上似乎怀疑,这人有意在索老亲旗下,拉个党中之党,捧您上去。您做了皇后对他有好处,皇上若不允,就表示对您已有猜忌,他也不用担心以后您再得宠、或再有孩子时,对他有威胁了。"魏珠其实已经说得很明白,留瑕何等聪明?听完,只觉得手气得冰凉、心里无名火却烧得热烫,人……在这吃人不吐骨头的皇宫里,真的为了功名利禄,什么都可以不顾……

留瑕气了半夜,越想越憋气、越想越心酸,满腹的心事杂乱无章,她低着头往前走,就这片乱糟糟的心,怎么走?怎么留?

心中烦闷,于是留瑕带着从人穿过旁边的竹林,要抄小路回去。竹林中满眼翠绿,偶然有风吹入,竹叶沙沙作响,天光从竹影之间洒落,前方有个灰色的身影伫立。留瑕眯了眯眼睛,那人转过头来,向她微笑,双手合十:"方外之人，又到这红尘中游戏一番了。"

"周先生？"留瑕惊喜地喊了一声，正是当年的老御医，他已经剃度出家，衰老了许多，留瑕知道他出家，却一直不知道他云游去了哪里，只深深一揖，深切地看着他，"周先生，你带我走吧！"

老御医笑了，他说："腿要走，随时都能走；心要走，却很不容易，是吗？"

留瑕默然，老御医向她招了招手："来吧！阎浮提主为我在永宁寺边建了一座小屋，好久不曾待客，请随我来。"

留瑕随着老御医绕过几段羊肠小径，一间小屋坐落在竹林深处，他打开了小屋的竹门，回头说："我的红尘至此已尽，你的呢？"

留瑕一愕，想了想才说："红尘漫天，没有尽头。"

"情痴啊……"老御医淡淡地笑了，那一笑，似乎随时都会乘风而去，是云淡风轻、了无牵挂的坦然，他说，"红尘尽处生慧剑，菩提树下斩心魔，我来度你，为你开红尘之门，走不走得出去，全看你了。"

"多谢先生。"留瑕说，她踏进门内，竹门，在她身后缓缓地关上……

第三十二章

qinggeng · fengchenjinchu

永宁寺

康熙三十六年冬

一切来得那样突然。

老御医手上的剪刀，一绺绺剪断了留瑕的长发，偌大的永宁寺里，只听得此起彼落的啜泣声。铜佛之前，是跪着的留瑕，左边坐着几个女尼与僧人。其中一位是临济宗的第三十三代传人形山禅师，他是国师玉琳通琇[1]的嫡传徒孙，也是留瑕的受戒与皈依师父。

留瑕的正后方，则是来观礼的人。荣德两妃与佟妃都在，另外还有与留瑕一向友好的敏嫔等人，众妃之后，坐着康熙的四个媳妇。人人眼中含泪，不住用手绢擦拭，十三格格缩在三福晋怀中，泣不成声。这一落发，就是与尘世割离，好歹是相处了十多年的人，眼见着她一步步成为贵妃、眼见着她日渐荣宠、又眼见着她突然地看破红尘、落发为尼，怎么能不感叹？

众妃右方，是双手合十的四阿哥，他的虎口挂着一串佛珠，神色肃穆，旁边坐着太子,他用手蒙着脸,垂泪不语。

右边,是剃度者的尊长,太后拒绝前来观礼,是淑惠太妃来送留瑕,她虽然含泪,却带着祝福的欣慰神情,一样双手合十,无声地背诵着经文。在太妃身边,康熙愣愣地,没有流泪,直直地看着,双手松松落在膝上,像是傻了。他的目光,随着发丝一缕缕掉落而微微上下移动,剪刀每断一茎发,他的睫毛就轻轻一跳,像是被刺痛了。

留瑕直挺挺地跪坐着,她轻轻地微笑着,长长的睫毛低垂,纤细素白的手,拾起落在腿上的发,似乎留恋,一束束抚平、拉直之后,却又毫不迟疑地放到旁边。

看着旁边的落发越来越多,冰凉的刀锋轻触着她的头皮,眸中,似乎透出了更明亮的光。她微仰着头,再也不去看那些绕身的烦恼丝,双手缓缓举到身前,合十的指尖,一缕细发飘落,留瑕轻轻闭上眼睛……

康熙的身子颓然一斜,轻颤的手,扶住额头,不愿再看,他起身,踉跄着走了出去。留瑕听见了他的脚步声,也听见了十三格格哭着喊:"阿玛……"

康熙没有回应,细碎、不稳定的脚步声,踩在永宁寺的青石地上,那样明显。

留瑕没有回头,她睁开眼睛,听见殿内众人在司赞僧的领唱下齐颂香赞、南无本师释迦牟尼佛、大悲咒、十小咒与心经,高低唱和,在那回旋的梵音之中,留瑕才真正感觉到了离别之情。唱完了这些咒语,就与这红尘俗世诀别。

这殿中坐的,几乎是她今生最亲近的人。她的人生,就活在他们的注视中,像一只只封在玻璃盒里的金鱼,你看我、我看你,以为透明的盒盖就是天、以为透明的盒底就是地,就是死了,从外面一眼瞧见慢慢溃烂的尸体,在水中摇曳的美丽鱼鳍破了,饱满浑圆的鱼肚烂了,流出又黑又黄的水,却被盒盖封着,闻不见尸臭,曾经多漂亮,死了就多不堪。

今日,她要借着佛的手,把她从禁锢着她的玻璃盒里捞出来,会被太阳晒死、会被外面的泥沙脏了鳞片,也不打紧,唯一不舍得的,她愧疚地笑了,还是康熙。她的玻璃盒,也是他的,她游出了玻璃盒,而他,只能在盒子里看着她离开。

"你的因缘与阎浮提主牵绊不休,但是,什么是因缘?"老御医的话语犹在耳边,留瑕再度闭上眼睛,心志,不再动摇。

形山禅师走上前来,朗声说:"戒香、定香、慧香、解脱香,解脱知见香,光明云台遍法界,供养十方无量佛,十方无量法,无量僧,见闻普熏证寂灭,一切众生亦如是。"

"即将今晨开启剃头受戒功德,回向皇帝万岁,臣统千秋,天下太平。"形山禅师对着留瑕,清晰地说,"法轮常转,龙天土地增益威光,护法护人无诸难事,十方施主福寿庄严,合道场人身心安乐,师长父母道业超隆,剃头沙弥修行无障,三涂八难咸脱苦轮,九有四生俱登觉岸,仰凭尊众念清净法身,摩诃般若波罗蜜。"

听到"回向皇帝万岁"一句,留瑕轻轻睁开眼睛,双掌合十。出家是能度几代祖宗罪愆的大功德,如果能选择受者,她真的想把这功德回向给康熙。她抬眼看着形山禅师,该是立誓的时候,她缓缓地开口,言语中,再无半点犹豫:"博尔济吉特·留瑕请大德为我作剃头受戒阿阇梨,我依大德故得剃头受戒,慈愍故。"

重复三次,每一次,都伴随着叩拜,形山禅师又说:"心源湛寂,法海渊深,迷之者永劫沉沦,悟之者当处解脱……"

康熙又回到殿中,他静静地在自己的蒲团上坐下,等待着,他的脸上没有表情,只听形山禅师说:"……出家之后,礼越常情,不拜君王,不拜父母,汝今可离此座想念国王水土之恩、父母生成之德,专精拜辞,后不拜也。"

留瑕稽首,起身,向太妃与康熙走去,早有人在他们面前放了拜垫。留瑕先拜代表父母尊亲的太妃,深深地磕了头,用满语说:"不孝儿媳留瑕,拜别母妃娘娘,愿母妃娘娘千秋万寿,吉祥如意。"

太妃吸了吸鼻子,拿过戒尺,象征性地轻打了留瑕的肩膀,丢开了戒尺,抱着留瑕哭了一阵,留瑕柔声抚慰,太妃才收了泪。

留瑕起身,人们把拜垫移到康熙面前,他有双重身份,一是君、二是夫。留瑕一样磕了头,先辞谢君王水土抚育之恩:"臣妾留瑕,叩谢皇帝陛下抚育之德,愿皇帝陛下千秋万岁,吉祥如意。"

康熙不语,照理,皇室有人出家向他辞恩时,他要给予一些鼓励的话,但是他只是低垂着眼,不看她。伏在拜垫上的留瑕,纵容地苦笑了,她起身,人们移走了拜垫,接着是要与夫道别,她盈盈一福:"留瑕拜别夫君,愿君保重龙体,勿以妾为念……"

"朕不要保重!"康熙突然地大吼,跳起身来,他偪窜地拽过留瑕的手,就往殿外跑去,大声而狂乱地说,"朕不要你走!不许你走!"

众人都看傻了,就连形山禅师也不知道该怎么办,若是常人,僧人们会把他拦住，但康熙是皇帝，谁敢拦他？

康熙挟着留瑕冲出了永宁寺，他不管留瑕脚上穿着不适合奔跑的软鞋，也不管永宁寺外是凹凹凸凸的鹅卵石地，只管往前冲，直到留瑕在他们穿过假山时，拖住了他："皇上！"

冬天的穿洞风嗖嗖地刮着，冷得刺骨，康熙猛地抱住她，绝望地吻着。他抱得那样紧，留瑕只觉得唇上湿湿的，用手去碰，才知道是他哭了，他的脸，眷恋她冰凉的指尖，他的气息，轻轻呼过她的手心，他说："别走……"

留瑕移开了脸，轻轻抱着他，康熙的手稍微松开了些，他把头倚在留瑕肩膀上，低低地说："朕错了……我们还没结束的，是不是？你要什么朕都给你……给你皇后也可以……给你自由也可以……留瑕……别出家……别出家……不要跟朕断绝关系……我们还没结束的，是不是？是不是？留瑕？"

"不是你错了……是爱你的那个留瑕已经不在了……我出家，不只是为了自由来往于人间，还有一种心的自由。你我的情，牵绊了心的自由，缘分，已经走到底了，已经看破了的事，怎么还能蒙着眼不去看呢？"留瑕轻声说，她拉着他在洞里的石椅上坐下，她说，"皇上，奴婢给您把辫子结好，成吗？"

坐着的康熙闻言，又一倾身，把站着的她抱住，那句话，是留瑕册妃时对他说过的……他的脸，埋在她胸前，贪婪地嗅着她怀中的味道，感觉她抬起他的辫子，打散。她的手非常巧，即使正面站着，也能结成辫子。她放下辫子，俯身一吻，掰开康熙扒在她身上的手，像拂去一蕊落花，转身离去……

不知道在山洞里坐了多久，康熙无意识地坐着，什么念头也没有，脑子里一片空白，也不知道自己什么时候站起身，浑浑噩噩地走了出去，突然，有人抓住了他的手臂："皇上小心。"

猛一回神，竟然差点就要走到湖里去了，却是教士张诚，白晋几年前就以大清国使节的身份带着康熙给路易大王的国书回法兰西去了，张诚与洪若翰取代了白晋的位子，继续与康熙切磋算术。

"你怎么进园子来了？"康熙强迫自己微微一笑。

"回皇上的话，给您与贵妃娘娘画像的若翰弟兄三日前往南京传道了，他把一幅花了五年画的肖像交给微臣，要微臣转呈给您，臣这就带来了。"张诚恭敬地说。

康熙点了点头，大约是从阴凉处乍入大太阳下，觉得眼前一花。张诚连忙扶着他到水榭里坐，后面两个小太监扛着那幅等身高的画像进来，康熙摆了摆手："打开看看。"

小太监应声拿掉遮在画上的布，康熙神色一痛，手指一揪，咬着唇，略一定心神，对张诚说："画得……很好……洪若翰可有落脚处没有？"

"还不知道。"张诚恭敬地说。

"朕……赐他一块地皮在南京传教……你去……澹宁居，传朕的口谕吧！"康熙说，张诚谢了恩，康熙惆怅地看着那幅画，对那两个太监说，"拿到清溪书屋去。"

此时，四阿哥跑了进来，飞快地打了个千，康熙示意他起来说话，他急急地说："阿玛，仪式已毕，瑕姨就要出园子了。"

康熙二话不说，迅速地冲了出去，出了水榭，下意识地就往永宁寺去，四阿哥从后追来，挽住他手臂："阿玛，瑕姨适才去了太后那里拜辞，说是在西门上车。"

康熙与四阿哥转身，往西门去，两人在大路上只快步走，穿进小径中，就再无顾忌地跑了起来。这园子是康熙一手打造的，他太熟悉所有的小路，四阿哥跟着他，左一拐、右一弯，有很多路已经十多年不曾有人走过，长满了厚厚的青苔。康熙几次险些都要滑倒，有些已经被竹子挡住的路，他也硬是挤了过去，皮袍上被划破了几道。但他还是疯狂地跑着。

竹林前方一片亮，是已经到了尽头，康熙用力地撞开前面的几株竹子，根本也顾不得四阿哥被挡在后面，终于踏到了西门前的石道。他看向右方，那里是通往园子里的路，没有人，是留瑕还没来吗？

"阎浮提主，你又发蛮了？"

康熙转过头，十一月的长风吹起灰色的缁衣，像野鸽子灰色的翅膀，眸中是天空一般的澄澈，很久不曾见到那样灿烂的笑容。双掌合十的留瑕站在另一边的石道上，西门外停着一辆小车，她向他深深一揖，旋身离去。

石道上只有她轻得几乎听不见的脚步声，每一步都踏在康熙的心上，她走出了西门，走进了康熙最深的记忆。她上了小车，车轮辘辘地滚动，往西而去，车子在远方变成了一个小点，拐弯，看不见了。

天上那轮冬阳暖暖地晒着大地，康熙抬头，用手遮住太过刺眼的阳光，太阳旁边没有云彩，他想起今日清晨，陪着留瑕前往永宁寺时，朝霞是那样绚烂美丽，而现在……

"再也看不见了……"康熙低声说，他没有听见四阿哥从后赶来的脚步声，长风吹起他的袍角，领缘镶的熏貂皮毛轻轻搔着他的颈子，像有人往他颈间呵气，暖暖的、痒痒的……

脚边，有什么东西在蹭着康熙的皮靴，低头看去，却是规矩。它抬头看了他一眼，眯了眯大大的猫眼，亲昵地"喵"了一声，他俯身，规矩纵身一跳，扑进他怀中。他抱着它，它是他跟留瑕一起养大的，规矩还在，留瑕却走了……

规矩沾了泥土的前爪，轻轻地推着他轻暖的皮袍，在康熙胸前印上几个泥印子。看着它，康熙想起他曾经拎着它颈背的毛皮，威胁要剁了它的猫爪，因为它的前爪，竟敢去推只属于他的怀抱。

刚才的那阵长风，把一片云，从紫禁城的方向吹来，缓缓地往西方移动，翻卷的流云，如长江之上飞吐的浪花，他的心，也像跟着水漂走了，像是江南巡游的时候、那个与留瑕去了夜市之后的夜晚。

繁华落尽，一船悄然，只有他跟留瑕还醒着，留瑕抱着规矩，静静地望着水中沧涟的月。他记得，自己像是醉了，她清澈的眸子，像玉泉山的水，把他的心，带离了他的胸腔，一切是那样恍然如梦，明月照在江面、浪花击打着船舷……

然后呢？他记不清什么时候第一次抱了她，却记得一阵酥麻的感觉蹿过身子，也许就在那一刻，他爱上了她！然后呢？他得到了她，经过了多少波折，他终于拥有了她，她的心、她的人、她的一切，都成为他的珍藏！然后呢？他失去了她……

风还在吹、云还在流动、他的人还在畅春园，他的心呢？

"朕是个很没心肝的男人……是不是？"康熙问规矩，规矩一如往常地缩在他怀中，没有回答。

风走了，云走了，太阳的光线又炽热起来，他的心，沉回了胸腔，他回身，后面站了一群人，是那群来送留瑕剃度的人。康熙面无表情地穿过他们，头也不回地走了。

注释：

1.玉琳通琇：也称玉琳秀，清初高僧，临济宗第三十一代传人。江苏江阴人,十九岁出家,少年早慧,是临济宗的天才人物、一代宗师。顺治年间被召入宫中,与笃信佛法的顺治皇帝参禅论道,于万善殿册封为大觉禅师,后又加封为大觉普济能仁国师。顺治去世后,临济宗虽因玉琳劝阻过顺治出家而未遭整肃,但皇帝幼弱,临济宗于宫中无法立足,玉琳遂出宫南下云游,于康熙十五年圆寂于杭州天目山,享寿六十三岁(亦有云康熙十四年圆寂于淮安慈云庵者)。

余韵

"皇爷爷快来、皇爷爷快来!"稚嫩的童音在景山郁郁葱葱的山林间飘扬,不怕人的小鹿却只懒懒地看了一眼,又低头去吃草,冷不防被一只小手抓住,"皇爷爷,我抓到了鹿儿,给爷爷做靴子好不好!"

"弘历,快放手,这鹿儿杀不得。"六十五岁的康熙皇帝在旁人搀扶下,急急蹬了几步过来,"这里的动物都杀不得,快撒手。"

"为什么?"皇孙弘历不解地侧了侧脑袋,还抓着小鹿不放,"皇爷爷说,天生万物都要给人取用,这鹿傻傻的,也不懂得跑,为什么不能杀?"

"不跑,不代表就笨;会跑,也不见得聪明。天生万物是维系平衡,人可以取用,却不能因为好看或者无关温饱的理由,就杀害生命。"一个温柔的女声从竹林深处传来,弘历转头没看见人,就看康熙,却见康熙痴痴地凝望着摇曳的竹影,小鹿感觉弘历的手松动,连忙跑进竹林去。那个声音说:"阎浮提主来了?"

"凡夫俗子,又来你这红尘尽处叨扰。"康熙拉了弘历,祖孙两人走进竹林子。

一条蜿蜒小溪如带,横过两人面前,小溪中架着马齿桥,刚才的小鹿早已过了桥,依偎在一名女尼身边,正在舔她的手。见他们两人,小鹿就跑开了,那女尼微笑着伸手,康熙对弘历说:"过去吧!"

弘历摇摇晃晃地过了桥,女尼顺手拉了一把,她看起来不过四十出头,白皙的手像刚浸过溪水般凉凉的,拉住弘历。等他上岸,才看见康熙也正小心地过来,他这几年的身体很不好,腿有些抖,站不稳,女尼迅速地抓住他的手,将他拉到岸上。弘历看见他的手,在某一瞬间,抓得那样紧,脸上的表情,似悲又喜,但那女尼脸上淡淡的,什么表情也没有。

三个人进了女尼身后那间小小的三合院,康熙说:"不进去里头,就在院子里坐坐,紫禁城里热得不成样子。"

女尼淡淡一笑,转身取了三个竹筒做的杯子,斟上茶,又拿出一个装着小饼子的盒子,放在弘历面前,对康熙说:"这是胤禛的儿子吧?"

"嗯……叫弘历,已经晋了贝子。前些日子在圆明园看见他,挺伶俐的,就让他在朕身边读书。这几年,朕叫了几个小人儿来宫里,小人儿鬼灵精,给朕说说话解闷,比什么药都灵。"康熙摸了摸弘历的头,对他说,"这里的东西,你大约没吃过吧! 都尝尝,但是别吃得太多,回头胃胀。"

"孙儿知道,但是,皇爷爷,这位太太是谁啊?"弘历有模有样地问。

康熙看了那女尼一眼,正巧她也看康熙,她的目光淡然无波,很澄,康熙却在与她目光交会的瞬间,转开了视线,看着弘历,却问她:"这该怎么说呢?"

"什么也不用说。"女尼对弘历笑了笑,轻轻地说,"我什么人也不是,是景山上一抹红尘流霞,今日在此,未卜明日在何处。小贝子随便称什么都可以,要不,就叫'你',也没什么不行。"

弘历很错愕,他抓着一块饼干,愣愣地看着这个莫名其妙的女尼。康熙长叹一声,对他说:"你去外头,让奴才们带你去景山玩玩吧!"

"是,孙儿告退。"

弘历答应了一声,就要退出去,那女尼将饼盒包起来,拿给他:"带去吃,边吃边玩。"

弘历去了,小院子里只有康熙与那女尼,康熙低声说:"明瑕……朕……只怕没多久好活了……"

那女尼正是已成为明瑕尼师的留瑕,她才刚从哲布尊丹巴驻地、蒙古格鲁派之首——库伦光显寺回来。"承天景命,兢兢业业这么些年,也该休息了。"

"朕知道……只是觉得……舍不得……"康熙失落地摸了摸光光的前

额。

"痴人……"留瑕摇摇头，捧着茶杯喝了一口，突然笑了，"我不大爱说禅，总觉得开口闭口都是禅有些儿炫耀，此时，倒觉得不说禅语不行了，阎浮提主可不要笑话。"

"只要你肯留在景山，就是你每天说禅语，朕都不会笑话。"康熙嘟囔着说，留瑕展颜一笑，康熙凝视着她，讷讷地说，"你一点儿都没变。"

"明瑕是留瑕，也不是留瑕，变的是人间沧海，不变的是心。"

康熙失落地扯了扯唇，无奈地说："但愿那颗爱朕的心，是不变的。"

"心是不变的，情则是人心在别人身上的投影。人间去来，今朝来，则情爱在，明日去，则情爱去，可心还是不变的，这是一层。又或者说，既无情，也无心，人间来去聚散，也是幻梦一场，醒时鸡鸣天下白，又是梦里梦外？无心无情无人无世，一场虚空而已。"

康熙一直平静地听着，突然，一滴泪滑了下来，越来越多，苍老的脸庞抖动着，他却凄凉地笑出声来，控制住帝王最后的尊严。"空？无？这都是你们这些出家人的玩意儿，朕从来不信。虎死留皮、人死留名，朕……朕就不信，这几十年的辛苦，能让你一句空一句无就全部抹杀！千百年后，总会有人记得朕！那就不枉来这一遭。"

"会有人记得的。"留瑕说，她也微笑着，却苦涩，"他们会记得康熙皇帝，也或许记得你的庙号，但是，你记得你自己吗？剥去皇帝、剥去爱新觉罗氏，你还记得自己吗？如果你自己都不记得自己，别人记得的，又是你吗？"

康熙呆住了，他迟钝地看着自己的手，那双曾经下笔千言、开得五石弓的手，如今瘦弱得连支笔都拿不稳……留瑕的话，狠狠地剥去了康熙皇帝、顺治皇子的外皮，剩下一个赤裸裸的自己。引以为傲的一切都没有了，他只是一个行将朽木的老人，或许，只是一缕流连于人世的游魂……一种阴暗的恐惧如铁手般一下子揪住了心脏，他感觉胸腔中那颗孱弱的心脏在冰冷的血液里痛苦而哀伤地颤抖着。痛苦的不是自己的衰老，是他拥有世界、却无力再控制世界；哀伤的不是自己的死亡，是他拥有世界、却不曾拥有过作为平凡人的快乐。天子无私，于是他除去皇帝、皇子的身份，就几乎没有人生。

用手蒙住了脸，康熙不愿意再看，只听见自己那喑哑的声音无法压抑地哭泣着："朕不要听什么空什么无！朕只要你留下！留瑕！为什么你要离

开朕……若是你不走……朕可以再活三十年……都是你……都是你……都
是你……"

他被抱进了留瑕熟悉而又陌生的怀里,他紧紧地攀住她,灰色的缁衣下,
她依然留有女性的体态,提醒着他,那些曾经缱绻难舍的过去、那些旖旎万状
的往事、那些近似平凡的喜怒哀乐、那些只属于他自己的回忆……

但是,就连这样一个人,他都留不住了……康熙越发哭得大声起来,理直
气壮地,似乎要抱着她哭到天荒地老。

留瑕抱着他,她皈依的是禅宗,却又在修行密宗之后,体悟更多。她可以
准确地侦知人的想法,是一种气,人心一天中流转的四万八千个念头,都是
一个魔性的开始。魔会产生浊气,她可以清楚地感觉得到康熙心头转过欲
念、转过杀机、转过怨恨……多么污浊的心……但是留瑕并不觉得厌憎,只
是怜悯。

弘历没有走远,他一听见哭声就跑回来,却看见伟大的皇爷爷在留瑕怀
中,哭得像个婴孩。那一幕震撼了他,初夏的阳光穿过竹叶,轻轻落在留瑕与
康熙身上,把那张白瓷观音一般平静的脸庞,印在弘历心中。

很多年后,他偶然经过承乾宫,遇见了已经登基为雍正皇帝的父亲。雍正
看见他,对他招了招手:"你来。"

打开重重深锁的宫门,两树梨花迎风怒放,他看见一向冷峻的父亲脸上,
竟出现了怀念与天真,再打开正殿大门,正中的宝座前,放着一幅等身高的画
像,画着两个人,雍正轻轻地说:"这……就是你皇爷爷和慧贵妃。"

"慧贵妃……"弘历轻声复诵,他从小在宫中,已经听过很多人提这个名
字,他凑近去看。

那张画像是他从未见过的材质,灰暗的背景里,绘着稀疏的几株红枫,两
个人似乎是在窗前。康熙坐着,石青色的五爪团龙补服与头上的朝冠都画得
十分精细,看起来不过三十多岁,正在打盹,英挺俊美的脸,不是弘历记忆里
那样苍老蜡黄,唇边带着浅浅的笑,有一抹恶作剧似的孩子气。

留瑕站着,她的头上有一圈金黄,大约只有二十出头,淡白的衣衫下一件
鹅黄长裙,眼神像是笼上一层薄雾那样温柔,肤色如凝脂般吹弹可破,浅浅的
粉红敷在颊上,手上抓着一件披风,正要给康熙盖上。

"这是一个洋和尚给他们两人画的,那个洋和尚说,瑕姨是他们洋教里的

天女转世,要来守护大清皇帝,所以头上有个金圈圈……"雍正的声音依然平静,却带着一丝伤感,"唉……都是过去了……"

"瑕姨……就是慧贵妃吗?"弘历问,雍正点头,弘历仔细地看着那张画,幼年的记忆涌上心头,"我见过她。"

"是你皇爷爷带你去的吧?"雍正了然地一笑,伤感地看着那张画,"如果可以,朕希望再看他们两人一眼。"

"阿玛……"

弘历想说些什么,但是雍正沉湎在回忆里,久久不能自已:"你皇爷爷是个有福的,一生得一红颜知己,也过了几年双宿双飞的日子。造化虽然弄人,一个出了家,可是,却也保留了你皇爷爷的爱,得不到才越悬念。你我父子,虽也修佛,却只是红尘蠢物,你皇爷爷与慧贵妃,倒真是一对儿情痴、情真。"

雍正望着那幅画,突然一阵猛咳,弘历连忙要搀扶,雍正用帕子掩口,却盖不住那急促的喘咳,弘历扶着他坐到西阁去,雍正在炕上坐下,好一会儿才止了咳,父子两人这才看见西暖阁里的物事。

弘历从未来过,对这里并不清楚,雍正却越看越想掉泪。一切都摆得那样妥当,仿佛主人才刚离开,条桌上放着一碗满是茶渍的空茶碗,旁边是几颗已经干了的栗子壳,架上的摆饰都与留瑕当年在的时候没有两样,就连内寝的床下,还放着一双留瑕的鞋子。炕边的针线篮子中,有几只还没完成的小老虎,雍正抓起一只,熟悉的针线做工,让他想起留瑕在他小时候给他做的虎头小鞋。唯一显得突兀的,是炕下多了一个大樟木箱子,雍正指着那箱子,示意弘历打开。

樟木箱子没有上锁,一掀就开,里面整整齐齐地放着几十个木盒,上头贴着年份,弘历看着盒上的标签,怀念地说:"是皇爷爷的字迹。"

"打开……看看……"雍正艰难地说,从袖子里掏出眼镜,弘历先开了几个,都是留瑕与康熙来往的书信,或者两人手抄的一些诗文。每一封,都用素纸重新裱成折子,封面写着日期。他又拿出一个写着康熙六十一年的盒子,很轻,两人打开,却是一封厚厚的素白折子,只有外面是康熙一手略显歪斜的楷书,是一封要给留瑕的信。

康熙是在统治最后一年的春天写下这封信,他那时的身体已经很差,写在信中的字很是潦草,他已经几乎不能提笔,右手差不多是废了,时好时坏,很多时候，都是用左手写字。

雍正皇帝看了一眼，就不忍心去看那歪斜却固执的字，他猛地记起小时候在乾清宫，康熙在晚上会来查看他与太子的功课。刚开始学字的时候，总是字丑，康熙就握着他的手，一笔一笔地教，大手包住雍正当时小小的手，那么坚定、那么温暖……

"你……念吧……"雍正拿出手巾，揩了揩脸，靠在一旁的大迎枕上，悲伤地看着承乾宫里的一切。

一拉开那份折子，留瑕与康熙的四十年情缘就展开了，恍然如梦的春天里，弘历清晰有力的声音，却让雍正觉得，听见了康熙晚年的声音。窗外灿烂的午后斜阳，把时空拉回十多年前，父子两人，似乎看见了缠绵于病榻的老皇帝，硬撑起身子，一笔一笔如孩童学字般缓缓地、娓娓地倾诉着他对于留瑕的深情缱绻、矢志不移，一边用半文言写、一边轻声地用白话念着、充作腹稿。

生命即将走到尽头，越接近的一切越是模糊，反而是深藏在记忆里的琐事，一点一点地全都涌进心头。最先记起来的，是康熙二十岁时的偶遇，紫禁城是那样安静，却又那样热闹，安静的是现在，热闹的是回忆。

"……我们并不是在古北口才见面的，朕前日经过英华殿，才想起康熙十二年的事情，你与丹臻迷路了，而朕恰巧经过。留瑕，当时你坐在朕的腿上，我们谁也不曾想过，有一天，你会成为朕一生之中最深的眷恋。朕前日想，如果当时知道，就不会让你回到南京，要你在朕的身边，朕要看着你长大；但是今日又想，若是你在朕身边教养，那么，你会变得死板愚鲁，而不是我们在古北口相见时的灵动慧黠。

"天意如此，朕这些年忘了很多事，有时候兴冲冲地来到承乾宫，才想起你已不在身边，怅然若失，想过把你的东西都移走，如果看不到了，是不是就会慢慢地忘记？可是每当要下令的时候，你的微笑总在眼前，饶是朕向来心如磐石，你留下的记忆，却在朕心上穿了洞，一碰，就疼得紧。

"你一向是美的，古北口外，十八岁的你，美得灼眼，说实在的，当时的朕只是贪色，但说不上什么时候开始，朕就看不见你的美，只知道有你在身边，像一个影子。我们一起南巡的那一年，朕又看见了你的美，二十四岁的你，美得温润，一举手一投足，都令人痴迷，而后你成为朕的妻子，朕又看不见你的美了，可是，你不再是影子，是与朕融为一体、就连呼吸都一致的连理枝，朕看得见其他女人，但是你从未离开朕的思绪。之后，你离开朕，把身子硬生生地从朕身边拔开，然而，三十二岁的你，美得坦然，云淡风轻、了无牵挂的坦然，你的美，在落发那一刻，落进朕的骨血之中，至今尚在。

"落发那年，是康熙三十六年，朕死也不会忘记你的话，你的神情那样坚决，你说，'我们纠缠了半辈子，谁也放不下谁，但是，那是我们有意地把因缘缠绕着，我们哄骗自己说——谁也放不下谁，其实，只要放下，就再也没有什么放不下的。'

"你还说'每一个人的世界都是自己的世界，每一个人的红尘也都是自己认定的红尘，跳脱了自己，就站到了红尘的尽头'。

"朕不相信，朕以为只是你被周用贤迷了心性，所以朕逃离了畅春园去北巡，给你时间，让你从佛法的迷雾里跳出来。然而，当朕再回到畅春园，你已经不是朕的留瑕了，不是那个与朕呼吸相同的人，你的眸子，那样清澄，就像朕说的"是玉泉山的水"，你比朕还要干净、还要自由。

"但是你怀着朕的孩子，'这是上天的意思，要你与朕白头到老'，朕抱着你，却看见你的目光越过朕的肩膀，凝视着窗外的蓝天，你说，'我会顺从天意，孩子未出世之前，我不会剃度，但是，这个孩子，与我、与你，都没有缘分，我感觉得到。'

"孩子确实与朕没有缘分，你再度流产，朕不能进血房，只能到永宁寺去求佛祖保佑，留瑕，就是在那一夜，朕真正地放下了。

"朕记得，永宁寺里十分昏暗，铜佛就在前方，朕双手合十，喃喃地祈祷，但是祈祷了什么，一点也不知道，周用贤不知何时出现，像一个鬼魂，突然地站在朕身边，他说，'阎浮提主在求些什么呢。'

"'求佛祖保佑留瑕。'朕说，朕其实心中很恨他，恨他拆散了你与朕，然而，此刻，朕哪有心思恨他呢？

"'保佑她活？还是保佑她死？'

"'当然保佑她活！'朕毫不犹豫地说。

"周用贤轻蔑地笑了，他盘膝坐下：'保佑她活？她如果活着，就会闹着要剃度出家。阎浮提主，您什么都留不住，甚至连她的尸身、她的灵魂都抓不住。但是她如果死了，至少，您可以追封她为皇后，入葬景陵，死后还能相见，不是吗？'

余韵

"朕沉默了,是啊……他说的是事实啊……你若是死,朕可以把你送进原本的妃园寝,那里设的所有风水机关,都会把你的灵魂留在那里,或者,追封你为皇后,我们永生在地宫中相伴;但是,你活着,朕可能再也见不到你,永远失去。

"一切从朕的心头碾过,前尘往事,全都那样迅速地涌来又消失了,只剩下你的名字,死,还是活?

"人一天之中有四万八千个念头,在那时,朕脑中只有死与活这两个字。朕是个自私的人、朕是个注定要做鳏夫的人,那么,你死了,朕有什么好不乐意的呢? 反之,你活着,朕要一生牵挂,朕,又有什么好高兴的呢?

"'怎么样? 是死? 是活?'周用贤问,他的目光如火炬般明亮,那样直直地照进朕心中最最卑劣的地方。

"朕想要你死,话到嘴边,闪过的却是你干净的眼睛,朕要谁的命,从没有手软心软过,但是,朕突然觉得,剥夺了你的快乐,朕并不因此欢喜,你是朕的心尖尖儿,不是吗?

"眼前似有光明初放,一切都亮了起来,朕对周用贤说,'朕要她活。'

"'恭喜阎浮提主。'周用贤微笑了,欣慰地说,'您终于放下了。'

"是啊……朕放下了,可朕也还不真正放下,你要原谅朕搅了你剃度,每一根头发,都是一个记忆,剃刀把记忆都削去,朕心无所依。

"在你剃度之后,朕再度南巡,去了我们去过的所有地方,也去了我们没去的地方,虽有侍卫护着,可是朕一直觉得自己是赤裸裸地站在天地之间,钱塘潮、西湖柳,全都一样,朕以为会难过,可是不,是一种久违的熟悉感觉。某一日,朕在杭州下榻,没有人陪,独自躺在空空的床上,朕突然觉得轻松,留瑕,朕此时才真正明白,你为何离开。

"在我们相遇前,你孤独、朕寂寞,相遇之后,我们依赖着对方,以为这才是真正的人生。然而,朕是天生的孤家寡人,朕为大清而活,你不同,你活着,为自己也为朕,可是朕不能为你而活,于是我们还是寂寞、还是孤独。

"到底大清是什么?长什么样子?朕自登基以来便不停在问,可是,至今仍无解答。江南是大清、东北是大清,那西北、西南呢? 这么大的国家、这么多的人,朕到底凭着什么来管理他们? 皇权如此模糊、却又不可旁落,朕只能紧握住权力,依照着既定的规则往前走,大清是什么样子、朕是否就是大清? 朕的意志主宰大清的运行,还是大清牵引着朕的决策?

"不是处在这个位置,似乎很难想象这些问题是多么孤独而寂寞,天下第一人,可也还是个人,也要有人陪着说话。苏麻喇额娘说海兰珠是个普通的女人,姿色普通、不特别温柔贤慧、也不特别聪明活泼,谁都不明白她为什么就迷住了朕的玛法。

"可自打你离开,朕慢慢明白了,朕爱那个活蹦乱跳的留瑕,而那个安详平静的留瑕、那个给朕一个家的留瑕,才是真正的留瑕。玛法、阿玛跟朕,要的都是一个小小的家,一个女人、几个孩子的家。

"人因为有了家,就有了依靠。你离开了朕,因为朕让你变得软弱,你也让朕变得依赖。我们再度为自己而活,虽然寂寞,但是,终究是不用再去分心为对方烦忧,朕不用再去调停后宫的争宠,你也不用再因思念朕而痛苦,这对我们都好? 朕不认为如此。

你的离去,得到你心中的平静,可是朕的心,从此如无根漂萍。朕选进了汉军旗里那些跟你一样有满汉混血的妃子,可是,这世上只有一个留瑕,一个跟朕一样的三家混血、跟朕一样失去父母的人,朕就是你的亲人,你也是朕的亲人,人间岂有比这更深的牵绊?更深的因缘?人间百年,醒时鸡鸣天下白,是梦里梦外? 繁华如梦、兴亡如梦,可人心是真的,朕对你,不假。

"朕问过你,'什么是因缘?'

"你说,'因是点,缘是网,一千个因,可以生出百万个缘,百万个缘,却也能够生出恒河沙个因。'

"朕又问,'那你我因缘,又是什么?'

"当时你没有回答,你说你还不知道。后来,你去了光显寺,回来之后,你告诉朕,我们的前世今生。

"你说,最早先,朕是百战之余的阿修罗,而你是一只普通的禽鸟,我们本没有交集。某一天,你在池边喝水,而朕带着一身血污闯来,要抓你止饥,却又不知为何放你。于是,几十世轮回,你与朕越转越近,而于今生相遇相知。

"六道轮回,你是知而不信的,但是在我辈俗人,轮回是今生的补偿,一世不成还有一世。朕私心希望你能再与朕结发,然而,你说,'轮回是人的信仰而结的果,是无数个我执形成的虚像,跳脱人的视野,因我非我,轮回也就不是轮回。'

"十三年的情缘牵绊，是你与朕的执著，你断绝了情，因情非情，牵绊也就不是牵绊，对吗？朕还是很有慧根的吧？

"朕就要死了，不怕死，可总是有几分留恋，从那回带弘历去见你之后，你就消失了。朕想再见你一面，想好好对你说几句掏心窝子的话，朕问德妃、佟妃，还问胤禛，也许是真不知道、也许是不肯说。可朕不恨他们，留瑕，因为他们不知道朕的苦，可是，你怎么就这么狠心，把朕丢下不顾了呢？

"前日，朕带着弘历去景山看种田，朕偶然说了一句'千金难买早知道'，弘历马上接下去说'万般无奈想不到'，孩子不知愁，不过是说着玩的。可听在朕耳里，人间百转千回，确实是'万般无奈想不到'，就是你与朕，不也是'万般无奈想不到'？朕太聪明，你也不笨，可就是我们这两个聪明人，把一段良缘变成了如今这样的生离死别。

"又，朕昨日看戏，戏台上一句唱词说'孤知错愿回头、孤知错幸已回头'，朕想起你，不禁黯然。朕也知错、也愿回头，可是你已经不在了，千错万错，总是朕不愿轻信于人，驯得住天下人，却拴不住霞光一样的你。

"爱你、知你之人，天下只剩朕一人。你去库伦的这些年，朕常常能感觉你的存在，尤其是在朕最伤心、最难过的时候，就觉得想一觉睡去，梦中总觉得有人在朕身边轻声说些什么，就像你在身边抱着朕、哄着朕，但是醒来之后，还是只有朕一人。

"每个早晨，朕从镜中看见自己又老、又瘦、又病的丑样子，手不能写、口不能言、四肢水肿、肤色蜡黄，每每不自觉潸然泪下。可是只要朕静坐一阵，想着你，就慢慢觉得快乐平静，听说你修习密宗有成，朕想，是因为你的心绪与朕相连吧？

"从那次见面，朕再也不曾感觉那种奇异的平静，你多么狠心、多么绝情！朕知道，是你断了与朕的联系，你不愿再见朕了，所以朕要留封信给你。朕若是死了，这封信，足以证明朕对你，这四十年来的所有情意，旁人看来，若论专情、真情，朕也许不如先帝。可朕以为，人心、人情不可比拟，朕无愧于慧贵妃，却有愧于妻子留瑕，何也？

"慧贵妃为后宫之主，一步之差即是国母，上侍太后皇帝、下抚妃主皇子，位高权重，身为皇帝，朕必须恩威并用；然而，朕愧对妻子留瑕一片情深爱挚，妄以帝王心术揣度，作为丈夫，朕心怀歉疚，已无法弥补，只得怅然。

"你到底往哪儿去了？朕让紫祯的儿子、六额驸还有小达尔汗他们去找，都不见踪影，你也不在法显寺，朕下旨叫虎子还有李煦的儿子们在江南寻访，还有住在你家隔壁的那个沐什么公子都找，全都无功而返，留瑕，你到底在哪？

　　"有人告诉朕，你最后一次出现在喀尔喀，是在胤禵与阿拉布坦决战前夕。他们猜测，你也许已经离开人世，朕却不难过，朕微笑，若是如此，很快就可以再见到你了。后来，朕又想，我们若于轮回之中再见，那就是你修行不够，才会再入轮回。

　　"前日，朕趁着西北捷报，做了场法会。大清乃朕毕生之志业所在，六十年来不敢有丝毫懈怠。你称朕是阎浮提主，然这东方乐土之主，却还是一片修罗之心；恩怨情仇繁重，朕不能成佛、也不愿成佛。佛家说人间万苦，多情苦、痴情苦，所以要修得妙法，跳脱这无穷尽的烦恼。朕是皮肤滥淫之蠢物，不如你有佛缘，为你供养三宝，朕不求来生，是愿你今世能大彻大悟，跳脱三千大千世界，往虚空中得宁静。

　　"你若在世，当感朕一片真情，来见朕一面，不愿见朕，也在朕亡故后，来取此信，若已离世，入虚空成佛，魂兮有灵，也当为朕引路，莫使朕落入恶鬼、畜生道，助朕乘愿再来。朕晚年倦怠，积弊日多，无愧于祖宗，却对后代儿孙心有亏欠，愿再来东土，继续未竟之事业，你已站到了红尘尽处，但是朕的红尘，还没有尽头。

　　"伏案书写不过一个下午，已觉头昏眼花，疲惫不堪。留瑕，言尽于此，此心此情，无一字矫作，朕已无力多言；心中万事，只怕要随朕入土了……"

　　"皇爷爷……"弘历喃喃地喊了一声，低头看父亲，雍正已经满眼是泪。弘历放下了信，也背过了脸，泣不成声。

　　一阵微风吹进东厢，一串风铃声响之中，一身缁衣的留瑕不知何时走进了承乾宫，玻璃外的阳光洒在她脸上，看不清楚面貌，可是雍正清楚知道，就是留瑕。她拿起桌上的折子，什么话也没有说，翩然远去。

　　呆了不知多久，雍正才像想起了什么，追出去大喊："瑕姨！"

　　承乾宫的中庭空无一人，通往承乾门的夹巷中，也没有那灰色的身影，满地落花亦无踩过痕迹，雍正父子原本以为只是两人的想象，回身去东厢，可是，那份康熙的信，却失踪了。两人不信邪，打开那只康熙六十一年的木盒，里面只有一张不知是不是原本就在里面的宣纸，是留瑕的字迹。

"红尘已尽……"

弘历轻声地念了出来，雍正颓然坐回炕上，承乾宫中，这一箱的红尘俗事，也已经走到尽头，什么都不用去问、也不用去寻了。已经逝去的生命远离之时，也许正是另一个生命降临之日，他缓缓起身，在东暖阁佛堂燃起一束藏香，深深稽首："菩萨庇佑，弟子胤禛之父，爱新觉罗·玄烨，回返皇家，再做天下之主，以尽前生未完心愿。"

弘历静静地站在那幅画前，遥想万顷宫墙里有过的故事，心中一阵怅然。生于帝王家，爱恨情仇全都经由权力而放大，多少皇子后妃，争斗一生，不论输赢，都不愿放弃。只有留瑕能在这血腥险恶的朱红宫门中，留下这样一幅完美的形象。

花雨纷飞中，一个春天已经过去，承乾宫门静静地关闭了，等到再次启封的时，宫女、太监把旧的被褥床帐全都清掉了，那口樟木箱子，也不知流落何处。

懋勤殿中收着一箱箱的圣祖谕旨，其中，独缺这一箱的女人情愁、男人情痴；承乾宫因为背负着太多悲剧而寂寞、拥有过无数故事的畅春园也因为圆明园的兴起而衰微；玄武湖畔的蒙古王府伫立在斜阳之外，艳红的湖水漫到脚前，一切都跟南巡时一样，不同的是人已不在了。

长风尽处，吹皱满湖烟波，这一世，转尽千山万水，从江南到西北，也许就是为了结这一场尘缘，却给一城京华风云迷了眼。待得眼明心亮时，已是人间百转，又回到了原处，悔不悔走到红尘尽处？淡然一笑，依然如霞光满天。

门掩梨花深见月，一院悄然中，妙花纷飞如雨，红尘万事，都远了，可到底是爱过的。挽霞斋的门静静合起，锁住过往的美丽；寺藏松叶远闻钟，悠远的佛寺钟声融在烟柳斜阳中，映照着皇妃丽容。红颜已老、青丝已断，一场人间聚散，看尽公侯将相、贩夫走卒，不过都是苦海浮沉的烟波一缕。然而，人是很难大彻大悟的，有几人能一步穿过满天红尘，再不回首？

粼粼波光中，闪耀着夕阳金红的光芒，渐渐地沉下去。已尽的红尘中，数十年前的风华绝代、深情缱绻，随着康熙朝的结束，永远地消散。

跋

qinggong · hongchenjinchu

常常看书，作者们往往说跋文有多么难写、多么痛苦，等到自己出书时，觉得有好多话想说。

《清宫·红尘尽处》的诞生，完全是在我意料之外的。我不曾受过写作训练、参加过什么作文比赛，进入历史系后，我原本希望能走上研究的路，在几次偶然中写了一些中短篇的历史人物速写，从而深深感觉到作为人类生活过程的历史，是不可以缺乏"人"的，人的思想影响行为，随后影响了社会，一些具有影响力与实权的人物更是如此。

2006年初我开始写唐代背景的小说《大唐花谱·芙蓉》，这是出自我对唐代的迷恋，写着写着，不知不觉就累积了二十万字的稿件，可是太频繁的写作让我觉得十分倦怠，加上后面故事的资料收集不足，自己在检视过程中，也开始反省是否有些"见树不见林"，到底什么是真正的唐代？当读者与作者太投入小细节的时候，我们是不是都忘记了什么是唐代的核心价值？

这个反省让我觉得很沮丧，开始发懒不写，并试图写些短篇恢复功力，可是总觉得力不从心。五月中，写中短篇的目标移到了康熙身上，把很久以前写的一个开头拿出来，写着写着，瞬间福至心灵，找回了卯起来写的手感，很迅速地花了三个月时间，完成了二十万字左右的《清宫·红尘尽处》。

然而，放了一阵子后再回头看自己的故事，发现太聚焦在爱情上，有时候觉得我写的康熙除了撒娇幼稚又花心外,整体形象太过薄弱。这样一个杰出的皇帝、一个拥有复杂心理的男人,是不能用这样片面的写作来带过的,故而开始了修改的工作。

修改版在清代的社会风俗、生活上也有许多细节加入,希望能更清晰地呈现出那一个矛盾而充满庶民色彩的时代,如果能使读者因而对清代的社会更感兴趣,真是功德无量了,不过我对清史所知有限,有什么不足之处尚待指正。

我对自己的故事通常会有个简单的提要,《清河芙蓉》是"两朝江山",而《清宫·红尘尽处》原本只是"人间情痴",但在修改版中,《清宫·红尘尽处》的提要变成"官场倾轧、人间情痴"。

官场倾轧,是修改版会出现的一条主线。重读史料后,康熙朝其实从开始到结束都有党争,康熙皇帝的后妃大多是这些官员的姊妹儿孙,因此我将官场倾轧导入后宫争斗,康熙的地位超然于争斗之上,他像一个天平,居中平衡,确保帝国不致一面倒。

同时,为防止读者也跟着一面倒向盛世的光明面,也在康熙巡游的旅程中,安排了怀念故国的明末遗老、对民族大义充满矛盾的圣人后裔、繁华热闹的苏州夜生活、溜须拍马的官夫人、身世凄凉的军妓等等小人物,带领读者去看不同面向的康熙时代。

人间情痴,是修改版与原版相去不远的。

康熙是个令人着迷的人物,他确实雄才大略,具有开创时代的恢宏气魄与眼光;他也确实宽仁大度,拥有君王少有的仁慈与悲悯之心。但是,他并不是个滥好人,他对危险十分警醒,对帝国的一切都密切注意,对于敌人与不听话的臣子会给予沉重的打击,在施行这些权术与必要的暴力手段后,他又会觉得良心难安,这为他的晚年带来许多心灵与身体上的痛苦。他是一个矛盾的人物,一个男人中的男人、帝王中的帝王、君子中的君子、小人中的小人。

留瑕的原型则是康熙九年就夭折的慧妃,她还来不及成为康熙的女人就死去,成为康熙陵寝的第一个入葬者。或许可以说是"借尸还魂",我用了她的出身背景,创造了留瑕,一个具有传统美德、也免不了有点小奸小坏的可爱女子。

留瑕与康熙有一样的血缘,也与他一样在少时就爹死娘亡,他们一开始给予对方的是亲情、友情，但是当留瑕从少女逐渐成为女人，康熙除了兄长、父亲似的角色外，也慢慢便变成了托付爱情的情人。经过这样长时间的相处，亲人、朋友与情人，这复杂的牵系，使他们成为对方生命中不可割舍的一部分。

这样深重的情缘，在无数的风雨考验中，最终如同张爱玲说的，成为一个"美丽而苍凉的手势"，承乾宫的梨花拉开了故事的序幕，也是故事的结束。不否认有些老套，可是人间情缘，往往是"怅望千秋一洒泪、萧条异代不同时"。

《清官·红尘尽处》是我完成的第一部小说，它的出版，算是送给我大学生涯的一个礼物、一个标记，写作的过程带给我许多乐趣，像在拼一幅长长的画卷，透过编年的篇目安排，也希望能带给读者如画卷一般缓缓展开的阅读趣味。

最后，不能免俗要来大感谢一下，首先要感谢我的编辑们，因为有他们的热心与鼓励，才有这本书的问世，很高兴与你们合作。其次是我的室友们，谢谢你们忍受我三更半夜不睡觉写故事，很幸运能跟你们住在一起。再者是所有的读者，若不是各位的鼓励，必定是没有今天这本书的，很荣幸遇见大家。还有成功大学历史系的师长们，在温文古雅的府城，何其有幸能得到各位师长的指导。最后是我的爹娘跟我的两只猫，爹娘的支持让我能专心于写作与历史研究，两只猫的笨样成为文中那只规矩的原型。我特别感谢一个神秘人士，谢谢他给我的鼓励与支持（如果自觉没被我感谢到的人，不要难过，我就是在感谢你啦！）。

再写下去，只怕要嫌啰唆，至于书名为什么要叫《清官·红尘尽处》？相信读者一开始也会觉得疑惑，但我希望各位看到最后，心中已经有个完整的答案。

爆走金鱼

2006年12月，于台湾府城

跋